一笑

古龍自署

盛期之風貌

臥龍生作品　帶動武俠風潮

《飛燕驚龍》開一代武俠新風

《飛燕驚龍》(1958)爲臥龍生成名作，共48回，約120萬言。此書承《風塵俠隱》之餘烈，首倡「武林九大門派」及「江湖大一統」之說，更早於香港武俠巨匠金庸撰《笑傲江湖》(1967)所稱「千秋萬世，一統」達九年以上。流風所及，臺、港武俠作家無不效尤；而所謂「武林盟主」、「江湖霸業」等新提法，竟成爲社會大眾耳熟能詳的流行術語了。

《飛燕》一書可讀性高，格局甚大。主要是寫江湖群雄爲覬覦傳說中的武林奇書《歸元秘笈》而引起一連串的明爭暗鬥；再以一部假秘笈和萬年火龜爲餌，交插敘述武林九大門派（代表正派）彼此之間的爾虞我詐，以及天龍幫（代表反方）網羅天下奇人異士而與九大門派的對立衝突。其中崑崙派弟子楊夢寰偕師妹沈霞琳行道江湖，卻如夢似幻地成爲巾幗奇人朱若蘭、趙小蝶之絕世武功技驚天龍幫，而海天一叟李滄瀾復接連敗於沈霞琳、楊夢寰之手；致令其爭霸江湖之雄心盡泯，始化解了一場武林浩劫云。

在故事佈局上，本書以「懷璧其罪」（與真、假《歸元秘笈》有關）的楊夢寰屢遭險難，卻每獲武林紅妝垂青爲書膽（明），又以金環二郎陶玉之嫉才害能，專與楊夢寰作對(暗)爲反派人物總代表。由是一明一暗交織成章，一波未平，一波又起，極盡波譎雲詭之能事。最後天龍幫冰消瓦解，陶玉帶著偷搶來的《歸元秘笈》跳下萬丈懸崖，生死不明，卻予人留下無窮想像空間。三年後，作者再續寫《風雨燕歸來》以交代陶玉重出江湖，爲惡世間，則力不從心，當屬狗尾續貂之作。

在人物塑造方面，臥龍生寫男主角楊夢寰中看不中用，固然乏善可陳，徹底失敗；但寫其他三名女主角如「天使的化身」沈霞琳聖潔無瑕，至情至性，處處惹人憐愛；「正義的女神」朱若蘭氣質高華，冷若冰霜，凜然不可犯；「無影女」李瑤紅則刁蠻任性，甘爲情死等等，均各擅勝場。乃至寫次要人物如「賓中之主」海天一叟李滄瀾之雄才大略，豪邁氣派；玉簫仙子之放蕩不羈，爲愛痴狂；以及八臂神翁聞公泰之老奸巨猾，天龍幫軍師王寒湘之冷傲自負等，亦多有可觀。

與

武俠小說

摘自 葉洪生、林保淳著《台灣武俠小說發展史》

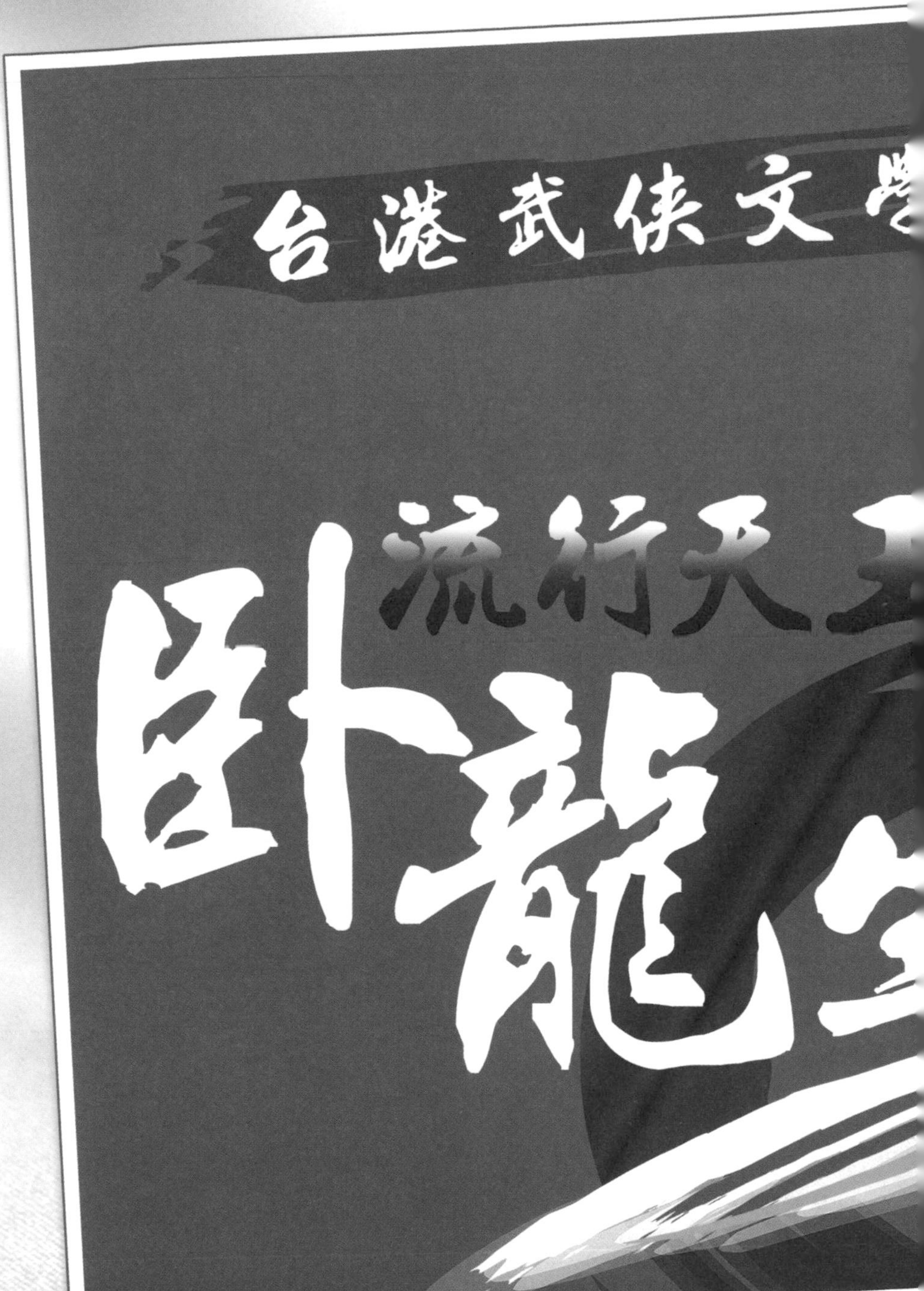
台港武侠文
流行天
臥龍

臥龍生是台灣最著名的武俠小說作家之一，自然也是海外新派武俠小說家中的重要一員。

在台灣武俠小說界，臥龍生曾獨領風騷被稱為「台灣武俠泰斗」。後來司馬翎、諸葛青雲脫穎而出，才與臥龍生並稱台灣俠壇的「三劍客」。那時候古龍還默默無聞。後來古龍名氣漸大，躋身高手之林，與「三劍客」合稱「台灣武俠小說四大家」，但臥龍生仍是深受讀者歡迎的武俠小說作家。

陳墨

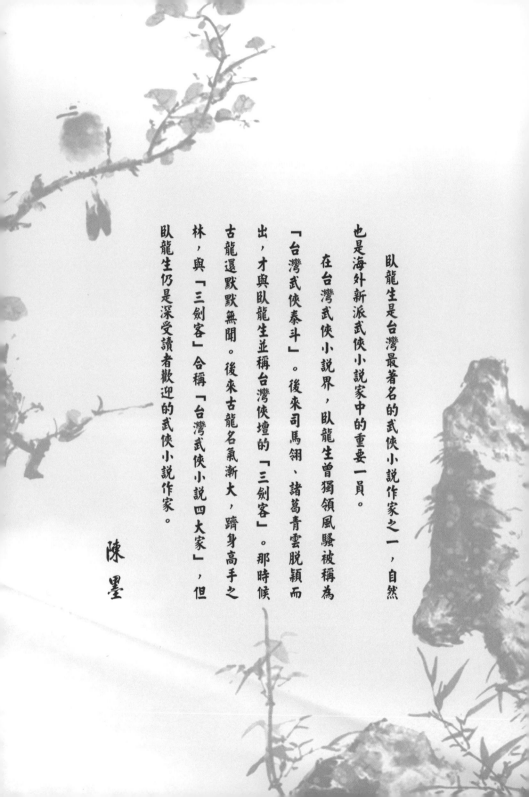

金筆點龍記（三）

臥龍生

武俠經典珍藏版 31

臥龍生精品集 31

金筆點龍記（三）

目錄

廿七　泥淖蓮花

俞秀凡很沉著，腳未停步，頭未回顧，但口中卻冷冷說道：「姑娘，在下的劍勢很快，春風十二釵，有一人就是死在我的劍下。」

一面說話，一面緩步移動身軀，故意擋起了那紅衣女的身子，隔斷春風仙子的視線。

他無法預測那紅衣少女有些什麼反應，只是出於一種意識上的配合，他感覺，擋住春風仙子的視線之後，她才方便行動。

突然間，覺得一件細小之物，飛入後頸之中。俞秀凡立刻一提氣，使那飛入後頸之物，夾在了衣領和肌膚之間。停下了腳步，俞秀凡緩緩用左手舉起了長劍，右手卻借機會一探頸間，取出了一粒綠豆大小的藥丸。他的舉動很自然，以那春風仙子的精明，也未瞧出一點破綻。但俞秀凡手中拿住了這麼一顆丹丸之後，卻有著不知如何處置感。

這時，他距離春風十釵只不過六、七尺遠，必需及早把這粒藥物用上，以防止春風散的藥毒。但他無法決定，是把這粒藥丸吃下去呢，還是把它含在口中，或是用其他的辦法施用這粒藥物。

春風仙子格格一笑，道：「俞少俠，過來呀！你的朋友正在期待著，你能救他出去。」

俞秀凡心中暗暗忖道：她既沒有告訴我，藥物使用之法，定然是服用下去了。」

心中念轉，右手又緩緩握上了劍把，冷冷道：「不要激起了我的殺機，你們都是積惡如山的人，死有餘辜，一旦我動殺機，只怕諸位都不會有好的收場。」

春風仙子笑了一笑，道：「俞少俠，多謝你先給我們這個警告。這份光明磊落的態度，好生令賤妾佩服，我這個痴長你幾歲的大姊姊，也不能暗施算計了。」

語聲微微一頓，接道：「春風散有一股特殊的香味，只要你聞到了那股香味之後，就算中了毒，不論你內功如何精深，武功如何高明，都無法抗拒春風散強烈的毒性。中毒後，情形如何，你已經親目所睹，似乎是用不著我再說了。」

俞秀凡緩緩把長劍高舉，借劍柄掩護，把藥丸投入口內。他已經無法再多想這藥是否可以吞下去，就嚥入腹中。

春風仙子目睹俞秀凡靜靜地站著不動，心中大感震駭，暗道：這人的沉著，的確莫測高深。

雙方又僵持了片刻，春風仙子已忍耐不住，突然一揮手，道：「攻上去。」

原來，排列在無名氏兩側的春風十釵，突然一齊向前撲去。十人一動，右手同時打出，一片如霧白粉，籠罩了一丈方圓，強烈的香味，鑽入鼻中。

俞秀凡正想著服下的藥物，是否真能克制春風散，忘記了閉著呼吸，香氣直入肺腑。想到無名氏中毒的瘋狂，俞秀凡心中十分震驚，一面運氣行開藥力，等待反應，右手緊握劍柄，準備出手。

春鳳十釵眼看俞秀凡陷入了一片濃密的春風散內，也就停下腳步，靜候他毒性發作。

俞秀凡原本的想法，萬一中了春風散的奇毒，就立刻全力施爲，準備先殺了對方一些人，然後再自絕而死。但那紅衣少女及時贈送了一粒丹丸，使得局勢有了很大的變化，俞秀凡服下了藥物之後，就存了僥倖之心，希望那一粒丹丸，真的能解去春風散的奇毒。

他靜靜地站著，等待毒性的發作。但過了一刻工夫之久，竟然是全無感覺。

俞秀凡自知吸入了不少的春風散，如說毒性強烈，那不知超過無名氏多少倍了。但無名氏中毒後的瘋狂，立刻顯露了出來，自己卻全然無事。

心中念轉，幾乎已確定了自己沒有中毒，不禁膽氣一壯，冷笑一聲，道：「春風仙子，貴教除了春風散之外，還有什麼厲害的藥物？」

春風仙子臉色一變，道：「春風散無孔不入，就算你能閉住氣，但你這一說話，也應該已中了毒。」

俞秀凡道：「我可以奉告仙子，在下不怕春風散的毒性。」

右手緩緩握在了劍把之上，冷冷接道：「各位大部分都已見過了在下的劍招，如是各位自信能夠逃過在下的快劍，那就不妨試試，自知無法逃過在下快劍的人，那就站著別動。」

春風十釵沒有人接口說話，但也站著未動。

他了然春花教的內情之後，本已動了殺機，準備把春花十二釵和春風仙子，一鼓作氣，全數殲滅，但那紅衣女暗中贈藥，頓使他感覺人性本善，動了惻隱之心。原準備要大開殺戒，此刻只準備搏殺春風仙子。

眼看俞秀凡安然無恙，春風仙子也覺著情形不對，但她想來想去，就是想不出俞秀凡何以會不怕春風散。她閱歷豐富，看透人情世故，眼看俞秀凡目中殺機閃動，心中忽生警覺，立刻向後退去。

俞秀凡大喝一聲：「站住！」寒芒一閃，長劍疾如雷奔，冷鋒已逼上了春風仙子的咽喉。

春風仙子走南闖北，見過無數的高人英雄，但卻從未遇上過這樣的快劍——那是完全沒有閃避機會的快劍。

呆了一呆，春風仙子說道：「俞少俠，你……」

俞秀凡冷冷接道：「我劍勢只要向前送上兩寸，立刻就要你濺血劍下。」

春風仙子道：「你殺了我，你朋友也無法逃得生命。」

俞秀凡目光轉動，只見春花十釵，肅立原地，所有的目光，都投注在兩人的身上。

春風仙子嘆口氣，緩緩說道：「俞少俠，大錯未鑄，雙方都還有退步餘地。」

俞秀凡道：「在下覺著，姑娘似是已經沒有和在下談條件的身分了，你是敗兵之將，不足言勇了。是不是？」

突然微微一笑，道：「春風仙子，你是不是很怕死？」

春風仙子道：「螻蟻尚且貪生，何況在下是人？」

俞秀凡道：「姑娘，一個人難免要死，但要死得心安理得。」

春風仙子道：「你說得太深奧，希望你說得明白一些。」

俞秀凡突然放低聲音，道：「十一金釵靠得住麼？」

春風仙子道：「她們都追隨我多年，自然是靠得住了。」

俞秀凡道：「你敢不敢棄邪歸正，倒戈造化門？」

春風仙子呆了一呆，道：「不是敢不敢，而是沒有用。在造化城內，我們春花教，只是一點微不足道的力量。」

俞秀凡道：「聚沙成塔，把很多小的力量合於一處，就是一股強大無比的力量，匯涓滴而成江流、大河。」

春風仙子道：「要我怎麼辦？」

俞秀凡道：「那要你姑娘去策劃了，要選擇適當的時機，不能做無謂的犧牲。」

春風仙子道：「俞少俠如若肯相信我，我只能答應試試看。」

俞秀凡還劍入鞘，道：「盡快救醒我的朋友。」

春風仙子有些意外，吁一口氣，道：「快給他一粒還元丹。」

一個白衣少女行了過去，餵一粒丹丸到無名氏的口中。

目光轉到俞秀凡的臉上，接道：「這一粒還元丹，可使你的屬下很快康復。」

俞秀凡道：「多謝姑娘。」

春風仙子探手從懷中取出一個瓷瓶，道：「這瓶有一十二粒丹丸，可以救十二個人，俞少俠內力精湛，已到了出神入化之境，不畏春風散，但除了俞少俠本人之外，只怕還有很多人，難以抗拒這春風散的奇毒，服下這顆丹丸之後，十二個時辰之內，春風散奇毒不侵，也許日後，咱們還有碰頭的時候。」

俞秀凡道：「應該如何，由仙子自作決定。人生在世，難免一死，但死有抱憾而沒，也有死得重如泰山，留給後人無比的懷念。」

春風仙子笑了一笑，道：「多承指教。」

這時，端坐在木椅上的無名氏，突然挺身而起，道：「我慚愧。」

春風仙子放開了無名氏的右腕，道：「春花教有一本記事錄，記載著中了春風散奇毒後，失身之人，比你壯士名氣大的人物，不下數十個。老實說，在本教春風散下，能夠不中奇毒的，俞少俠是第一人。」

俞秀凡道：「無名兄，咱們走吧！」舉步向外行去。

無名氏吁一口氣，跟著俞秀凡身後而行。

只聽一個細微的聲音，傳入了俞秀凡的耳中，道：「俞少俠，帶我走！他們會查出來，那將會使我求生不能，求死不得。」

俞秀凡人已行出廳外，突然停下了腳步，回目望著那站在大廳門口的紅衣少女。

只見她臉上是一片祈求神色，雙目滿蘊著淚水。

暗暗吁一口氣，俞秀凡舉手對春風仙子一拱手，道：「教主，在下想請求一事。」

春風仙子淡淡一笑，道：「你說吧！」

俞秀凡道：「這位站在廳門口的姑娘，叫什麼名字？」

春風仙子道：「春花十二釵，以花命名，她叫蓮花，本姓蕭。」

俞秀凡道：「仙子，在下想把這位蕭蓮花姑娘帶走，不知仙子意下如何？」

春風仙子點點頭，道：「你可以帶走。不過，我要先說明兩件事，由蓮花回答我之後，你再帶她離開。」

俞秀凡回顧蕭蓮花一眼，道：「蕭姑娘意下如何？」

蕭蓮花點點頭，道：「賤妾從命。」

春風仙子道：「過來，我問你幾句話。」

蕭蓮花回顧了俞秀凡一眼，舉步向前行去。

俞秀凡緊隨在蕭蓮花的身後，行了過去。

春風仙子道：「蓮花，你決定了要跟俞少俠去麼？」

蕭蓮花道：「不錯，弟子決定了。」

春風仙子道：「你離開之後，就算脫離了春花教，此後，你要小心謹慎，別要再遇上我們。」

蕭蓮花道：「弟子明白。」

春風仙子道：「那很好，你去吧！希望你好自爲之。」

蕭蓮花撲身跪了下去，春風仙子也不謙辭，生受了蕭蓮花大拜三拜。

蕭蓮花拜罷站起身子，道：「師父請保重，弟子去了。」轉身向外行去。

俞秀凡拱拱手，道：「仙子，在下感激。」

春風仙子道：「用不著感激我，我是爲勢所迫。」

俞秀凡淡淡一笑，緊隨在蕭蓮花的身後行去。

春風仙子目睹兩人離開大廳，才輕輕嘆息一聲，道：「掩上廳門。」

兩個女婢應了一聲，行過去掩上廳門。

蕭蓮花欠欠身，道：「俞少俠，蓮花感激萬分，不知該如何報答？」

俞秀凡道：「言重了，姑娘。感激的應該是我，如非姑娘暗贈解藥，在下也要傷在那春風散下了。」

輕輕吁了一口氣，接道：「進入了造化門之後，我才發覺，造化門果然不是個簡單的組合，我們的前途命運，無法預卜，也無法保證你的安全。不過，我們是危難與共，姑娘和我們走在一起，希望能自己小心一些。」
蕭蓮花苦笑一下，道：「弱女子欲海沉淪，今天得慶重生，生死事早已置之度外，公子不用爲我擔心。」
俞秀凡嘆息一聲，道：「如非你暗中相助，在下確無法逃過那春風散的暗算，單是這一份情意，就叫人感激莫名。」
蕭蓮花突然流下淚來，而且嗚嗚咽咽，哭得十分傷心中。
俞秀凡呆了一呆，道：「姑娘你哭什麼？」
蕭蓮花道：「好久好久了，我都沒有聽到人對我說過這樣的話。」
俞秀凡道：「哦！」
蕭蓮花道：「我看到的都是弱肉強食，聽到的都是冷酷的責罵。」
俞秀凡嘆口氣，接道：「蕭姑娘，單是貴教如此呢？還是整個造化門中都是如此。」
蕭蓮花沉吟了一陣，道：「俞公子，造化門中事，一言難盡，而且，小女知道的有限，也不知從何說起。」
俞秀凡道：「不要緊，你知道好多，就說好多，知道些什麼，就說什麼。」
蕭蓮花道：「造化城只是一個總稱，這裏面，容納了無數的組合，他們屬於不同的門戶，來自不同的地方。」
俞秀凡接道：「這般群雄濟濟，難道都甘於雌伏麼？」
蕭蓮花道：「我的身分太低，從沒有見過造化城主，不知他用的什麼手段，竟然能使所有的人唯命是從。」

語聲一頓，接道：「就拿我師父說吧，她本是一教之主，仗憑獨門春風散，闖蕩於江湖之上，浮沉欲海，爲所欲爲，不但雄踞一方的霸主都和她有過來往，甚至有很多江湖上德高望重的人物，也和她暗中勾結。如若一個女人，只是想縱情酒色，遊戲人間，那確實是一個很好玩的組合，所以，我們一些姊妹，也有些自甘墮落，不願跳出欲海。」

俞秀凡道：「唉！人性本善，但近墨者難免染黑……」

長長嘆息一聲，又接道：「只是，蓮花姑娘，一個人的價值，主要在心靈的純潔和她的胸襟、氣度，以及對人類的貢獻，就像是以姑娘的作爲，不但在下感激不盡，就是這位無名兄也是一樣感激不盡。」

蕭蓮花道：「俞公子，很多年來，我都沒有聽到這樣的話了，是那麼平實、感人。」

俞秀凡點點頭，道：「姑娘，除了春花教之外，你對造化門事還知曉好多？」

蕭蓮花搖搖頭，道：「不知道。以春花教在造化門的地位而言，似乎是並不得意，一切要聽命行事，而且活動也局限於一定的地方，那地方只不過三、四畝地大小。」

抬頭望了俞秀凡和無名氏一眼，接道：「俞公子，實在抱歉，我知道的只有這些，造化門中事很難叫人預料，賤妾不敢妄言。」

石生山道：「姑娘，你對這北大街的事情，知曉好多？」

蕭蓮花沉思了一陣，道：「賤妾似聽說，北大街爲諸位設下七道埋伏，但是否可靠，賤妾就不知道了。」

俞秀凡長長吁一口氣，道：「不論他們有幾道埋伏，咱們都要闖過去。」大步向前行去。

無名氏、石生山、蕭蓮花並肩追隨在俞秀凡的身後。

行約五丈，到了一座朱漆大門前面。兩個身穿黑色疾服勁裝的少年，並肩站在大門外面。

俞秀凡距兩人還有七、八尺遠，兩人已並肩攔在了路中。

左首黑衣少年道：「咱們如不能把俞少俠邀入廳中，也是難免一死，那就不如死在俞少俠的劍下了。」

俞秀凡道：「可憐，也很可悲？」

兩個黑衣少年苦笑一下，垂首不語。

俞秀凡嘆口氣，道：「你們是什麼門戶？」

左首黑衣少年道：「五毒門。」

俞秀凡一揮手，道：「好！你們帶路。」

兩個少年轉身向前行去，神態間十分恭謹。

無名氏突然加快腳步，行到俞秀凡的身側，低聲說道：「公子，五毒門是一個很奇怪的門戶。」

俞秀凡接道：「我知道，但咱們沒法不去，是麼？」

無名氏道：「公子多加小心。」

兩個黑衣人，帶著俞秀凡直入廳中。整座大廳中，空空蕩蕩，除了正中一張八仙桌、八張木椅之外，廳中再無陳設。但大廳中卻高吊了八個垂蘇宮燈，照得一片通明。

八仙桌上擺著五個大瓷盤，每一個瓷盤上面，都蓋了一只大海碗。

俞秀凡道：「主人何在？」

只聽一聲冷笑，道：「候駕多時了。」

橫樑上滾落下一條人影，蓬然一聲摔在實地上。摔得很結實，只震得大桌上碗盤直響。

俞秀凡轉眼望去，只見一個全身黑衣的矮瘦中年人，直挺挺地躺在地上，不禁一皺眉頭，道：「湘西五毒門中人，善於用毒，但在下還不知道你們會裝死。」

黑衣中年人一挺而起，道：「誰在裝死？」

俞秀凡道：「閣下躺在地上不動，自然是裝死了。」

黑衣人道：「我要你見識一下我練的神功。」

俞秀凡冷笑一聲，道：「很高明。不過，那還不足以嚇倒俞某人。」

黑衣人冷笑一聲，突然一橫身，在主位上坐下，冷冷說道：「閣下請坐！」

俞秀凡手握劍柄，緩緩在客位上坐下，道：「五毒夫人沒有來麼？」

黑衣中年道：「你對五毒門了解好多？」

俞秀凡道：「不多。但至少我知道，你在五毒門中，不是掌門的身分。」

黑衣中年道：「這麼看來，你對五毒門了解的太少了。」

俞秀凡說道：「五毒門在造化城，只不過是一個小小的組合，就算是五毒夫人親臨此地，也不配和俞某平起平坐，談事論非，何況是你這麼一號人物。」

黑衣人冷笑一聲，道：「你的見識太少了，對區區似乎是也不放在眼中。」

俞秀凡道：「閣下說得不錯。」

黑衣人道：「五毒門包羅很廣，分用死毒、活毒兩種。」

俞秀凡道：「閣下用的死毒還是活毒？」

黑衣人道：「活毒。」

俞秀凡道：「你是用活毒的？」

黑衣人道：「不錯。閣下是否要開開眼界？」

俞秀凡道：「可以。不過，我也要告訴你一件事。」

黑衣人道：「什麼事？」

俞秀凡道：「在下手中的寶劍很快。」

黑衣人道：「在下練的一身枯木神功，大概還可以承受三劍、五劍！」

俞秀凡一皺眉頭，心中暗道：如若他真的練成了一身刀、劍不入的武功，那倒是一樁很大的麻煩事了。

但見黑衣人緩緩站起了身子，伸手揭開了五個大瓷盤上的海碗。

海碗揭開，俞秀凡不禁一呆。原來，那五個大瓷盤，放了五種不同的毒物。

第一盤中放著五條紅色的小蛇，第二盤中放著五隻長約半尺的蜈蚣，第三盤中放著五隻大蠍，第四盤中放著五隻蟾蜍，第五盤中放著五隻小拳頭一樣的大蜘蛛。

俞秀凡目睹五種毒物，頓覺頭皮發炸，不禁呆了一呆，道：「這五種毒物，有什麼作用？」

黑衣人哈哈一笑，道：「現在，咱們要做一個比賽了。」

俞秀凡道：「比賽什麼？」

黑衣人道：「這五個瓷盤中的毒物，無一不是奇毒之物，平常之人，被牠們咬上一口，立刻就要氣絕而亡。」

俞秀凡道：「就目力所及，這些東西確然是奇絕惡毒之物，不過，在下覺著，牠們雖然惡毒，但要牠們傷人，只怕不是一件容易的事了。」

黑衣人冷笑一聲，道：「不是要牠們殺人，而是咱們用來測驗膽量。但不知你俞少俠敢不敢答應？」

俞秀凡冷笑一聲，道：「說說看，咱們如何一個比法？」

黑衣人道：「咱們各自選擇一種毒物，把牠吃了。」

俞秀凡呆了一呆，道：「吃了？」

黑衣人道：「俞少俠請先選擇一種吧！」

俞秀凡道：「這種毒物，咬人必死，如何能夠下口？」

黑衣人道：「這就要各憑本領了。」伸手抓住一條蜈蚣，放入口中大吃起來，而且吃得是吱吱喳喳直響。

俞秀凡冷笑一聲，道：「這比法不公平。」

黑衣人雙目一瞪，道：「哪裏不公平了。」

蕭蓮花道：「一個人各有專長，你學會了生食毒物，別人沒有學過，自然是無法和你比賽了。」

黑衣人道：「那是他的事了，和在下何干？」

蕭蓮花道：「你爲什麼不和俞少俠比試武功，比試快劍。」

黑衣人道：「生食毒物，是老夫選的，先比過之後，咱們再比試別的，那自然由俞少俠選一種了。」口中說著話，人卻把一條大蜈蚣，完全吃了下去。伸手又抓起了一條紅色小蛇。

俞秀凡只覺一陣噁心，幾乎把吃進去的東西都吐了出來。

蕭蓮花冷冷喝道：「你吃吧！你把這五盤毒物吃完了，俞少俠也不會吃一個。」

黑衣人放下手中的半截毒蛇，道：「姓俞的，你吃不吃？」

俞秀凡搖搖頭，道：「不吃。」

黑衣人冷笑一聲，道：「你選一樣，咱們先比試過。然後，咱們再比試食用毒物，不知你的意下如何？」

俞秀凡道：「方法雖然很公平，不過……」

黑衣人冷冷接道：「總不能樣樣都由你選擇，你既然覺著很公平，咱們就開始比試了。」

俞秀凡沉吟了一陣，道：「好吧！咱們先比試兵刃。」

蕭蓮花接道：「俞少俠，不能答應他。」

俞秀凡道：「為什麼？」

蕭蓮花道：「因為，你根本就不能食用毒物。」

俞秀凡道：「我相信，他逃不過我的快劍。」

蕭蓮花道：「不錯，他逃不過你的快劍，但如他劍下不死，你是不是要食用毒物。」

俞秀凡道：「這個，這個……」

蕭蓮花突然上前一步，對那黑衣人道：「俞少俠身分太高，你不配和他動手。」

黑衣人道：「姑娘的意思？」

蕭蓮花道：「我看咱們兩個人身分相同，還是咱們兩個人比試一下如何？」

黑衣人道：「比試什麼？」

蕭蓮花道：「你是男子漢、大丈夫，我只是一個女流之輩，自然是由我先選了。」

黑衣人道：「女娃兒，你要先想想，你敢不敢吃下毒物？」

蕭蓮花道：「大不了牠們把我咬死，沒有什麼不敢的。」

黑衣人哈哈一笑，道：「豪壯得很，有你姑娘這句話，在下無不應允。你說說看，咱們先比些什麼呢？」

蕭蓮花道：「你只要能受我一掌，那就算你勝了。」

黑衣人雙目盯注在蕭蓮花的身上，瞧了一陣，道：「你練的什麼掌上功夫？」

蕭蓮花道：「那是我的事，用不著你管。」

黑衣人道：「好，你出手吧！」

蕭蓮花道：「你小心了。」右手一揮，拍了出去。掌勢將近那黑衣人的前胸時，突然向上升高了半尺，一片白色的粉末，直向黑衣人臉上飛了過去。

黑衣人鼻息間聞到了一股異香，不禁一呆，道：「你這丫頭，用的什麼藥物？」

蕭蓮花道：「你快些運氣，閉住呼吸，不然，立刻就有得你好瞧的了。」

黑衣人冷笑一聲，道：「老夫有些不信。」

蕭蓮花道：「不信你就等等看。」

黑衣人還未來得及再答話，突覺一股欲火，由丹田直升上來。隨著血流，很快地遍布全身。

無名氏吃過這等苦頭，知道那慾火焚身之苦，不禁臉色大變。

黑衣人的臉上泛起了一片火紅之色，雙目也開始變紅，大喝一聲，突然向蕭蓮花撲了過來。

蕭蓮花一閃避開，冷冷說道：「慾火焚身，不死不休，任你是金剛、羅漢，也無法逃過此劫。」

黑衣人雙目，直似要噴出火來，口中發出野獸般的怒吼。

蕭蓮花道：「只有我能救你之命，但你必需要先替我辦兩件事。」

黑衣人口齒啓動，有如一個在烈日沙漠，奔走了一日，未進滴水粒米一般，那種饑渴之情，看上去狼狽萬分，但他的神志還很清醒，只是不能克制住那高漲的欲火，急急說道：「什麼事？」

蕭蓮花道：「去，把守在廳外五毒門的弟子，全部給我殺了。」

黑衣人狂吼一聲，飛身撲出大廳。但聞連聲慘叫，傳入了耳際。

蕭蓮花輕輕嘆息一聲，道：「春風散的厲害處，就在中毒人神志還很清醒，但他卻無法控制自己，明知是大恨大錯的事，仍然無法自禁，在欲火焚燒之下，勇往直前，無所不爲。」

俞秀凡道：「他在此等情景之下，怎會還能聽你的話。」

蕭蓮花道：「奇妙處也就在此了，中了春風散之毒後，只肯聽女人的話。這時，就算是他的親手足在此，他也一樣會出手屠殺。」

俞秀凡道：「聽起來，果然是可怕得很。」

但聞一聲怪吼，黑衣人像飛鳥投林一般，直向蕭蓮花撲了過來。這一招來勢快速，有如電光石火一般，一閃而至。蕭蓮花全然無備之下，勢將閃避不及。

俞秀凡突然一伸右手，五指扣上黑衣人的肩頭上。

黑衣人雖然被拿住了肩穴關節，但他的衝奔之力，仍然十分強大。

俞秀凡借勢一送，更加快了黑衣人向前飛撲的速度。眼看著撞上了牆壁，黑衣人就是無法閃開。只聽蓬然一聲，撞在牆上。一撞之勢，十分強大，只震得樑上塵土飛落。黑衣人被撞摔跌在實地之上。

蕭蓮花低聲道：「好手法，我從來沒有見過一個人，有你這樣認位奇準的手法。」

俞秀凡嘆息一聲，道：「如果我們不救他，那將會如何？」

蕭蓮花道：「他會被那升入心腑的欲火，活活燒死。」

俞秀凡道：「你還有解藥麼？」

蕭蓮花道：「有，我收藏了三粒解藥，也收藏了三份對付惡人的春風散。」

俞秀凡嘆口氣，道：「在下也無法決定，咱們是否該救他了。」

蕭蓮花道：「這人武功詭異，練了一身刀槍不入的功夫，若饒了他，他也不知感激。」

俞秀凡道：「好吧！我過去點了他的死穴，免得他多受痛苦。」

蕭蓮花搖搖頭，道：「慢著！」

俞秀凡道：「蓮花，你該明白，我們和造化門中人，有很多的不同，其中最大一樣的不同，就是我們不喜歡害人，更不願別人有著太悲慘的遭遇。」

蕭蓮花道：「唉！公子，你如殺了他，為什麼不讓他為我們盡一份力呢？」

俞秀凡道：「他已經受了很重的傷，只怕很難幫咱們效力了。」

蕭蓮花還未來得及答話，那跌摔在地上的黑衣人，已然挺身站了起來，不禁一皺眉頭，道：「公子，我瞧這個人有些裝作，他練成了刀槍不入的武功，撞一下自然不會受傷了。」

俞秀凡道：「哦！」

黑衣人已清醒過來，大喝一聲，又向蕭蓮花撲了過來。

蕭蓮花又一個閃身，避開了一擊，道：「站住！聽我幾句話，我就救你！」

黑衣人大喘幾口氣，道：「我撐不住了，你還有什麼話說？」

蕭蓮花道：「你願不願意和我們合作？」

黑衣人道：「願意，願意！姑娘有什麼話請快些說。」

蕭蓮花道：「再去殺兩個造化門中人，我會解了你身中之毒。」

黑衣人道：「此地沒有造化門中人！」

蕭蓮花道：「想辦法，出去找兩個，不論什麼人，只要造化門的都成。」

黑衣人雙目如電，盯注在蕭蓮花的臉上，瞧了一陣，全身突然抖動起來。

蕭蓮花對處置這些事，似是有著很充分的經驗，嬌聲喝道：「張開嘴巴！」

黑衣人聽話得很，依言張開了嘴巴。蕭蓮花揮手一彈，一片解藥，飛入那黑衣人的口中。對症之藥，立見奇效，黑衣人立刻安靜了許多，閉上雙目，似是在運氣調息。

俞秀凡道：「姑娘，你給他解藥服下……」

蕭蓮花接道：「公子，那不是解藥，他只是暫時免去些慾火焚身之苦，但只有片刻工夫；下一次的發作，更要強烈過千百倍！」

黑衣人睜開雙目，道：「我……我……」

蕭蓮花道：「去殺兩個造化門中人，我就可以解去你身上的奇毒。」

黑衣人略一沉吟，突然轉身一躍，飛出大廳。

俞秀凡道：「唉！看起來，江湖上的險詐，真是無奇不有。如是單憑武功，在江湖上走動，實是無法應付。」

蕭蓮花道：「有人說五分機智，五分武功，才能夠無往不勝。」

俞秀凡沉吟了一陣，道：「照在下的看法，武功、機智，各佔三分，另外四分靠幸運了。就拿剛才的事情說吧，如若不是姑娘給了在下一顆解藥，只怕現在我早已氣絕而逝，就算一身武功，世無匹敵，又有什麼用處？」

蕭蓮花道：「造化門不會殺你。」

俞秀凡長長吁一口氣，道：「那真是很大的幸運了！」

但見人影一閃，那黑衣人提著兩個人頭，大步跑了進來，直向蕭蓮花衝了過去。

蕭蓮花這一次未再閃避，任由那黑衣人衝近了身側。就在兩人將要接觸之時，突然伸出手指，點了黑衣人的前胸。黑衣人向前奔衝的身子，陡然間停了下來，雙手一鬆，兩個人頭也跌落在地上。

蕭蓮花迅快地取出了一粒解藥，投入那黑衣人的口中，回目望俞秀凡微微一笑，道：「公子，把這件事交給賤妾處置如何？」

俞秀凡道：「咱們處境險惡，實也不能用光明正大的手段對付他們了。」

蕭蓮花微微一笑，揚起一掌，拍在了那黑衣人的前胸之上，道：「現在，你覺著如何？」

黑衣人道：「好多了。」

蕭蓮花道：「等一會兒，你會再行發作，痛苦比剛才更要深重數倍。」

黑衣人道：「這個，我應該如何？」

蕭蓮花道：「只有一個辦法，那就是從此刻起，聽我之命，才能免去你慾火焚身之苦。」
黑衣人一皺眉，沉吟不語。
蕭蓮花道：「你也許不相信我的話，那就隨你去。」
黑衣人突然一伸手，抓在了蕭蓮花的右腕之上。
蕭蓮花回手一掌，拍了過來，打得那黑衣人滾出了五、六尺遠。
黑衣人微微一怔，道：「你……」
蕭蓮花飛身一躍，踏在了黑衣人的前胸之上，接道：「聽著，我現在要殺你，易如反掌。」
黑衣人圓睜雙目，似是還想不通何以會被蕭蓮花一掌打倒地上。
蕭蓮花冷笑一聲，又道：「你想死想活？」
黑衣人道：「想活如何，想死怎樣？」
蕭蓮花道：「想死很容易，我就一掌劈死你，如是想活麼，那就從此聽我之命，心不應口，有得你苦頭好吃。」
黑衣人淡然一笑，道：「在下並無難過的感覺。」
蕭蓮花道：「但片刻之後，藥性發作，那份痛苦，比起剛才來還要悲慘上十倍。」
黑衣人搖搖頭，道：「你可以殺了我，但我不能背叛五毒門。」
蕭蓮花道：「別忘了你已經殺了自己的從人，而且還殺了兩個造化門中人。」
黑衣人沉吟了一陣，道：「姑娘還是殺了在下吧！」
俞秀凡心中暗暗奇道：這人一身武功，非同凡響，何以忽然間變得全無氣力，一副任憑宰割的樣子。」

只見蕭蓮花伏下身子，輕輕兩掌，拍活了那黑衣人的穴道，道：「看你如此英雄，我們也不願傷害你了。」

黑衣人站起身子，雙目奇光閃動，道：「怎麼，你們放我走了？」

蕭蓮花道：「不錯。我們敬重英雄人物，不願這樣傷害你，所以，放你回去。」

黑衣人滿臉疑惑之色，雙目望著蕭蓮花和俞秀凡，緩步向後退去。

蕭蓮花果然未再有所行動，目睹那黑衣人退出廳外。

無名氏低聲道：「姑娘，真的就這樣放了他麼？我雖不識其人，但我看他一身的武功成就，非同小可，留著他是一害。」

俞秀凡微微一笑，道：「無名兄，兄弟認爲蕭姑娘處理得十分恰當。咱們此刻最重要的一件事，就是要和造化門不同，他們規戒森嚴，咱們就盡量寬大。能饒人處且饒人，能放手就放手。咱們走吧。」舉步向廳外行去。

但見黑影一閃，一個人蓬然倒摔在大廳外面。正是那退出去的黑衣人，去而復返。

俞秀凡道：「石兄，扶他起來。」

石生山大步行了過去，扶起那黑衣人，道：「老兄，蕭姑娘已饒了你，你又來作甚？」

黑衣人道：「我要見蕭姑娘。」

蕭蓮花快行兩步，道：「什麼事？」

黑衣人道：「姑娘毀了我一身功力。」

蕭蓮花道：「我已經告訴了你，養息一天，你就可以恢復。」

黑衣人道：「不行，我立刻就有性命之憂。」

蕭蓮花道：「造化門下不容你，五毒門要殺你，我有什麼辦法？」

黑衣人道：「姑娘是春花教中人？」

蕭蓮花道：「不錯。」

黑衣人道：「在下也不想死，所以願意跟姑娘學。」

蕭蓮花道：「我明白你的意思，不過我作不了主。」

俞秀凡道：「願和我們甘苦與共的人，我們歡迎得很，蕭姑娘，能不能讓他立刻恢復功力？」

蕭蓮花道：「可是可以，不過，咱們如何能相信他？」

俞秀凡道：「用人不疑，咱們既然歡迎他來，就不可多心。」

蕭蓮花伸手從懷中取出一粒藥物，道：「吃下去，一盞熱茶工夫之內，就可以使你恢復功力。」

黑衣人接過丹丸，看也未看，就一口氣吞了下去。

只聽衣袂飄風，一條人影，疾如流星般直撞過來。無名氏大喝一聲，拔刀一揮擊出。

只聽一聲冷笑，接著是一陣金鐵相鳴之聲。無名氏被生生震退了兩步，但來人也被無名氏這一擊，給擋了下來。

那是一個穿著很俏的年輕人，一身天藍勁裝，滾鑲著近半寸的白邊。手中執著一柄三稜長劍。日光下，劍身泛著一片藍色的光芒。

黑衣人突然向後退了兩步，躲在俞秀凡的身後。

藍衣人兩道惡毒的目光，一直盯注無名氏的身上，道：「閣下可要再接我一劍試試？」

俞秀凡冷笑一聲，接道：「你這身衣服很特殊，不知在造化城，是何身分？」

藍衣人道：「你就是俞秀凡？」

俞秀凡道：「正是在下。」

藍衣人道：「我是監察堂中人，專管殺叛徒。」

俞秀凡微微一笑，道：「此地就在造化城，想不到，貴城主竟然還不敢放心，還派有殺手，除殺棄暗投明的人。」

藍衣人冷笑一聲，三稜劍指著俞秀凡身後的黑衣人，道：「你和我談善惡，他就是世間至惡至毒的惡人之一，不但是他練的武功歹毒，他的生性更殘忍，雙手血腥，殺人無數。你如說是非、論善惡，就該先把他殺了。」

俞秀凡道：「閣下說得也許不錯，但那些都已經過去了，放下屠刀，立地成佛。」

藍衫人冷哼一聲，道：「我們監察堂人，向來不和外人動手，專以對內除殺叛徒。如閣下要阻止，咱們就不客氣了。」

俞秀凡心中一動，笑道：「監察堂人，想必都是造化城主的親信了。」

藍衫人淡淡一笑，道：「好說，好說。造化門中的組織十分龐大，難免有良莠不齊之徒，在下的任務，就是專門處置這些叛徒。」

俞秀凡微微一笑，道：「閣下所謂的叛徒，大約就是指他們棄暗投明了。」

藍衫人道：「人世之間，本無正邪之分，所謂正邪，只是論事的角度不同罷了。你口口聲聲說他們棄暗投明，何謂暗？又何謂明呢？」

廿八　過關斬將

俞秀凡道：「閣下不但有一身好武功，還有一口辯才，看來造化城監察堂中人，都是特經挑選，訓練而成的精銳人物了。」

藍衫人道：「俞少俠誇獎了。」

語聲一頓，接道：「城主對你俞少俠十分器重，所以，才准你穿宅過街，接受招待，沒有派人阻攔。」

俞秀凡接道：「閣下的話，果然是婉轉動聽，這重重難關，無一不是凶險絕倫的地方。」

藍衫人淡淡一笑，道：「自然。你想在造化城中行來行去，必需要有一點能耐才成。」

俞秀凡道：「閣下看看在下這點能耐如何？」

藍衫人點點頭，道：「似乎是有點能耐。」

俞秀凡道：「閣下現在準備如何？」

藍衫人道：「俞少俠只要放開本門的叛徒，在下決不侵犯。」

俞秀凡微微一笑，道：「如是在下不放呢？」

藍衫人道：「那就只好得罪了。」

俞秀凡道：「好吧！監察堂人，想必是造化城的精銳高手，在下領教一、二。」

藍衫人緩緩舉起手中的三稜劍，道：「咱們奉有嚴命，不得向貴賓侵犯，但如向區區挑戰，那就又當別論了。」

俞秀凡道：「好！就算我向你挑戰吧！」

藍衫人冷笑一聲，道：「閣下先出手吧！」

俞秀凡道：「強賓不壓主，還是閣下先出手。」

藍衫人道：「恭敬不如從命了。」右手一揮，三稜劍突然出手，刺向了俞秀凡的前胸。

俞秀凡右手一抬，長劍出鞘。噹的一聲，震開了藍衫人的三稜劍。

藍衫人微微一怔，道：「好快的劍勢。」

口中說話，右手三稜劍一連攻出七劍。這七劍招招相連，一氣攻出。

俞秀凡似是在考驗自己，一直未出手搶攻，長劍揮動，只聽一陣連綿不絕的金鐵交響，藍衫人七招快攻，盡被封開。

藍衫人一皺眉頭，道：「果然是名不虛傳。」

俞秀凡還劍入鞘，道：「閣下可以去了。」

藍衫人道：「爲什麼？」

俞秀凡道：「你不是我的對手，更不配和我談論什麼，是不是應該退走呢？」

藍衫人連攻了八劍之後，已知遇上了勁敵，俞秀凡的快速劍法，是他生平僅見，一時間竟不敢答話。

俞秀凡冷笑一聲，道：「一個人只能死一次，如是閣下真的不伯死，在下就要出手了。」

藍衫人一聲不吭，突然轉身而去。

望著那藍衫人遠去的背影消失不見，俞秀凡才回頭望著蕭蓮花道：「蓮花姑娘，這些監察堂人，在造化門中的地位如何？」

蕭蓮花道：「很特殊，他們直屬造化城主，凡是造化城中的人，他們都有權干預。」

只聽一個冷冷的聲音，突然傳入耳中，道：「我知道的比這姑娘多些。」

轉頭望去，說話的正是黑衣人。

俞秀凡微微一笑，道：「你身體好些麼？」

蕭蓮花道：「對症之藥，自然是見效奇速。」

黑衣人冷哼一聲，道：「我是五毒門副門主的身分，一個監察堂的殺手，就可以隨便的懲罪於我，而且要置我於死地。」

蕭蓮花道：「所以，你也決定背叛造化城主了。」

黑衣人道：「不錯，老夫再也忍不下這口氣了。」

俞秀凡道：「兄台作何打算？」

黑衣人道：「如若願意帶我同行，在下願為先鋒，如若諸位不願帶我同行，在下毒傷已癒，我就與他們拚了。」

俞秀凡微微一笑，道：「兄台如願和咱們合作，我們歡迎還來不及，焉有拒絕之理。」

無名氏輕輕咳了一聲，道：「兄台，從此之後，咱們要生死與共，兄台可否把姓名見告。」

黑衣人道：「兄弟的名聲，不太好，不說也罷。」

無名氏道：「放下屠刀，立地成佛，兄弟和這位石兄，都是從地獄中出來的人。」

黑衣人道：「好吧，兄弟巫靈。」

無名氏道：「昔年江湖上人稱毒怪的就是巫兄。」

巫靈笑了一笑，道：「正是兄弟。昔年兄弟在江湖上殺人太多，名聲不好，不過，從現在起……」

俞秀凡微微一笑，接道：「過去的事，不用再提了。巫兄以五毒門副門主的身分，進入造化城，想來必可參與機密了。」

巫靈搖搖頭，道：「敝門主五毒門夫人，倒是很受那造化城主的敬重，但他們對兄弟，說起來就叫人上火了。」

俞秀凡笑了一笑，道：「他們對巫兄不好，才能使巫兄知過向善，但不知前面還有幾關。」

巫靈道：「還有兩關。就兄弟所知，前面一關不足掛齒，倒是最後一關，是少林高僧的飛鈸大陣，倒是有點麻煩了。」

俞秀凡微微一笑，道：「咱們合力向前闖吧！」

巫靈突然輕輕咳了一聲，道：「慢著，諸位請稍候片刻。」

轉身行入廳中，把木桌上大海碗中的五毒，全都收入懷中。那樣多不同的毒物，只見他一一放入懷內，也不知他放在何處。

無名氏道：「巫兄，你身上帶有多少毒物？」

巫靈道：「三、五十個總是有的。咱們走吧！兄弟帶路。」當先舉步，向外行去。

俞秀凡緊追在巫靈身後，蕭蓮花魚貫相隨，無名氏、石生山二人並肩斷後。

來。」

巫靈輕車熟路，直闖入一座紅磚圍牆的院落之中。

一個身著青衫，身佩雙刀的中年大漢，橫身攔住了去路，道：「哪一位是俞少俠？」

巫靈一揚手，兩條毒蛇，應手飛出，道：「你不配見俞少俠，要你那鬼裏鬼氣的師父出來。」

青衫人急急拔刀擊出，劈死了一條毒蛇，另一條卻蛇尾一捲，纏在了青衫人的右腕之上。

俞秀凡看得一震，暗道：原來，他把身上的毒物，當做暗器施用。

那青衫人目睹毒蛇纏腕，心中大驚，丟了手中單刀，揮手一甩。

但覺右腕一痛，蛇口尖厲的毒牙，已然咬入那青衫人的肌膚之中，這是一種傷害神經的毒蛇，青衫人一疼之下，立刻感覺到半身麻木。

巫靈冷笑一聲，道：「回去，叫你那老鬼師父出來，老夫賞你一粒藥物，饒你不死。」

青衫人臉色灰白，一句話也說不出來。

但聞一聲陰森的冷笑，傳了過來，道：「姓巫的，你倒了戈？」

俞秀凡抬頭看去，只見一個臉長如馬，身著青袍，留著一把山羊鬍的老者，緩步由廳堂行了出來。

巫靈冷笑一聲，道：「老色鬼，你也是一方豪雄，但在造化門，不過是一個馬前卒的身分，如是你識時務，那就跟巫老怪學，咱們跟著俞少俠，鬥鬥造化城監察堂裏那些趾高氣揚的殺手。」

青袍人道：「你認爲背叛了造化城主，還能夠生離此地麼？」

巫靈道：「就算戰死此地，血濺五步，也比受那些窩囊氣好些。」

青袍人陰森一笑，道：「話是不錯，不過，老夫還沒有活夠，還想多活幾年。」

巫靈接道：「咱們不能生出造化城，至少現在還可以活下去，你老色鬼如是敢和姓巫的作對，我要你立刻死在眼前。」

俞秀凡輕輕咳了一聲，道：「巫兄，請後退一步，在下會會這位高人。」

巫靈臉色怒容未消，但人卻向後退了四步。

俞秀凡越過巫靈，一拱手，道：「在下就是俞秀凡。」

青袍人雙目在俞秀凡臉上打量了一陣，道：「我只道你是三頭六臂，原來是個毛孩子。」

俞秀凡微微一笑，道：「很叫閣下失望，是麼？」

青袍人道：「至少，老夫看不出你有什麼特別的地方，能把造化城鬧得人仰馬翻。」

俞秀凡道：「那是造化城主的事，和在下何關？」

青袍人哈哈一笑，道：「老夫如若能夠把你小子生擒活捉了，老夫豈不是大大露臉的事？」

俞秀凡道：「世人有誰不想露臉出頭，不過，必得先自量力。」

青袍人打量了俞秀凡一陣，道：「你小子的意思是，老夫不是你的敵手？」

俞秀凡道：「這個麼，很難說了。不過閣下可以試試。」

青袍人臉色一寒，道：「老夫正要試試。」

青袍人忽然一轉，疾如一抹流星般，撲向俞秀凡。

俞秀凡右手一抬，寒芒閃電擊出。撲向俞秀凡的青袍人，突然向後倒躍而退。

兩方面的動作都夠快，快得叫人目不暇接。青袍人向後退開了五尺，才聽到蓬然一聲輕響，抬頭看去，只見一個小臂連帶一隻右手，跌落在實地之上。

俞秀凡道：「閣下還要再試試麼？」

青袍人望著鮮血泉湧的右臂，突然說道：「老夫一生，從沒有見到過這樣快的劍。」突然伸手撿起了斷臂，轉身而退。

巫靈冷冷說道：「老色鬼，給我站住！」

青袍人停下腳步，回頭苦笑一下，道：「你還要老夫如何？」

巫靈道：「你傷了一條手臂，還有再戰之能。」

青袍人道：「老夫不是俞少俠的敵手，甘願認輸。」

巫靈道：「認輸可以，留下你餘下的一隻左手再走。」

俞秀凡低聲道：「巫兄，算了。他已成殘廢之身，放他去吧！」

巫靈苦笑一下，道：「你不知道這老色鬼的能耐，留下他一條手臂，會是他很大的禍患。」

俞秀凡啊了一聲，道：「爲什麼？」

巫靈道：「等一會兒，在下詳細奉告。趁他新創未癒，先處置了他再說。」一揚手，一團黑物，直飛過去。

青袍人揚起左手一擋，那黑物突然向後一滑，落在了青袍人的身上。那是一隻拳頭大小的蜘蛛，立刻繞身行走，在青袍人的雙腿上轉了起來。青袍人左手高高舉起，望著那巨大蜘蛛，卻是不敢拍下。

巫靈冷笑一聲，道：「看來，你老色鬼還是一個很識貨的人了。」

青袍人道：「這是西域的化血毒蜘蛛，牠體內的毒血，中人潰爛，無藥可救，老夫豈有不知厲害之理。」

巫靈道：「毒血中人潰爛，倒是不錯，但如說無藥可救，那是小看兄弟了。」語聲微微一頓，接道：「你既然知道毒蛛之血，可以中人潰爛，但也應該知道這毒蛛之絲，有著同樣的毒性，你雙腿已被毒蛛吐絲纏住，只有受死一途了。」

青袍人道：「聽口氣，你是非要置我於死地不可了。」

巫靈道：「那是沒有法子的事了。俞少俠不知道你的厲害，在下確是清楚得很，你老色鬼那一招壓箱底的本領，如是不肯交出來，兄弟別無選擇，只好要了你這條老命了。」

青袍人冷笑一聲，道：「姓巫的，殺人不過頭點地，姓馬的已經認輸了，你難道真要逼我拚命？」

巫靈道：「可惜的是，你連拚命的機會也沒有了。」

青袍人長長吁一口氣，道：「老夫倒是不信。」

巫靈右手一抖，一條紅色的小蛇飛出，纏在青袍人的脖子上。蛇口張動，正對著青袍人的鼻子。

青袍人道：「姓巫的，老夫要仗憑那點壓箱底的本領保命，你逼我也沒有用，你該知道這造化門中的情勢，如若我交出那一點本領，我決難活得下去。」

巫靈道：「你可以保命，也可以傷亡當場，算算這筆帳吧！不肯交出來，你就先死在毒蛇口中。」

青袍人道：「老夫再交出這隻左手如何？」

巫靈沉吟了一陣，道：「好吧！斬掉左手，我就放你離開。」

俞秀凡突然接口說道：「慢著！」

目光轉到巫靈的身上，道：「巫兄，爲什麼一定要他斬去左手？」

巫靈道：「左右手都是一樣，只要有一隻手，他就能夠施展。」

俞秀凡道：「算了，巫兄。看在兄弟的份上，放了他吧！」

巫靈怔了一怔，道：「公子這麼吩咐，小的怎敢不從。」舉步行去，先取過毒蛛，又取下毒蛇。

青袍人倒也很江湖，衝著俞秀凡一躬身，道：「大恩不言謝，在下記在心中了。」

俞秀凡道：「不敢！不敢！老前輩多多保重。」

青袍人一轉身，快步而去。

俞秀凡回顧了巫靈一眼，道：「巫兄，只餘下最後一關了，是麼？」

巫靈道：「是！少林僧侶的飛鈸大陣。」

俞秀凡道：「無名兄，少林寺的飛鈸大陣威力如何？」

無名氏道：「厲害得很。據說，武林之中，從來沒有一個人能在飛鈸大陣中全身而退。」

俞秀凡沉吟了一陣，道：「巫兄，對此有何高見呢？」

巫靈道：「如若俞少俠不太認真，咱們可以想法避過飛鈸大陣。」

俞秀凡搖搖頭，道：「不行，如是咱們無法過得飛鈸大陣，如何能見到造化城主。」

巫靈嘆口氣，默然不語。顯然，他對那飛鈸大陣，有著無比的畏懼。

俞秀凡輕輕咳了一聲，道：「走吧！進入飛鈸大陣時，諸位都留在陣外，在下一人先去試試。」

無名氏突然一轉話題，道：「巫兄，你一生殺人不少吧？」

巫靈笑了一笑，道：「記不得了。」

無名氏道：「是啊，冤冤相報，就算咱們死在飛鈸大陣，那也是早已夠本了。」

巫靈道：「說得是啊！走！在下帶路。」舉步向前行去。

無名氏緊行一步，追在巫靈的身後，道：「巫兄，兄弟有一件事，一直想不通，想請教巫兄。」

巫靈道：「什麼事？」

無名氏道：「那老色鬼有什麼樣的一招絕技，巫兄一直不肯放過他，而且，到了生死關頭，他還不肯施展。」

巫靈道：「你聽過水火叟麼？」

無名氏道：「聽過。」

巫靈道：「那老色鬼就是江湖上名重一時的水火叟。」

無名氏道：「原來是他，怎會落得老色鬼的稱號？」

巫靈笑了一笑，道：「他交上了春風仙子，男貪女愛，弄出了一場大病，幾乎送了那條老命。據說，造化城主救了他，所以，他才投入了造化城。」

無名氏道：「他是水火叟，爲什麼剛才不肯施用水火雷？」

巫靈道：「他沒有機會。後來，俞少俠放了他，被面子拘住了他，不好意思再對咱們下手了。」

俞秀凡突然接口說道：「如若他施出水火雷，那是一個什麼樣的局面？」

巫靈道：「方圓三丈之內，人物化為劫灰。」

俞秀凡啊一聲，未再多言。

巫靈走得很慢，到了一座大宅院的前面。

俞秀凡道：「是這裏麼？」

巫靈道：「進入大門，就可以看到飛鈸大陣了。」

俞秀凡道：「好，你們留在門外，我進去看看。」推開木門，大步行入。

巫靈、無名氏、石生山、蕭蓮花，互相望了一眼，沒有人講一句話，跟在俞秀凡的身後，行入了大門之內。

凝目望去，只見一座廣大的庭院之中，站著十三個身著紅衣袈裟的僧人。當先一人，年逾古稀，身後，區分三行，排列著一十二個僧人，每行四人。每一個僧人的手中，都拿著兩面銅鈸，身上還揹著兩面銅鈸。十二個僧人，一共有五十二個銅鈸。

四周的圍牆上，分插著十二支火把。一尺多長的火舌，放射出熊熊的火光。

俞秀凡抬頭看了面前的群僧一眼，緩緩說道：「哪一位是領隊的大師？」

那古稀老僧，突然間向前行了一步，把兩面銅鈸掛在腰間，緩緩說道：「貧僧冷雲。」

俞秀凡道：「在下俞秀凡。」

冷雲道：「俞施主可是要闖飛鈸大陣麼？」

俞秀凡道：「大師看來很清醒啊！」

冷雲大師道：「老衲本來就很清醒。」

俞秀凡道：「大師很清醒，怎麼會做出這等事情？」

冷雲淡淡一笑，道：「什麼事？」

俞秀凡道：「少林僧侶，一向被武林尊奉為泰山北斗，想不到少林高僧，竟然會助紂為虐，做出為害武林的事。」

冷雲大師道：「俞施主，這不是說道理的地方。只要你能闖過這飛鈸大陣，貧僧就甘願認輸。」忽然舉起了手中的雙鈸。

俞秀凡笑了一笑，道：「大師且慢動手，在下還有話說。」

冷雲道；「快些請說。」

俞秀凡道：「大師，動手搏殺，難免會有傷亡，這一點，在下希望大師再想想。」

冷雲道：「老衲不用想了，因為，一開始我就知道了結果。」

俞秀凡道：「大師應該是年高德劭的有道之士，想不到竟然是一位不辨是非的人，這幾十餘年的光陰，真是白白度過了。」

冷雲厲聲喝道：「住口！你這樣出言無狀，當真是死有餘辜了。」

俞秀凡輕輕嘆息一聲，道：「看來，大師已到至死不悟的境界了。」

冷雲怒極而笑，道：「小施主，你有些瘋狂了。」

俞秀凡道：「瘋狂的是你，請出手吧，不過我的劍法很快，而且，也不會對你留情。」

冷雲右手一抬，準備擲出飛鈸。但見寒芒一閃，俞秀凡的長劍，已指向冷雲大師的右腕。

俞秀凡拔劍的速度，似乎更快了一籌。兩個極端的快速，但仍然有先後之別，俞秀凡的長劍過處，鮮血迸飛，斬下了冷雲大師的右手。

但冷雲大師的飛鈸，仍然飛擲出手，只是準頭已偏，那是「毫厘之差，千里謬誤」的大錯，飛跋盤旋而起，打個轉，向後飛去。飛鈸升起，才聽到波然一聲輕響，那是冷雲大師右腕落地的聲音。

一招斬下了少林雲字輩高僧的右腕，不但使得少林眾僧吃了一驚，就是巫靈、蕭蓮花、無名氏和石生山，也不禁看得呆了一呆。

沒有人能預料得到，俞秀凡的劍勢，快速到如此的境界。

事情經過，只不過是一剎那間的工夫，俞秀凡長劍再起，劍尖已指上了冷雲大師的咽喉，冷冷說道：「大師，天下有沒有比死亡更可怕的事情？」

冷雲大師臉色大變，嘆口氣，道：「好快的劍法！老衲活了七十多歲，沒有見過如此快速的劍招。」

俞秀凡道：「你本是有道高僧，但卻甘願為造化城主所用。」

冷雲大師道：「老衲不願回答施主任何問題，你儘管出手殺死老衲就是。」閉上雙目，不再答理。

這時，十二個少林僧人，都拉開了架勢，準備投鈸飛出。但眼看冷雲大師被劍尖頂住要害，又不敢輕易出手。

一陣金風嘯空，冷雲大師投出的飛鈸，在數丈外打了一個旋轉，突然飛了回來。飛鈸去勢，雖然十分緩慢，但回來的速度，卻是快似閃電。

這旋轉的飛鈸，講究的是出手力道，冷雲大師飛鈸力道用偏，飛鈸的路線全變，斜飛而下，竟然向群僧之中飛去。少林僧侶自然知曉飛鈸的厲害，眼看飛鈸旋轉而來，不禁大吃一驚，最近一人，一揚手，投出一鈸，疾向來鈸迎去，兩面銅鈸懸空觸接，響起銅鈴似的金鐵相擊之聲。

原來，兩個飛鈸旋轉的力道不同，接觸之下，相斥相吸，忽然間一撞分開，但立刻又撞擊一處。

就這樣，連續撞擊了五次，才把力道減緩分開，雙鈸一錯而過，掠過頭頂，直飛向數丈之外。

俞秀凡劍尖雖然頂在那冷雲的要害咽喉上，但雙目仍然望著那飛鈸的變化。目睹旋轉力道的奇異，有如活物一般，亦不禁暗暗驚奇，忖道：施放暗器變化到此等境界，實當得絕技之稱了。

忽然間，響起了一聲佛號，十二個群僧之中，突然行出一個四旬左右的和尚，對著俞秀凡一抱拳，道：「小施主！」

俞秀凡道：「大師有何見教？」

中年和尚道：「俞施主能在舉手之間，斬下敝師叔一隻右手，使他在全無反抗之下，制住了他的要害。這種快劍，和這份豪勇，實叫貧僧等佩服。」

俞秀凡目光一掠那中年和尚，只見他目光閃爍不定，臉上一片陰森之氣，一看之下，就知是一位心機深沉的險惡之人。

不禁心頭火起，冷哼一聲，道：「你不用轉彎抹角，有什麼事，直截了當的說出來吧……」

中年和尚淡淡一笑，道：「敝師叔既落入少俠之手，少俠要殺要放，也該做個決定了。」

俞秀凡哦了一聲，道：「這個在下自會作主，用不著大師替在下操心。」

中年和尚道：「俞施主如此說，貧僧只好不問了。」合掌一禮，向後退出。

轉到冷雲身後時，突然收了合在前胸的雙手，就借那一收之勢，暗中發出了一股暗勁，撞在冷雲大師的後背之上。冷雲大師身子突然向前一栽，咽喉撞上了劍尖。一縷鮮血，順著劍身流了下來。這是人身三大要害之一，冷雲大師身子一陣顫動，氣絕而逝，蓬然一聲，摔倒在地。

但聞那適才出面講話的中年和尚，高聲說道：「師叔受人所制，咱們投鼠忌器，如今師叔已死，咱們也用不著有所顧慮了。諸位師兄、師弟，用飛鈸替師叔報仇。」

十二僧侶，齊齊舉起了手中的銅鈸。

兩鈸威力，已然震駭人心，如是這數十面銅鈸，一齊發出，那份強大威勢，定是不可想像。

俞秀凡滿腹文章，一胸才機，思維的靈巧，自非一般江湖人物所及，腦際運轉，忽得玄機，只有欺近群僧側身搏殺，才能避開飛鈸的威勢。至少，可以減少飛鈸的勁道威力。不論發出飛鈸的手法如何巧妙，但他們總會顧慮傷到自己。

心中念定，成竹在胸，哈哈一笑，回顧無名氏等道：「你們退到門外面去，飛鈸雖然厲害，但卻無法攻入死角，飛鈸在視線難及之處，就不致受到傷害了。」

巫靈道：「俞少俠，在下發出毒物，助你一臂之力。」

俞秀凡道：「我如死於飛鈸，單憑毒物，也難對付他們，諸位請後退一步，免得分我心神。」

無名氏道：「主人眉宇間彩光照人，似已窺破飛鈸大陣的奧妙，捕得玄機，咱們退出門外吧，免得分他心神。」

石生山、蕭蓮花、巫靈等齊齊行動，退出門外。但幾人既不願放過這畢生難得一見的飛鈸大陣，又替俞秀凡擔著一份心事，人雖退出了門外，但並未隱入牆後，四個人分兩側，站在大門外面，八道目光，投在俞秀凡和群僧身上。

俞秀凡手執長劍，緩緩向前欺進兩步，道：「諸位大師，俞某人一向敬重少林高僧，適才冷雲大師之死，內情如何，想必無法瞞得過諸位大師法眼。在下的劍法如何，諸位大師已見過，如是發出飛鈸，俞某人也只好全力施爲一搏了。爲了替武林保存一份浩然之氣，俞某人死而無憾，但如不幸而傷了諸位大師，也請諸位大師擔待一、二了。」

言罷，長劍舉起，擺了驚天三式的第一式「驚天動地」，對準適才說話的中年和尚。

這一招劍式，具有著無比的威勢，架式已擺出來，立刻有一股逼人的氣勢，不但是那被劍勢指定的中年和尚，被那股劍勢所震動，就是其他所有的少林僧侶，也都被那招劍式吸引，腦際之間不自覺地轉動著，想出各種武功招術來破那一招劍式。但覺平生所學，閃電一般在腦際之間轉動起來。但想來想去，想不出一招武功，能夠破它。

群僧都被那劍招吸引，忘記了發出手中的銅鈸。被劍招指定的中年和尚，卻是有著完全不同的感受。俞秀凡的劍招沒有出手，但那股森寒的劍勢，卻已逼到他的身上。

突然間，俞秀凡發動了攻勢，長劍一震，閃電奔雷一般，衝向了那中年和尚。這一招名叫

「驚天動地」，確也有驚天動地之威，劍勢有如一道長虹，帶著風嘯之聲，衝了過去。

剎那變化，瞬息發動，劍氣波蕩，威鎮八方。那暗算冷雲大師的中年和尚，駭然向後退去。群僧都為所震，一時之間，忘記了移動身軀。那中年和尚，向後退了兩步，撞上一個和尚的飛鈸。

用於殺人的飛鈸，和一般的銅鈸外形，雖然一樣，但邊緣鋒利，尤過利刃。

那中年僧人撞在了飛鈸之上，一下刺入腰中，深入半寸，手執銅鈸的僧人驟不及防，也被飛鈸刺入了小腹半寸多深。俞秀凡的劍勢，已挾迅雷之勢，排空而至。

中年和尚腰中劇疼，一分心神，俞秀凡的劍勢又破空而下，慘叫一聲，被長劍劈成兩半。

俞秀凡未想到這一劍威力，如此厲害，不禁也為之一怔。

就是這一怔神間，群僧已紛紛向後退避，飛鈸出手。兩面出手最快的飛鈸，已然挾著嘯風之聲，飛掠而至。

俞秀凡心中一驚，長劍忽然點出。他出劍快速，認位奇準，那盤旋而至的飛鈸，竟然被一劍點中。飛鈸打個旋，忽然向一側偏去，但另一面飛鈸，卻已到了頭頂。俞秀凡長劍疾收疾點，又撥開了另一面飛鈸。

這些飛鈸的旋轉力道，十分奇怪，俞秀凡一劍撥去，那飛鈸並未向旁側飛去，卻突然向下沉落，唰的一聲，掠著俞秀凡頭頂滑過。

一股金風，撲面而過。

俞秀凡心頭震動了一下，暗道：好厲害的飛鈸，看來，不能有絲毫大意了。

心中念轉，人卻突然轉入了群僧之中。但見劍光連閃，群僧紛紛慘叫，倒了下去。他貼身近攻，劍如驟雨，少林和尚雖然被斬倒了數人之多，但群僧手中的飛鈸，卻是無法發出。

但聞一陣金鐵觸擊和銅鐵落地之聲，此起彼落，不過片刻工夫，十個和尚，都已受傷。還有一個未受傷，卻被俞秀凡的長劍，逼在了前胸之上。

十個受傷的僧侶，都是傷在手臂和手腕之上，傷得不算太重，也不算太輕，有的筋斷，有的骨折，但有一個相同的地方，都無法施用飛鈸。

受傷的十個僧侶，既未呼叫，也未逃走，只是呆呆地望著那俞秀凡出神。他劍招的快速，似是已到了不可想像的境界，使人根本無法逃避。

俞秀凡長長吁一口氣，道：「大師怎麼稱呼？」

那和尚道：「貧僧一元。」

俞秀凡道：「在下已經說得很清楚了，但諸位大師不信。」

一元大師道：「貧僧等想不到閣下的劍招，如此之快。」

俞秀凡道：「現在證明了，諸位大師還有什麼話說？」

一元大師道：「冷雲師叔已死，其他諸位師兄也都受了傷，貧僧等已經敗了，還有什麼話說。」

俞秀凡道：「諸位出身正大門派，受盡天下武林同道的敬仰，何以會做出此事，甘願為造化城主鷹犬？」

一元大師道：「貧僧等亦有苦衷。」

俞秀凡道：「說！什麼苦衷？諸位神志清醒，總不能說是被藥物所迷吧！」

一元大師道：「俞少俠鑒諒，貧僧無法奉告。」

但聞巫靈哈哈一笑，大步行了過來，道：「想不到啊！威力最為強大的飛鈸大陣，竟然如此輕易的瓦解冰消。」

無名氏、石生山、蕭蓮花等魚貫行了過來。

石生山伏身撿起了一面銅鈸，道：「這銅鈸如此鋒利，再加上旋轉之力，無怪連金鐘罩等橫練工夫，也是無法抗拒了。」

這時，巫靈已行到了一元大師身前，冷笑一聲，道：「大和尚，你運氣不錯，滿院中人，死的死，傷的傷，你竟然連一根毫髮也未傷到。」

一元大師睜眼望了巫靈一眼，又高喧一聲佛號，閉上雙目。

巫靈冷笑一聲，道：「大和尚，別來這個。姓巫的不是善男信女，俞少俠人家是正人君子，不屑施用逼供的手段，姓巫的可不管這個，你如是不怕受活罪，你就忍住不要說話。」

伸手取起一面銅鈸，接道：「大和尚，我要削下你一隻耳朵來。」

銅鈸一揮，鮮血濺飛，果然削下一元大師一隻耳朵。

一元大師臉色大變，伸手一摸，滿手鮮血，駭然睜開雙目，滿臉都是驚慌之色。

巫靈把兩個銅鈸，相互一擊，冷冷說道：「大和尚，我要斬下你另一個耳朵，削平你的鼻子。」

一元大師強忍疼痛，道：「貧僧位卑職小，知道的內情有限。」

巫靈目光凝注在俞秀凡的臉上，道：「俞少俠，咱們要問他些什麼？」

俞秀凡道：「問問他，他們為什麼要聽從造化城主的令諭行事？」

巫靈道：「大和尚，你聽到了沒有？」

一元大師道：「我們都被引誘破了色戒，又服下了一種奇怪的藥物，不得不服從他們的令諭行事。」

造化城主果然是手段毒辣得很，控制各色人等，手段全不相同。

俞秀凡道：「再問他，他們服下的什麼藥物，有些什麼作用？」

巫靈笑了一笑，道：「大和尚，你既然說了，乾脆就說個明白吧！」

一元大師道：「那是一種很奇怪的藥物，在一定的時間內，無法控制自己。唉！貧僧……貧僧……」他似乎無法說得出口，貧僧了半天，說不出個所以然來。

蕭蓮花接道：「是不是一定要找女人？」

一元大師嘆口氣，道：「慚愧得很。」

蕭蓮花道：「給你們服用的，是春花教的春花散。」

無名氏道：「所以，諸位沒有辦法再做名實相符的和尚了。」

一元大師道：「只好到造化城來。」

俞秀凡道：「很可悲，也很可嘆！」突然一指，點了一元大師的肩井穴。

目光一看巫靈，道：「廢了他的武功，但要保全他的性命。」

巫靈道：「這個不難。」兩手銅鈸一轉，劃斷一元大師的雙腕筋脈。

俞秀凡目注一元大師，道：「你出身正大門派，對江湖上的黑白是非，應該分辨得很清楚。」

一元大師長嘆一聲，欲言又止。

俞秀凡道：「你們有足夠的實力，為什麼不反抗，現在使你們無法施用飛鈸，也是教訓你們不要助紂爲虐。希望你能大悟前非，保持下半世的清譽。」

受傷群僧，各個低頭無語。

俞秀凡轉過身，大步向外行去。

無名氏、石生山、蕭蓮花、巫靈都是第一次見到這樣的快速劍法，心中的那份佩服，已到了無法形容之境，魚貫相隨身後。

俞秀凡道：「到造化城這中間還有多少的距離？」

巫靈道：「大概有十里左右。」

俞秀凡道：「夜色幽暗，出了北大街，即無燈火，如是他們要暗中算計咱們，那真是防不勝防了。」

巫靈道：「公子明察。」

俞秀凡道：「咱們就在此坐息半宵，等候天亮之後再走。」

無名氏道：「身處險境不得不防人暗襲，在下守夜。」

巫靈道：「用不著。看兄弟的雕蟲小技。」

右手一探，把身上的毒蛇、毒蜘蛛，全都取了出來，投出室外。

毒蛇在室外，毒蜘蛛在門、窗之上結網，毒蠍隱在暗處。

半宵易過，竟也無人施襲。直到日升三竿，俞秀凡等群豪，才簡單盥洗一下，收拾就道。

出了北城門，又是一片廣闊的草原，極目所望，不見邊際。

無名氏輕輕咳了一聲，道：「巫兄，這一片廣大的草原，作用何在？」

廿九　快劍揚威

巫靈說道：「看上去很壯觀，也給人一種莫測高深的感覺。」

俞秀凡道：「一片碧綠草地，確也給人一種莫可預測的神秘。」

語聲微微一頓，接道：「但最可怕的是，他們如在這草地，設下了什麼惡毒的埋伏，那就叫人防不勝防了。」

巫靈道：「不錯，我聽說有一種血蟻，能夠在這草中穿行，此物雖然不大，但毒性很重，而且成群結隊而來，如再有這些青草掩遮，無法早些發覺牠們，那確是一樁很可怕的惡毒埋伏。」

無名氏道：「果真如此，咱們就先放一把火，燒去這片草地。」

巫靈道：「血蟻雖然厲害，但易發難收，牠們平日集中飼養，用時才會放出，惡毒到極點，但血蟻無法分辨敵我，可以傷敵人，也可以傷自己人，非到情勢危惡之時，不會施用。」

俞秀凡道：「現在，他們會不會用血蟻對付咱們？」

巫靈道：「這個，公子，可以放心，有我巫靈在此，百毒不忌。血蟻雖然厲害，但牠們最怕毒蜘蛛，天生一物降一物，在下開路，諸位請隨後而行。」大步向前行去。

俞秀凡等魚貫隨在身後。

行過這一片廣遼的草原，景物又是一變。

但見一座矗立的高峰攔路，都是峭立的石壁，中間卻闢了一條車馬可通的大道。

大道中撐著一張黃羅傘，傘下錦墩上坐著一個黃衣麗人。錦墩前一矮腿木桌上，放著一張七弦琴，古琴一側，放著一把長劍。

黃衣麗人身後面，一排白衣少女，手中分執白玉簫。這不是對敵的陣勢，絲竹俱齊，反像迎賓的樂隊一樣。

黃衣麗人揚揚柳眉兒，飛來嬌媚的一瞥，道：「幾位哪一位是俞少俠？」她口中在問，目光卻已掃過俞秀凡。

俞秀凡示意大家停下，越過巫靈，道：「區區就是。」

黃衣麗人挽宮髻，修眉開臉，已是婦人的身分。

黃衣麗人笑了一笑，道：「很標致，不像江湖人嘛！」

俞秀凡冷冷道：「夫人誇獎了。」

黃衣麗人道：「真是人不可貌相啊！你能劍創飛鈸大陣群僧，使他們無法再甩飛鈸，劍道造詣，深奧絕倫，如非我親眼看到了你，決難相信你是這麼個文雅人物。」

俞秀凡道：「說得是啊！像夫人這等艷麗容色，嬌弱之軀，應該是深閨中人，誰能想到你是身負絕技的高手？」

黃衣麗人道：「咱們之間，恐怕無法排解，必然要有一番搏殺，是麼？」

俞秀凡道：「不錯。怎麼樣？」

黃衣麗人道：「那就請俞公子選出一樣比試之法，以免雙方揮戈群毆，造成無謂的傷亡。」

俞秀凡道：「在下可以約束從屬，不作無謂殺戮。」

黃衣麗人冷笑一聲，道：「好大的口氣！年輕人，戒之在鬥，但閣下卻似乎是一個殺性很重的人。」

俞秀凡道：「夫人過獎了。」

黃衣麗人雙目冷芒如電，盯注在俞秀凡的身上，瞧了一陣，道：「既是非打不可，賤妾覺著，咱們也該打得文明一些。」

俞秀凡道：「夫人費了不少言語，似乎是用心在此。如今水到渠成，夫人似也用不著再彈弦外之音。」

黃衣麗人忽然間粉臉一紅，笑道：「看來，你果然有非凡的才慧，先聽我一曲迎賓的琴聲如何？」

俞秀凡道：「佳奏必有妙用，俞某人也希望一聆仙音。」

黃衣麗人道：「俞少俠雅人高士，殺人的至高境界，就是要殺得不帶血腥氣。」

俞秀凡突然回顧了無名氏、蕭蓮花等一眼，道：「這位夫人的琴聲，必具玄機莫測之妙，如是諸位覺著不解音律之學，最好能掩上雙耳。」

黃衣麗人已借著俞秀凡說話的機會，調整好琴弦，幾聲弦響，隱隱有金戈躍馬之聲，琴音未入正奏，殺機已起。

俞秀凡本懂音律，只聽調弦之聲，已知遇上了高人，哪裏還敢大意。一提丹田真氣，全神戒備。

黃衣麗人手撫琴弦，笑了一笑，道：「俞少俠，不問問我的來歷麼？」

俞秀凡淡然一笑，道：「夫人，不用，既非論交，又何用相識太深呢！」

黃衣麗人沉吟了片刻，道：「賤妾雖有惜才之心，但冰炭卻又難同爐。」

俞秀凡心中一動，暗道：這女人靈智未昧，如能引她動了棄暗投明之心，對日後武林大局，必有大助。」

他這裏心念轉動之際，琴音已陡然扳起。

那琴聲之中，似萬箭飛蝗，挾泰山壓頂之聲而來。俞秀凡心中大駭，急誦天龍禪唱。

佛門降魔心法，自具神妙之力，禪唱一縷，混入琴音之中，那排山倒海而來的殺伐之勢，立時受到了禪唱中和，有如洪水入谷，被渲導排洩而去。

琴聲忽住，黃衣麗人原本艷紅的粉臉之上，此刻卻微現蒼白之色，緩緩說道：「想不到公子對音律之道，竟有如此高深造詣。」

俞秀凡回目一顧，只見無名氏、蕭蓮花等，一個個面色慘然，如有驟然間受到重擊一般，心中大是驚恐。

暗道：這女人琴音一扳，竟有如此的威勢，的確是非同小可。

身軀移動，揮掌在四人後背上各擊一掌，肅然說道：「四位還不打坐調息，堵上雙耳。」

四人神情似是還未完全清醒，但已聽懂了俞秀凡的招呼，依言盤膝而坐，撕下一塊衣袖，堵上了雙耳。

俞秀凡暗暗吁一口氣，目光凝注到黃衣麗人的身上，道：「夫人！琴音忽起，有如萬箭驟發，這算不算是暗箭傷人呢？」
黃衣麗人道：「七弦聯彈，合力並攻，我只想一舉擊倒諸位。」
俞秀凡冷冷說道：「可惜，夫人這一擊並未成功。」
黃衣麗人點點頭，道：「我知道，所以，我要和你談談。」
俞秀凡道：「夫人，可是想再找一個暗中算計我們的機會。」
黃衣麗人臉色一變，但很快又恢復了鎮靜，淡淡一笑，道：「不論什麼事，可一不可再，就算是我剛才暗施算計，大概也不會有第二次了。」
俞秀凡道：「在下覺著，夫人應該讓讓路了。」
黃衣麗人道：「按理說，你應該已經通過我這一關了。不過，我心中還有一些不服。」
俞秀凡道：「那是說，夫人還有絕技沒有施展？」
黃衣麗人道：「不錯。我還有琴、簫合奏，那是我所學最厲害的一著。」
俞秀凡道：「夫人不把這些施用出來，可是有所不忍麼？」
黃衣麗人道：「是！我不希望鬧到那等血淋淋的境界。因爲，不論什麼人勝了，敗的一方，必然會遭遇很慘。」
俞秀凡道：「戰陣凶危，這是難免的事。」
黃衣麗人道：「這麼說來，俞少俠是一位很嗜殺的人了。」
俞秀凡道：「嗜殺二字，很多的解說，大夫動刀，旨在醫病，霹靂手段，菩薩心腸，雖然手段毒辣一些，但他的用心卻很善良。」
黃衣麗人道：「俞少俠可是自比操刀醫病的大夫？」

俞秀凡道：「當仁不讓。區區麼，確有這份心胸。」

黃衣麗人道：「很可嘉！只是太狂了一些。」

俞秀凡道：「面對著江湖上凶惡之徒，在下不嗜殺不成。」

黃衣麗人道：「俞少俠！似是咱們沒有商量的餘地了。」

俞秀凡道：「看來咱們是沒有法子商量，除非夫人能夠讓開去路。」

黃衣麗人嘆口氣，道：「很多的不幸之事，都發生在任性二字上。俞少俠，不論你武功多強，就算能擊敗我的琴簫合奏，那對你，也沒有什麼好處。」

俞秀凡道：「在下聽不懂夫人的意思。」

黃衣麗人道：「造化城中的高手太多，如若你擊敗我，那將會換來一個更強的敵手。所以，對你未必有好處。」

俞秀凡道：「這條路很長，也很崎嶇，但在下也只有硬著頭皮走下去。」

黃衣麗人道：「你憑什麼？」

俞秀凡道：「大是大非的抉擇，給了我無比的勇氣。」

黃衣麗人道：「人死不再復生，對你有什麼好處？」

俞秀凡道：「留下一片碧血、丹心，雖死何憾！」

黃衣麗人黯然一笑，道：「咱們識見論事，南轅北轍，無法再談下去了。」

俞秀凡道：「夫人似是還未被在下說服。」

黃衣麗人道：「所以，我不願再和你談下去了，至少，我已被說得起了懷疑。」

一揮右手玉指，撥動了三聲弦響，道：「公子！小心了。」

三聲琴音未絕，身後八個白衣少女已然舉簫就唇。一縷簫音，冉冉升起。八支白玉簫，混合成了一縷簫聲，由極低微的聲音起，逐漸拔高。這簫聲未帶鐵戈殺機，曲折迴轉，哀艷淒傷。似新寡怨婦，在墳前哭祭她死去不久的丈夫，其聲悲涼，有如鮫人夜哭，撥動了聽簫人的心弦。

俞秀凡突然間感覺著一縷哀傷之氣，沖了上來，不能自已地鼻孔酸酸，熱淚盈眶。只聽一陣嗚嗚咽咽的哭聲，混入了簫聲之中。俞秀凡心頭一震，由哀傷中清醒過來。側目望去，只見蕭蓮花已無法控制住自己的悲傷情緒，放聲大哭了起來。無名氏、石生山等，雖然未哭出聲，但也都張大了嘴巴，淚落如雨。

他本是極端聰慧的人，目睹到無名氏等悲傷的形態，心中突然一震，立刻清醒了過來。他人雖清醒，情緒卻仍然無法控制，心頭酸酸，淚落如雨。但這一點清醒，已使他靈台清明，立刻高誦禪唱。

禪唱聲起，立刻使得心神鎮靜下來。

只聽錚錚錚三聲弦響，一陣琴聲，混入了那裊裊的簫聲之中。

簫聲淒涼，琴聲卻有如重病臥床，痛苦呻吟，使人慘不忍聞。

這兩種聲音，混在一起，給人精神很大的危害，把人的情緒引入極端憂傷、淒涼的境界之中。

幸好的是，俞秀凡及時禪唱高拔，一片祥和之氣，滲入了那琴聲和簫音之中。

雙方相持了片刻工夫，簫聲一變，忽轉急快，有如千軍萬馬，奔騰而來。琴聲配合，泛起了無邊的殺伐之聲。禪唱有如高山流水，在急簫繁琴之中，獨樹一幟。

琴、簫數度轉變，忽急忽慢，變幻出七情六慾的各種怪聲。但天龍禪唱，卻有如明月朗星，一柱擎天，不論琴音、簫聲，如何變化，但禪唱之聲，有如泰山北斗，屹立不搖。

大約有半個時辰光景，八個吹簫的白衣少女，已然香汗淋漓，漸呈不支。忽然，簫聲中斷，八個白衣少女，一齊倒摔下去。汗透重衣，有如得了一場大病，倒摔在地上之後，竟然無法再站起來。

只有琴弦盈耳，仍然是十分強勁。

不過，這時的琴聲，已變成一片急攻、猛打的殺機，有如白刃相搏，攻勢猛烈至極。但天龍禪唱，卻有如銅牆鐵壁一般，堅守不渝，不論琴聲如何的猛烈，但卻一直無法攻入。

又相持頓飯工夫之久，俞秀凡頭上淌下了汗水，那黃衣麗人，已然髮亂釵橫，神情間呈現出無比的痛苦。

無名氏、石生山也不停地口誦天龍禪唱，但神情間，也有著極大的痛苦。蕭蓮花和巫靈，完全依靠俞秀凡的天龍禪唱保護，人似已暈了過去，蜷伏在地。

忽然間，琴弦崩斷，黃衣麗人張嘴吐出一口鮮血，伏臥在琴身上。

俞秀凡收住了禪唱之聲，緩步行近了黃衣麗人身側，只見七弦盡斷，琴身上有數道顯明的指痕。顯然，那黃衣麗人在這番決鬥之中，用盡了全身的真力，勁透指尖，把指痕印在了琴身之上。

俞秀凡拭拭頭上汗水，道：「夫人！在下得罪了。」

轉過身子，行到了無名氏等身側，在每人後背上拍了一掌。四個人立刻清醒了過來。

巫靈伸展一下雙臂，道：「厲害，厲害！我還認爲只有刀劍才能殺人，想不到琴音、簫聲，一樣也能傷人。」

無名氏道：「巫兄感覺如何？」

巫靈道：「難過極了。有如無數的蟲蟻，在身上爬行，直似要鑽入心腑之中；有如亂箭飛蝗，齊集而來，使人躲無可躲，避無可避。」

俞秀凡道：「琴音、簫聲的厲害之處，就在能引發人的七情六慾，使人進入忘我之境，控制人的精神，隨著琴音、簫聲變化，不能自已。」

巫靈道：「公子唱的什麼歌曲，有如祥雲普照，使我們獲得了不少的幫助，要非有此功力，只怕我們早已死於蝕心的琴音、簫聲之下了。」

無名氏笑了一笑，道：「那是天龍禪唱，也是佛門一種至高的降魔心法。」

巫靈嗯了一聲，未再多問。

俞秀凡道：「諸位此刻的精神如何？」

無名氏、石生山、巫靈、蕭蓮花同時答應，但四人的回覆，卻是顯然不同。

蕭蓮花和巫靈的回答是十分疲累，無名氏和石生山卻異口同聲道：「功力復元。」

俞秀凡回頭望去，只見那黃衣麗人和八個白衣少女，都還沉睡不醒。暗暗吁一口氣，忖道：想那天龍禪唱．本屬佛門心法，大概不致於傷人至死。

心中念轉，決心不再管那黃衣麗人和八位少女的事，緩緩說道：「四位咱們走吧！」

巫靈道：「下一道攔阻咱們的人，又不知道是什麼稀奇古怪的武功了。」

俞秀凡道：「看來，造化城內，確是藏龍臥虎之地。」

目光突然轉注到巫靈的身上，接道：「巫兄，你見過那位造化城主沒有？」

巫靈道：「見過。」
俞秀凡臉上泛現出興奮之色，道：「是什麼樣子一個人物？」
巫靈道：「一個很和善的老人，白髮如雪，滿臉笑容，給人一種很親切的感覺。」
俞秀凡道：「巫兄江湖閱歷豐富，想必可瞧出他是否經過易容改扮了？」
巫靈道：「看上去，不像是經過化裝。」
俞秀凡道：「這麼說來，世上真有面如春風迎人，心似蛇蠍惡毒的人了。」
蕭蓮花道：「賤妾職位卑小．沒有見過造化城主，但我聽師父說過他。」
俞秀凡道：「令師怎麼說？」
蕭蓮花道：「初見他之面，如沐春風，但如相處了一陣之後，就會發覺，他具有著一種懾服人心的威力。」
俞秀凡道：「哦！姑娘能否說得具體一些。」
蕭蓮花道：「我說不出具體的內容，只是聽人家這麼說，造化城主能在不同的見面次數，給人不同的印象。」
俞秀凡道：「他自號造化城，看來，真有造化手段？」
蕭蓮花道：「這個，就非賤妾所知了。」
俞秀凡沉吟了一陣，道：「這中間定然有很多曲折內情，只可惜咱們一時沒有辦法找出它的原因何在。」
蕭蓮花道：「只有公子的才慧，才能找出原因了。」
俞秀凡舉步向前行去，一面說道：「人總歸是人，不管他武功多麼高強，也不管才慧多麼超人，但他的本身，仍然是人，無法脫離人所具有的潛能，至於造化城主這個人，不論他有多大的能耐，總也是人，不是神。對麼？」

談話之間，又通過一個山彎。只見廣闊的山道，並肩坐著三個身著白衣的人。三個人，一樣的衣服，一樣的打扮，坐著一樣的椅子。連兩隻手，都被長長的衣袖掩住。三個人，沒有露出任何一片肌膚。

無名氏打量了三人一陣，道：「這三個人，是男的還是女的？」

這一問，所有的人，都不禁為之一呆。原來，經過了一番打量之後，沒有一個人能確定三個人是男的還是女的。

無名氏回顧俞秀凡一眼，道：「公子，可要在下去問問？」

俞秀凡道：「好！不過，要小心一些。」

無名氏大步向前行了過去，行近三人五尺左右時，停了下來，一抱拳，道：「三位當路居中而坐，攔住了咱們的去路。」

只聽一聲冷笑，傳了過來，打斷了無名氏的話，道：「路還很寬，哪一個有勇氣，就請從旁邊走過去。」俞秀凡淡淡一笑，道：「原來是這麼回事，我們只能從旁邊走過去，那就行了，是麼？」

說話的是居中的白衣人，這一次，又是他開口，冰冷地說道：「不錯，只要你能走過去，那就算你們過了這一關，這一關簡單吧！」

俞秀凡道：「簡單得很。」

居中白衣人道：「就這樣子簡單。不過，愈是簡單的事，危險也就愈大。」

俞秀凡道：「這個，想當然耳！」

居中白衣人道：「你們哪一位姓俞？」

俞秀凡道：「就是區區在下。」

居中白衣人道：「聽說你的劍法很快。」

俞秀凡道：「誇獎，誇獎！如是要在下自己說麼，在下的劍招，確然很快，三位也請小心一些。」

居中白衣人道：「咱們自會小心。你們哪一位先過。」

俞秀凡道：「自然是由俞某先過。」

居中白衣人道：「那麼，閣下請吧！」

俞秀凡手握劍柄，向前行去。這雖是一條山道，但卻很寬闊，兩側留有數尺可以通行的道路。

俞秀凡目光一轉，發覺右面一條，稍微寬了一些，立時，一側身，向右面行去。

三個白衣人仍然靜靜地坐在原位之上，看上去動也未動一下。

但俞秀凡一對凌厲的雙目，卻已瞧到靠右側坐的白衣人，右手微微在伸動，似乎是在抽動兵刃。

表面上看去，這是一個很靜的對峙，事實上，愈是靜的局面，也隱藏著愈多的險惡。蕭蓮花、石生山、巫靈、無名氏，全都睜大著眼睛，望著兩人。

文靜之中，卻含蘊著奇大無比的壓力。所有的人，不自覺地都緊張起來。

蕭蓮花神情嚴肅，雙目卻流現出無比的關懷之色。俞秀凡的俊逸瀟灑，給予她無比的羨慕，但他的豪勇，更加深她生自內心中的一份愛慕之情。雖然，她明白，自己這份感情，永遠無法表達出來，也不配表達出來。但她又無法按捺住內心中那一縷深深的愛慕。

俞秀凡像泰山明月一般的高，對蕭蓮花而言，是那樣不可攀登。

世間的情愛，如若有一種是痛苦的，這種情感，大約是最痛苦的感情了。

俞秀凡內心中也有些緊張，他雖然瞧出右首白衣人在緩緩移動著右手，但卻無法判斷出，他打出的是兵刃還是暗器。如若是一支歹毒的暗器，這樣近的距離內，閃避實也非易。

行近白衣人時，俞秀凡不自禁地放慢了腳步。

只聽那居中的白衣人道：「姓俞的，由現在開始，你行進一步，就接近了一步死亡。」

俞秀凡道：「不錯！咱們接近一步，就多一份死亡的機會，至少，會鬧出流血慘局，只是，不知道死的是誰，流血的又是些什麼人？」

居中白衣人道：「是你，姓俞的？」

俞秀凡仍然緩慢向前行進，口中卻冷肅地應道：「不見得吧？」

三個白衣人臉上垂著白紗，全身上下，不見一點肌膚，那一份無法形容的詭秘，給予人一種很強大的恐怖壓力。俞秀凡又緩緩向前行進了兩步。雙方面更接近了，接近的只餘下三尺左右的距離。

白衣人仍然靜靜地坐著。像三尊雕刻的石像。像三個矗立的古墳前面的翁仲。

俞秀凡提聚了一口中氣，突然大步向前行去。直到和白衣人身子成了平行之後，右首白衣人突然一揮手，閃起了一道冷電般的寒芒。就在寒芒閃起的時候，俞秀凡的長劍也同時出鞘。

不聞金鐵交鳴，也未聞呼喝之聲，直接地看到了結果。雙方都太快了，快的無法呼出叫聲。

靠右首的白衣人，突然間連人帶椅倒了下去，鮮血激射而出，濕透了白衣。原來，那白衣人被俞秀凡一劍刺過了前胸，劍勢刺了心臟要害，一劍斃命。

俞秀凡肋間也透出了鮮血，一滴滴落在地上。敢情俞秀凡的右肋，也被對方的兵刃擊中，衣裂皮綻。由於左臂的掩遮，看不出他傷口多大，但血卻流了不少。這是俞秀凡自入江湖以來，第一次受傷，而且還傷得不輕。

只聽那居中的白衣人道：「老二，你怎麼樣了？」

那右首白衣人早已氣絕而逝，自然無法再回答了。

俞秀凡靜靜地站著未動，長劍雖已出鞘，但右手仍然握在劍柄上。他第一次遇上這樣強勁的敵人，使他嘗試到江湖上搏殺的滋味，也使他嘗試到受傷的痛苦，但也激起他的豪勇氣概，強忍傷疼，蓄勢以待。

眼看著俞秀凡鮮血不停地滴落下來，蕭蓮花忽然有一股莫可名狀的衝動，快步向前奔去。江湖經驗豐富的無名氏，似乎是早已料到了這一著，一伸手抓住了蕭蓮花，道：「姑娘！你要幹什麼？」

蕭蓮花道：「你們沒有瞧到麼，他受了傷，不停地流著鮮血。」

無名氏道：「看到了，他受了傷，但你過去有什麼用呢？」

蕭蓮花道：「我不能幫助他，但我可以替他包紮一下傷勢。」

無名氏低聲道：「還有兩人活著，你過去只能分他的心神，還可能白白的送上你一條命，對他無助，對你有害，這又何苦？」

瞭然了利害得失之後，蕭蓮花鎮靜了下來。抬頭看去。

只見那倒臥的白衣人，身上白衣已完全爲鮮血濕透，一把軟劍，緩緩由袖裏滑落下來。

那是一把長逾五尺的軟劍，薄的像紙，寬不過二指多些。

只聽居中那白衣人淒然說道：「老二，你可是死了麼？爲什麼不答應爲兄的話。」

俞秀凡心中一動，暗道：右首白衣人血透重衣，早已氣絕而逝，他竟然還未瞧到，難道他是個瞎子不成。

居中白衣人的淒涼聲音，突然間變得很高，道：「老二，你真的死了麼？那也該聽到一聲慘叫，難道這世間真有使你無法出聲的快劍。」

俞秀凡道：「不錯，很不幸的是，令弟遇上了。」

居中白衣人啊了一聲，道：「你一劍殺死了他？」

俞秀凡道：「是！我一劍殺死了他。」

居中白衣人道：「你刺了他什麼地方，能使他一劍斃命，連一聲慘叫也未出口。」

俞秀凡道：「心臟要害，一劍致死。」

居中白衣人聲音有些顫抖，道：「好劍法！你可知道，殺人償命這句話麼？」

俞秀凡道：「人間慘事，莫過如斯。兩位一定要報仇，在下只有奉陪了。」

居中白衣人身子微微一拱，整座的木椅，突然轉動過來，和俞秀凡成了面對面的相峙形勢。

俞秀凡道：「你是三位的老大？」

居中白衣人點點頭。

俞秀凡又道：「不論誰死誰生，這一戰定會有個結果。」

白衣人又點點頭。

俞秀凡道：「因此，在下想請教一下三位的姓名。」

居中白衣人答非所問地道：「你不會逃走吧？」

俞秀凡道：「在下可以血濺五步，伏屍此地，但卻不會逃走！」

居中白衣人道：「好！咱們三兄弟，是不求同年同月同日生，但求同年同月同日死，你既然能殺死我們的老二，那就要殺死老大和老三。」

俞秀凡道：「在下如是別無選擇，只好捨命奉陪了。」

居中白衣人道：「咱們三兄弟劍道造詣，一向在伯仲之間，你既然能殺死我們老二，自然也可能殺死我們兩個兄弟了。不過，剛才你只是對老二一個，現在你卻是對著兩個敵人。」

語聲甫落，靠左首而坐的白衣人，突然身子一轉，連坐下的木椅，也突然飛了起來，轉成面對俞秀凡。這時，兩個白衣人雙椅並列，相距也就不過是兩尺左右。

俞秀凡吸一口氣納入丹田，道：「兩位的眼睛，是不是無法視物？」

那自稱老大的白衣人道：「是，咱們三兄弟都是瞎子。」

俞秀凡嘆口氣，道：「佩服！佩服！三位不能視物，卻把劍法練到了這等程度，實在是叫人佩服。」

白衣人道：「咱們三兄弟練劍把眼睛練瞎了，並非是天生的瞎子。」

俞秀凡道：「既然如此，兩位聯手吧！」

白衣人道：「咱們兄弟，實未想到世間還有快過我們的劍法，俞少俠請多多小心，我們要出手了。」

語聲甫落，兩道寒芒，突然飛閃而起，捲了過去。兩個人沒有招呼，也沒有連絡，但卻能在同一時間，兩劍並出。其默契之好，實已到了心有靈犀相通的境界。

俞秀凡長劍出鞘，劍光繞身而飛，幻起了一片繞身的劍幕。但聞叮叮噹噹之聲，傳入耳際，劍劍相擊，響起了一連串金鐵之聲。

劍氣斂收，一切重歸平靜。

俞秀凡長劍已然歸鞘，但右手仍然握在劍柄上。兩個白衣人仍然並肩而坐。

俞秀凡輕輕吁一口氣，道：「兩位！咱們已拚了一招，未分勝敗，似乎是用不著再打下去了。」

白衣老大冷笑一聲，道：「不行！就算我們明知非敵，也要打個生死出來。」

俞秀凡道：「兩位！請聽在下一言如何？」

白衣老大道：「任你舌燦蓮花，也無法說服我們了。」

俞秀凡道：「平心而論，兩位的劍法，是在下所見到最快的劍法，但如說超過在下，那就是欺騙你們了。」

白衣老大道：「如若你沒有殺死我們老二，如若我們剛才沒對拚一劍，我會覺著你的話十分狂妄。但現在情形不同了，你能殺死我們老二，剛才又和我們拚了一劍，證明了你確是我們的勁敵。」

俞秀凡道：「兩位既然有此感覺，為什麼還能和在下決一死戰。」

白衣老大道：「因爲你殺了我們的老二，所以，我們已成了誓不兩立的局面。」

俞秀凡道：「好吧！既然如此，兩位也請小心了。」

忽然拔劍一揮，有如一道長虹般，直飛過去。

幾乎在同一瞬間，兩個白衣人雙劍並飛，布成了一道劍幕。兩張木椅和兩個白衣人突然疾飛而起，分向兩側。

俞秀凡挾一道閃電般的劍光直衝了過去。像一陣狂風般，由兩人之間穿了過去。

沒有看清楚三個人交手的情形，也沒有人看清楚雙方面交手的經過。

兩個木椅再落實地之後，右首一張木椅突然分裂成兩半，椅上的白衣人，也像木椅一般裂成了兩半。鮮血和內臟，流了一地。

俞秀凡也多了一處傷口，是後背上衣衫破裂，手掌大小一片肌肉翻垂下來，鮮血像泉水一般湧了出來。他似是很痛苦，臉上的肌肉微微在抽動，臉色也很蒼白，但他卻咬著牙，勉強忍受。

對付這樣的劍道高手，以一抵二，實是艱苦萬分。

俞秀凡的劍勢偏向了白衣老三，但卻無法再封開白衣老大的軟劍，削下他背上一片肉，還算他運氣不錯。

暗吁長長一口氣，俞秀凡緩緩說道：「何苦呢？閣下！大家都拚得鮮血淋漓。」

餘下的白衣人，正是三人的老大，急急叫道：「老三！老三！你怎麼了？」聲音充滿著惶急、淒涼。

俞秀凡嘆了口氣道：「他死了！」

白衣人道：「我不信。為什麼我聽不到他的叫呼之聲？」

俞秀凡道：「他來不及呼叫，我一劍劈開了他的身子。」

白衣人突伸手揭下了臉上白紗，圓睜一對環眼。那是一對失明的眼睛，瞳仁已模糊難見，果然是目難見物的瞎子。

他的神情充滿悲忿，但語聲卻出奇的冷靜，道：「是真的了！只要他還有一口氣在，只要他還能發出一些聲音，他一定會回答我的話。」

俞秀凡道：「但他不能了，永遠也不能了。」

白衣人道：「你又殺了老三？」

俞秀凡道：「你們的劍勢太凌厲了，我沒有法子不殺他。」

白衣人突然放聲大笑起來，俞秀凡靜靜地站著。

半晌，白衣人停下了笑聲，道：「看來，我也是難逃要在你劍下濺血了！」

俞秀凡道：「不錯，如是初見時，二位就聯手合擊，此刻橫屍的可能就是在下。」

白衣人道：「我們低估了你，所以，我們付出了代價，老二、老三都已死於劍下，如今要我一個人，獨自活下去，那也是無味的很。」

俞秀凡道：「咱們一對一的硬拚，只怕是閣下的勝算不大。」

白衣人道：「用不著威脅我，生死一事，我早已不放在心上了。」

語聲微微一頓，接道：「不過，我心中有很多不明之處，不知俞少俠可否見告？」

俞秀凡道：「在下知無不言。」

白衣人道：「你是否受了傷？」

俞秀凡道：「有！而且受傷不輕。」

白衣人道：「受了幾處傷？」

俞秀凡道：「兩處。一處傷在你那老二的劍下，一處傷在你閣下的劍下。」

白衣人笑了一笑，道：「咱們這一戰呢？」

俞秀凡道：「很難說了。我兩處傷勢，可能影響到我運劍的速度，所以，咱們這一場拚殺，鹿死誰手，也很難預料。」

白衣人道：「多承你的誇獎，你是不是還想知道咱們兄弟的名號。」

俞秀凡道：「閣下如肯見告，俞某洗耳恭聽。」

白衣人道：「長白三劍，你聽人說過？」

俞秀凡還未來得及答話。

無名氏和巫靈已同聲驚叫道：「長白三劍！長白三劍！」

白衣人冷冷接道：「有什麼好奇怪的。江湖之大，無奇不有，咱們三兄弟死於別人劍下，也算不得什麼大事。」

無名氏道：「三位清譽，向重江湖。」

白衣人道：「我明白你的意思，但造化城主，能把我們兄弟請來，自然也有他的條件，不值得大驚小怪。」

輕輕咳了一聲，接道：「俞少俠，你今年幾歲了？」

俞秀凡沉吟了一陣，道：「晚輩二十多些。」他恐怕太傷害對方，故意把年齡說得大些。

白衣人道：「咱們三兄弟自鬥劍以來，只敗過一次。此番重出，原想洗雪一敗之辱，想不到大辱未雪，又敗亡在你這位年輕人的手中；當真是長江後浪推前浪，一代新人替舊人。」

俞秀凡道：「老前輩第一次挫敗於何人之手？」

白衣人道：「金筆大俠艾九靈的手中。因此，造化城主他只告訴我們說，金筆大俠艾九靈，要到造化城來。所以，我們三兄弟就這樣的趕來了。」

俞秀凡嘆氣，道：「但在下不是金筆大俠艾九靈。」

白衣人道：「你是不是艾九靈的弟子？」

俞秀凡微微一怔，道：「在下可以奉告閣下，在下的劍法，和艾大俠並沒有關連。」

白衣人笑了一笑，道：「看來，我們又上了當。」

俞秀凡道：「此話怎講？」

白衣人道：「造化城主告訴我們兄弟說，你是艾九靈的弟子。」

俞秀凡道：「所以三位才肯出手。」

白衣人道：「不錯，咱們兄弟只答應過造化城主，對付艾九靈和與他有關的人，其他的，決不過問。」

俞秀凡道：「這真是一場很大的誤會。如是三位肯早問一聲，這一場殺劫就不會發生了。」

白衣人道：「可惜太晚了。」

俞秀凡道：「老前輩，在下覺著咱們還有一點……」

白衣人接道：「不可能了，我不能棄他們獨生於世。」

俞秀凡道：「好吧！閣下還有什麼遺言，可以告訴我了。」

白衣人道：「沒有了，要說的都說完了，你小心！我要出手啦！」右手一揮，一道白芒激射而出。

俞秀凡長劍脫鞘，化一道銀虹迎去。兩道白芒，閃電交錯而過。俞秀凡還劍入鞘時，那白衣人已倒了下去。一顆人頭，突然由白衣人的項頸上滾了下來。血冒三尺，屍體倒地。

俞秀凡身上，也多了一處傷口。這一次，傷在腿上，血如泉湧，染濕了一尺方圓的土地。

蕭蓮花疾步如飛地奔了過來，道：「俞少俠！」

俞秀凡微微一笑，想要開口說話，話還未說出口，突然向前栽去。

蕭蓮花一伸手，抱住了俞秀凡。無名氏、石生山、巫靈，魚貫奔了過來，團團把俞秀凡圍了起來。

蕭蓮花雙目不停地流著淚水，道：「他暈過去了。」

無名氏一面動手替那俞秀凡包紮傷勢，一面說道：「他都是一些皮肉之傷，暈過去是因爲失血過多。」

蕭蓮花道：「一個人流了這麼多的血，只怕不是一、兩天可以復元的。」

無名氏道：「俞少俠內功深厚，只要能給他一點養息時間，很快就可以復元了。」

蕭蓮花拭乾了淚水，動手替俞秀凡包紮傷勢。

俞秀凡原本俊秀的臉上，此刻卻一片蒼白。

一陣敷藥、包紮，足足忙了一頓飯工夫之久。

蕭蓮花轉頭看去，只見俞秀凡已然清醒過來，不知何時，早已睜開了雙目。

拭去臉上的淚痕，蕭蓮花低聲說道：「你醒過來了?幸好都沒有傷到筋骨。」

俞秀凡嗯了一聲，道：「看來，我的運氣還不錯。」

蕭蓮花道：「但你失血很多，只怕得一段時間養息。」

俞秀凡抬頭望望天色，道：「只怕造化城主不肯給咱們太多的時間，諸位請替我護法，我要坐息一陣。」

突然挺身坐了起來，盤膝閉目，運氣調息。

他傷口剛剛包好，這一掙扎而起，馬上迸裂了兩處傷口，鮮血又滲了出來。

蕭蓮花屈下了雙膝，跪在地上，伏著身子，很耐心地替他重新的包紮、敷藥，她表現出了無比的關心和溫柔。

俞秀凡心神專注，立時進入了神定忘我之境。

無名氏、石生山、蕭蓮花三個的心神，都專注到了俞秀凡的身上，忽略了四周的變化。

只聽一陣步履聲響，巫靈極快地由三人身側行了過去。

無名氏忽然警覺，抬頭看去，只見去路上，出現了一行人影，直行過來。

他輕輕拍了一下石生山，低聲說道：「蕭姑娘，你好好的保護俞少俠。」

伸手抓起兵刃和石生山並肩向前行去。

巫靈一馬當先，在距離俞秀凡坐息的八丈左右處，停了下來。

無名氏、石生山趕到的時候，巫靈已放出了身上的毒物，布滿了一地。

來人很快到了毒物布設之處，這是很寬的山道，可容兩輛馬車並行，但大道兩側，卻是深逾百丈的懸崖。除了這條大道之外，無法通過。但大道上已被巫靈布滿了毒物，毒蜘蛛結成了一片大網，鋪滿了整個的路面。數十條奇形毒蛇，分布蛛網之後。

來的是四個佩著長劍，身著銀衣的年輕人。

無名氏道：「巫兄，這四個銀衣人，可是造化城的嫡系人物？」

巫靈點點頭，道：「無名兄看到他們銀衣在袖上繡的那朵金色的標識麼？」

無名氏抬頭看去，果然見那四個銀衣人的袖口上，繡著一個金色飛龍，當下點點頭，道：「繡一條張牙舞爪的小龍。」

巫靈道：「不錯。這是金龍堂下的嫡系殺手，袖口上繡著金龍，那表示他們是龍字號的劍士。」

無名氏道：「這些人的武功如何？」

巫靈道：「聽說凡是龍字號的劍手，武功都很高強，劍術上造詣都很深。」

無名氏道：「巫兄的看法，咱們這幾塊料，能不能阻擋這些龍字號的劍手？」

巫靈道：「這個很難說了。龍字號劍士的武功，十分高強，在下也是聽人說的。至於他們的武功高到什麼程度，在下就不太清楚了。」

石生山道：「就算咱們願意捨命相拚，也不能冒這個險。因爲，俞少俠正在坐息，不能受到任何驚擾，咱們萬一頂不住四個龍字號的劍士，自己犧牲事小，萬一影響到俞少俠的安全，那就是江湖之上大大的罪人了。」

巫靈道：「兩位的意思呢？」

無名氏道：「這要巫兄想辦法了。」

巫靈道：「我現在就把一些毒物獻出來了，自然，還有一、兩招壓箱底的本領，那要等到拚命的時光，再用出來了。」

無名氏道：「巫兄一面施展毒物，我和石兄全力助你，咱們最重要的一件事，就是想法子把他們擋住，不讓他們過來。」

巫靈道：「咱們盡力而爲吧！等他們衝過來時，兩位全力攔截，我再用毒物助你們。」

無名氏道：「現在，他們會不會衝過來？」

巫靈道：「他們正在考慮。」

無名氏抬頭望去，只見四個銀衣人，站在那蛛網四、五尺處，低聲商討。

只見左首一個銀衣人，望了望巫靈等停身之處，高聲說道：「什麼人在這道上放了這些毒物？」

三十　力闖關山

巫靈道：「區區在下。」

那銀衣人冷冷說道：「你在這路上撒下這些毒物，用心何在？」

巫靈道：「咱們用心很簡單，此路暫時不能通行，四位請等候一會兒。」

銀衣人道：「你叫什麼名字？」

巫靈哈哈一笑，道：「在下姓巫名靈，來自湘西五毒門。」

銀衣人道：「那是我們自己人了。」

巫靈哈哈一笑，道：「不錯，咱們算是自己人了。」

銀衣人道：「既是自己人，為什麼還不肯收回毒物，放我們過去？」

巫靈有心拖延時間，隨口應道：「兩個到此有什麼事？」

這時，那站在最右首的銀衣人，怒聲喝道：「別和他囉囉嗦嗦了，這人有意拖延時間，我不信這些毒物真的能擋住咱們。」

巫靈道：「我這些毒物，都是天下至絕、至毒之物，只要被咬上一口，決無活命之理，諸位如是不信，那就不妨試試。」

右首銀衣人哼的一聲，拔出長劍，掃向一片蛛網。

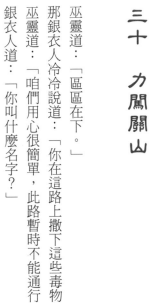

這些巨蛛，吐出的絲線，有燒香粗細，黏性奇大。

銀衣人長劍過處，蛛絲斷了一片，但蛛絲被劍風帶動，飄然而起，又和別的蛛絲，接在了一起。

那少年一連三劍，只能把蛛網斬斷了兩尺左右一片空地。但蛛絲震動，引來了兩個蜘蛛，疾撲而來。這些蜘蛛，平常行動十分緩慢，但在蛛網之上，卻是運行奇速，疾如流星一般，急撲而至。

銀衣少年冷哼一聲，一劍劈出，把一隻巨蛛劈做兩半，但另一隻巨蛛，卻借毒絲之勢，撲到了銀衣少年的面前。那銀衣少年吃了一驚，飛起一腳踏了下去。

他動作快速，一腳把那蜘蛛踏成了碎漿。但另外三隻毒蛛，卻如飛而至。

銀衣人長劍揮掃，又劈死了一隻，遙發一掌，震斃了一隻，但第三隻卻已衝到了銀衣人的身上，爬上了銀衣人剛剛收回的右腿。

毒蛛爬上了身軀，動作快速無比，一眨眼間，已爬到了銀衣人的後背之上。

另一個銀衣人叫道：「吳兄小心！」長劍出鞘一揮，斬向毒蛛。

右首銀衣人雖然聽到了招呼，但身軀仍然移動了一下。出劍認位奇準，一劍劈開蜘蛛，但因那姓吳的銀衣人身軀移動，毫厘之差，劃開了吳姓劍士的衣服。

那被斬做兩半的蜘蛛，趨勢而入，死去之前，在吳姓銀衣人的背上咬了一口。

這些巨大的蜘蛛，都是異種毒物，腹中的劇毒，強烈無比。那姓吳的銀衣人，又被長劍劃破了肌膚，毒蜘蛛腹中的毒液，隨著鮮血，很快地滲入了內腹，不過片刻工夫，吳姓銀衣人臉上，已泛起了一片片濛濛黑氣，身軀搖動了幾下，便摔在地上。

三個銀衣人很快地跑著過去，發覺那吳姓銀衣人早已氣絕而逝。他由中毒到死亡，一直在咬牙苦忍，沒有呼叫一聲，也沒有說過一個疼字。仔細看去，發覺他牙齒緊咬，深入下唇，顯然，他在忍耐著無比的痛苦。

巫靈長吁一口氣，高聲說道：「在下早已說過，我這些毒物，都是異種奇毒之物，腹中奇毒，強烈得很，諸位卻似是不肯相信。」

排在左首的銀衣人，似是四人的領隊，望望死去同伴的屍體，冷笑一聲，道：「閣下認為這片蛛網、毒蛇，真能夠攔阻我們麼？」

巫靈道：「四位已死去了一個，血淋淋的經過，在下希望三位，不要再逞豪強之氣，須知一個人，只能死一次。」

銀衣人冷冷接道：「龍字號的劍士，一向視死如歸。」

突然舉手一招，另兩個銀衣人應手行了過來，三個人低聲商量了一陣，又忽然分散開去。

只見那領隊銀衣人飛起一腳，竟把同伴屍體踢得飛起七、八尺高，蓬然一聲，摔在蛛網當中，蛛網的震動，四面八方的蜘蛛，一齊向屍體擁了過去。

巫靈一皺眉頭，還未來得及說話，三個銀衣人，已然飛躍而至。

但見三個銀衣人，唰的一聲，拔出了背上的長劍，劍尖一點實地，第二次，飛身而起。

所有毒蜘蛛，都已被吳姓劍士的屍體吸引而去，三人的長劍，雖然觸到了蛛網，但卻沒有毒蛛攻來。

巫靈忽然發出一聲怪異的嘯聲，他布在蛛網後面的毒蛇，忽然向後退下，拉長了這片蛇區的距離。

無名氏、石生山也跟著向後退了一丈。

這一來，三個銀衣人原準備一舉間飛越過蛇區的，也突然間停下來。三個銀衣人的第二次飛躍，竟然也有兩丈以上的距離。

巫靈及時拉長毒蛇布守區域，三個銀衣人雖然算好距離，但卻未料到巫靈及時後撤了毒蛇。

三人身子落地，仍然在蛇群之中。但見群蛇發出咕咕之聲，昂首吐信，紛紛向三人攻去。三個銀衣人長劍揮動，閃起了一片銀光劍花。湧上的蛇群，不是被斬斷蛇頭，就是被攔腰斬做了兩段。

無名氏看三個銀衣人揮劍一擊，斬死十餘條毒蛇，心中暗暗忖道：巫靈這蛇陣只不過十餘條毒蛇，三個銀衣人，只要再揮劍一擊，就要去了大半，那時，再無毒物阻止三人了。

心中念轉，低聲說道：「巫兄，這些毒蛇，都是千辛萬苦選來之物，如若被人殺死，豈不是可惜得很。目下，咱們是三對三的局面，倒不如放手和他們一決生死。」

巫靈道：「盡力而爲，多阻擋他們一刻是一刻。」他的話說得雖然很婉轉，但言下之意，無疑是暗示三人的劍法凌厲，憑三人之力，攔人家不是易事。

無名氏還未來得及接口，巫靈已雙袖揮動，打出三道紅光。

三個銀衣人疾快地揮動了長劍，銀光閃動，響起了三聲低微的咕咕之聲。

原來，那巫靈打出的暗器，竟然是三條紅色的小蛇。三個銀衣人長劍揮動，斬斷了三條紅蛇。那紅色小蛇前衝力很強，身子雖被腰斬，但頭部仍然向前衝去，蛇口大張，白牙森森。

三個銀衣人由於同伴的死亡，心中都提高了警覺，眼看蛇口張啟，立時向旁側閃去，三個人雖然逃避開那半截紅蛇，但地下的毒蛇，卻又借機向上擁了上來。同時，巫靈一揚腕，又打出三條紅色的毒蛇。

三個銀衣人確有過人的功力，同時發出一聲長嘯，飛躍而起。不但避開地面上蛇群的攻擊，而且也避開了三條紅色暗器般的毒蛇。

這一次，三個銀衣人拔起三丈多高，有如三頭巨鳥一般，分向巫靈、無名氏、石生山撲了過去。

無名氏、石生山各自揮動兵刃，大喝一聲，迎了上去。一聲金鐵大震，雙方兵刃相接，硬拚了一招。

巫靈卻不肯和那銀衣人硬拚，疾快地向後面退了兩步。銀衣人冷笑一聲，身子還未站穩，長劍已然向前遞去。巫靈被逼得又向後退了兩步。銀衣人長劍展開，有如狂風暴雨，落英繽紛，著著逼進。

巫靈因一步退讓，失去了先機，被迫得手忙腳亂，窮於應付，一時間竟然無法還手。

但無名氏和石生山卻是銳不可擋，竟然和兩個銀衣人，打得激烈異常，而且是攻多守少。

三人就這樣惡鬥了四十餘個回合。巫靈已被逼得一頭大汗，淋漓而下。

直到了四十個回合之後，巫靈才找出了一個空隙，揮手打出了一團黑影。銀衣人揮劍擊出，立刻閃起了一片銀芒，迎了上去。劍花閃動，那巫靈擊出一團黑物，被斬做數段。

突然間，銀衣人感覺到臉上一涼，緊接著一股腥臭之氣，直撲入鼻，不禁心中一震。

就這一分心神，巫靈已扳回了先機，右手一探腰間，抖出一物，唰的一聲，掃了過去。

銀衣人匆忙間揮劍一擋，巫靈手中的兵刃，忽然一軟，彎了過來，掃在那銀衣人的左頰之上。銀衣人疾快地向後退了兩步，但被擊中的地方，已然變成了一條黑色的傷痕。

原來，巫靈的手中，拿的竟然是一條三尺多長的黑色活蛇。用一條活蛇當做兵刃，在氣勢上，已給人一種恐怖的感受。

巫靈冷冷說道：「我手中這條鐵甲蛇，不畏刀劍，而且含有劇毒，凡是被擊中之人，不過一會兒工夫，毒發而死，你閣下死定了。」

銀衣人呆了一呆，還未來得及說話，人已倒地死去，那鐵甲蛇果然是含有劇毒。

兩個和無名氏、石生山動手的銀衣人，目睹同伴又死一個，不禁大怒，厲喝一聲，雙劍燦閃，全力反擊。無名氏、石生山立刻被逼落了下風。

巫靈大喝一聲，揮動手中的鐵甲蛇，猛攻過去。

三人聯手，逼得兩個銀衣人也聯手合戰。兩個人合手之後，攻勢猛銳異常，而且數番相試之後，兩個銀衣人已然不再急進求功，劍上的威力，逐漸地發揮出來。

突然間，兩個銀衣人聯手劍勢，閃起了一片劍花，銀芒飛灑，響起了兩聲悶哼，無名氏、石生山，各自被刺了一劍。

一個被刺左臂，一個被刺右腿，鮮血淋漓，湧了出來。兩人的傷勢很重，中劍之後，手中兵刃，立刻慢了下來。巫靈手中鐵甲蛇一緊，立刻把兩人的劍勢給接了下來。

他一人獨擋兩個銀衣人的劍勢，立刻被逼得連連倒退。勉強擋過三招，左肋被刺了一劍。

他練有金鐘罩的功力，刀劍不入，這一劍刺得衣服破裂，但人卻沒有受傷。只聽一陣啪啪之聲，巫靈連中了三劍。這三劍，力道奇大，內力從劍上傳了過去，這三劍雖然未能刺破巫靈的肌膚，但強大的內力，卻震得巫靈內腑翻動，真氣流散。

第四劍刺到巫靈的前胸之上，巫靈真氣散失，無法再避刀劍，這一劍直刺而入，深及心臟。

銀衣人拔出長劍，一股鮮血激射而出。巫靈身子搖了兩搖，倒摔在了地上。

無名氏、石生山正在自包傷勢，眼看巫靈倒了下去，心中大為震動，顧不得再包紮傷勢，抓起兵刃衝了上去。兩個銀衣人長劍一揮，灑出一片銀芒，無名氏、石生山又都被劍上銀芒削中，身上多了一道半尺長的傷口。

這當兒，突聞大喝道：「退下來！」

石生山、無名氏聞聲而退，奮起全力，倒退五尺。

轉頭望去，只見俞秀凡手握劍柄，肅然而立，臉上滿面怒容。

兩個銀衣人冷笑一聲，道：「你是什麼人？」

俞秀凡道：「俞秀凡。」

目光一掠巫靈的屍體，道：「是誰殺死了他？」

站在左首的銀衣人道：「我。」

俞秀凡道：「你知道，殺人償命麼？」

銀衣人道：「咱們兄弟死了兩個，殺了他，咱們還未收回本錢。」

俞秀凡道：「你們該死！」突然拔劍一揮，擊了過去。

那右首銀衣人還未來得及出劍，寒芒已掠頸而過，一個人頭，飛起了七、八尺高，跌落在實地上。一股鮮血噴出，屍體倒摔在地上。

俞秀凡日光轉注到左側銀衣人的身上，道：「你上吧！」

銀衣人呆呆地站著不動，也未說話。顯然，俞秀凡的快劍，已使他震驚不已。

俞秀凡冷笑一聲，突然揮劍攻出一招。只一劍，斬下了銀衣人握劍的右臂。

俞秀凡疾上一步，揚手點了銀衣人右「肩井穴」，止住了那銀衣人的流血，道：「回去！告訴他們，就說俞秀凡的劍勢，不但很快，而且很惡毒。」

銀衣人一語未發，伏身撿起了斷臂、長劍，疾奔而去。

巫靈死去之後，那些散布於道上的毒蛇、蜘蛛，紛紛星散而去。

俞秀凡緩步行到了巫靈身前，滿臉嚴肅之情，緩緩說道：「兄弟晚來了一步，致巫兄死於非命，雖然凶手已伏誅，但俞某人將永存著一份愧疚。處境凶險，情勢非常，恕咱們無法盛殮巫兄了。」言罷，撲身下拜，恭恭敬敬行了一個大禮。

無名氏、石生山顧不得本身傷勢，也對著巫靈拜了三拜。

如非兩人受傷，巫靈不會遭兩個銀衣人的合攻，自然不會死於銀衣人的劍下。追究起來，巫靈是為救兩人而死。

蕭蓮花緩步行了過來，道：「兩位，死者已矣，他能受俞公子大禮，也足可慰他九泉陰靈了。前途險惡，咱們還有很長的一段路程要走，兩位還是保重身體要緊。」

無名氏回顧了俞秀凡一眼，道：「公子！咱們很慚愧，不但無能幫助公子，反成了公子的累贅。」

俞秀凡突然抱起巫靈的屍體，道：「巫兄，不能讓他們再觸碰你的屍體，有玷英靈。」雙臂加力，把巫靈的屍體，投入了懸崖之下。

蕭蓮花動作熟練，很快地包紮好無名氏、石生山兩人的傷勢。

俞秀凡輕輕咳了一聲，道：「你們可要休息一下？」

無名氏道：「不用了。咱們都是一些皮肉之傷。」

俞秀凡苦笑一下，道：「巫靈已死。咱們四個人，三個人都受了傷，是否能撐到見造化城主，連我也沒有把握了。」

蕭蓮花道：「賤妾發現公子的劍勢，愈來愈是淩厲。」

俞秀凡道：「有這等事？」

蕭蓮花道：「不錯。旁觀者清，我雖然不會劍術，但我看到了公子的劍法，一次比一次淩厲，一次比一次明快。」

無名氏道：「蕭姑娘說得不錯，在下的看法，公子的劍法確然一次比一次凌厲。」

俞秀凡道：「如若你們說得很真實，那就是我現在的劍法，帶了很重的殺機。」

無名氏道：「不錯，公子的劍法殺機愈來愈重。」

俞秀凡微微一笑，道：「好！這就得了劍法的精髓。咱們走吧！」說罷向前行去。

俞秀凡所指劍法，自然是指「驚天三式」而言。

無名氏邁開大步，追在俞秀凡的身後，石生山一咬牙，也大步向前行去。

其實，無名氏和石生山兩個人的傷勢，都很沉重，但兩人卻苦苦咬牙苦撐。兩人的傷勢，不過剛剛包好，這一行動，傷口迸裂，鮮血又湧了出來。

蕭蓮花放緩了一步，走在石生山和無名氏的身後。

俞秀凡似是也發覺了兩人在勉強支撐，故意放緩了腳步。

又行了三里之遙，轉過了一個小彎，只見十二個身著銀衣，袖口繡著金龍的武士，一字排開，攔住去路。

俞秀凡停下腳步，冷冷說道：「你們這一群人中，哪一個是領隊？」

站在最左首的一個銀衣劍士，淡淡一笑，接道：「咱們都是一樣的身分，沒有什麼大小，閣下有什麼話，只管請說。」

俞秀凡道：「好！在下俞秀凡。你們是準備讓路呢，還是要我動手？」

十二個銀衣人，個個都怒目相視，哼了一聲，抽出了長劍。十二把長劍，閃動耀目的光輝。這代表了答覆。

俞秀凡長長吁一口氣，道：「很好，在下正感為難，你們倒先亮了劍。」

十二個銀衣人忽然間移動身軀，布成了一個圓陣，團團把俞秀凡圍了起來。

俞秀凡仰天大笑三聲，道：「你們聽著，我俞某人原本還存有三分忍讓之心，但你們的惡毒，已激起我憤怒的殺機，由此刻起，我俞某人手中的長劍，再不會留情了！」這番話由丹田發出，用內力直送出來。

十二個銀衣人沒有人回答俞秀凡的問話，二十四隻圓睜的怒目，集注在俞秀凡的身上瞧看。

忽然，寒芒閃動，一個銀衣人突然發難，大喊一聲：「殺！」劍勢如電，疾射向俞秀凡的前胸。

俞秀凡冷笑一聲，突然拔劍擊出。

雙方面都以極快的速度，交接了一招。那銀衣人的劍招很快，但俞秀凡的劍招更快。

似乎是那銀衣人執著長劍的右腕，有意地撞向俞秀凡的劍上，齊肘被斬落下來。

十一個銀衣人，緊隨著發動攻勢，十二人本來有一套連環的攻敵招術，但因這銀衣人的右腕被斬做兩斷，影響到了整個的攻勢變化。

俞秀凡手中長劍連續轉動，一連刺傷了七人。

四個未受傷的銀衣人，突然向後躍退，望著俞秀凡呆呆出神。

他們練劍練了二十年，從沒有見過這樣的劍招，每出一劍，必傷一人。

須知在那拔劍一擊，是千敗老人修正了一百多個錯誤擊出的一劍，雖非全無瑕疵的一劍，但已接近了完美的境界，那不是任何一個練劍人，憑藉本身的才慧所能悟出，必需要經歷無數次的失敗、修正，才能達到這等跡近無缺失的境界。

千敗老人，經過了近千次的失敗，才糾正了出劍的缺點，這是習劍人，從未有過的事。

俞秀凡還劍入鞘，望望八個身受劍傷的人，三個傷了握劍的右臂，三個傷在右肩，兩個人傷到了前胸的要害，已因傷勢太重，倒了下去。

目光轉注四個呆呆出神的銀衣人身上，道：「四位準備如何？」

四個銀衣人，已感覺到和人動手，無異是飛蛾投火，心中早已生出畏懼，不自覺地搖搖頭。

俞秀凡道：「回去告訴造化城主，用不著再派別人來此送死，造化城主如若自覺是藏龍臥虎，何以他連我俞某人也不敢見？」

四個銀衣人相互望了一眼，卻沒有一人答話。顯然是俞秀凡出的題目太大，他們不知如何回答。

俞秀凡怒道：「走！帶著那些受傷的人。」

四個銀衣人沒有答話，但卻一起動作，抬起兩個傷勢較重的人，和六個輕傷的人，轉身而去。

無名氏大步行了過來，道：「痛快！痛快！不過眨眼工夫，公子已傷了他們八個，造化城也該受到震動了。」

俞秀凡神情凝重地說道：「這只是造化城的劍士，在他們之上，還有很多等級的高手，高一級人的造詣，必然也高明一些。」

蕭蓮花笑了一笑，道：「公子，你劍上的造詣，不知是否該說已到了出神入化之境，但我這半生從沒有見過像你那樣快速、凌厲的劍勢。劍術能練到像公子那樣的境界，造化城中藏龍臥虎，有很多的高手，他們在別的方面，也許能勝過公子，但他們要想在劍道造詣上勝過公子，那就不是一件很容易的事了。」

俞秀凡淡淡一笑，道：「蓮花，不用激勵我，我自己並不害怕，我擔心的是你們。」

無名氏道：「我們……我們有什麼好擔心的？」

石生山道：「這幾日來，咱們和公子相處，已由內心之中，生出了敬慕之心，仁俠胸懷，清明風標，絕世武功，滿腹經綸，哪一樣都叫人生出了敬仰之心。此生如能得生死相從，實是人生一大樂事。」

俞秀凡道：「你們有此一念，我就安心多了。咱們的處境，雖然是九死一生，但咱們卻不能完全放棄了求生之心，兩位先請坐息一下，盡量使體能恢復。」

無名氏道：「咱們還撐得住。」

俞秀凡微微一笑，道：「我卻有些累了，咱們坐息一會兒吧！」

其實，無名氏、石生山傷口迸裂，十分痛苦，但兩人都怕影響到了俞秀凡，使他分心旁顧，暗裏咬牙，裝出一副若無其事的樣子。

蕭蓮花心中也明白，兩人一坐下休息，立刻動手替兩人再敷藥物，重新包紮傷勢。

俞秀凡似是有意地使兩人獲得充分的休息，足足休息了一個時辰。

無名氏、石生山，功行一周天，坐息醒來，體能盡復，抗拒傷痛之能，大大的增強。

兩人也明白俞秀凡的苦心，相視一笑，霍然站起身子，道：「公子！咱們真的好了。」

俞秀凡微微一笑，道：「從此刻起，對敵捕殺的事，都由我一人擔當，你們不許出手。」

石生山道：「如是一些嘍兵小卒，不屑公子一顧的，由咱們打發就是。」

俞秀凡道：「重要的是，我要借重兩位的閱歷經驗，所以，兩位要多多珍重。我援救不及，已經失去了一位巫靈，兩位不能再受傷害。」

無名氏、石生山這等老江湖，也聽得心頭酸酸，感動莫名。

俞秀凡突然仰天發出一聲長嘯，道：「咱們走吧！」

無名氏搶前幾步，道：「屬下的閱歷多些，走前面為公子帶路。」

俞秀凡知他心意，也未攔阻。

無名氏向前奔走，一口氣跑出了四、五里，竟然未遇攔阻。

這時，幾人已快登上了峰頂。就在峰頂之下的登峰大道上，有一座像門樓，又像佛殿的大宅院，攔住了去路。似乎是這一條登山的大道，就是為了這座廣大的宅院而修築。

山峰形勢，到此處也有了變化，那廣大的宅院，就根據山峰形勢修築。兩側的圍牆，緊依峭壁，用青石修築而成，下面是深不見底的絕壑，一道巨燭粗細的鐵柵門，橫攔住去路。鐵柵之間，雖然間隔不大，但仍可清晰地看到了裏面的景物。

只見一條寬大道路，直通一座矗立的二門前面。後面的景物，都已被那二門擋住。鐵柵緊閉，不見守門人，整個的宅院，都靜悄悄的，不見有人往來，也聽不到一點聲息。但見二門後面地形漸呈廣闊，矗起一幢幢樓閣。

無名氏停下腳步，道：「這地方應該有一塊門匾。」

俞秀凡道：「蕭姑娘，能說出這是什麼所在麼？」

蕭蓮花搖搖頭，道：「不知道。我從來沒有到過這地方。唉！也許我的身分太低，如是巫靈還活著，定然會知曉。」

無名氏淡淡一笑，道：「這地方好像是迎賓的館驛，咱們進去休息一下。」

石生山道：「不像館驛，太靜了。」

無名氏道：「不管是什麼地方，看來建築很宏偉，造化城花了不少工夫，我去開門。」

俞秀凡道：「小心一些！」

無名氏道：「公子放心。屬下會先禮後兵。」

大步行近鐵柵，高聲說道：「哪一位當值？」

宅院仍然是一片安靜，靜得聽不到回應之聲。

無名氏冷笑一聲，道：「如是有人當值，應該聽到在下的喝叫，如是沒有人，在下只有自己動手了。」

仍不聞回答之言，無名氏已忍耐不住，一提氣，飛躍過鐵柵。

無名氏躍入門內，正想伸手開門，那緊閉的鐵柵，突然自行大開。

這變化太過意外，不但無名氏吃了一驚，就是站在鐵柵外面的俞秀凡也看得大吃一驚。

無名氏縱身退避一丈多遠。

俞秀凡忽然放步而行，直入柵門。流目四顧，找不出一點可疑之處。

石生山低聲道：「無名兄，瞧出點門道沒有？」

無名氏道：「我看那控制這鐵柵門的機關，似乎是在二道門以內，咱們的行動，也一直在他們的監視之下。」

石生山微微一笑，道：「好！這一次，由我闖二道門了。」一語不發，突然轉過身子，直向二門跑去。事出突然，無名氏想阻止已來不及了。

石生山快步如飛，直衝入了二門的門口。第二道門，只是兩扇木門，輕輕地一推，木門已呀然而開。但石生山進入二門，兩扇木門又立刻閉上。

無名氏心中一急，大聲喝道：「石兄，不可孤身深入。」

但他喝叫太慢，石生山已進入了二門之內。像投入大海的砂石，再也聽不到一點消息。

俞秀凡一皺眉頭，道：「陷阱！」

無名氏道：「就算是陷阱，也應該聽到一點聲息。」

俞秀凡神情凝重，緩緩說道：「在什麼樣一個情形下，石兄才能夠有這樣的遭遇？」

無名氏道：「第一種可能是，那二門之內，有一種絕毒的暗器，見血封喉，石兄不小心闖進去，中了暗器；再就是石兄一進入了二門，就被人點了穴道。」

俞秀凡苦笑一下，道：「我不能再受任何折損，希望咱們還能再看到石兄。」

無名氏一提丹田真氣，道：「我去打開門戶。」舉步向前行去。

俞秀凡道：「慢著！」

無名氏停下腳步，道：「公子有什麼吩咐？」

俞秀凡道：「我進去。」

無名氏道：「公子！我們這些人，如若一定要死在這裏，那也是應該由我們先死。對麼？」

俞秀凡搖搖頭，道：「無名兄！話不是這麼說。我先上去，還可有活命的機會，如是你，很可能沒有活命的機會。」

無名氏沉吟了一陣，道：「公子說得有理，不過……」

俞秀凡接道：「沒有不過，這不是理論上的爭執，而是血淋淋的事實。」

長長吁一口氣，接道：「如若我不幸死了，你們也不用打下去了。」

俞秀凡突然舉步向前行去，一面高聲說道：「你們站遠一些，聽到我呼叫之聲，再進去不遲。如是一頓飯工夫之內，還得不到我的消息，應該如何，你們就自己決定了。」

無名氏道：「公子吉人天相，身懷絕技，我相信一定會履險如夷。」

蕭蓮花道：「仁者無敵。公子胸懷大仁，如是真的遭了不幸，那是天道無眼，我們追隨九泉，也覺著榮耀得很。就此一言爲定，如是公子頓飯工夫內沒有消息，賤妾就舉劍自絕。」

無名氏大聲喝道：「生死有命，富貴在天，咱們不用再討論生死之事。」

這幾句話，豪氣干雲，俞秀凡也聽得精神一震，道：「好！兩位接應我。」大步行了過去。

何。

隔著那一道門，但卻有如兩個世界一般，不論俞秀凡如何去想，也想不通裏面的情形如何。

不解敵勢，兵家大忌。所以，俞秀凡變得十分小心。行近木門，並未立刻用手去推，橫過劍鞘，輕輕推開了一扇木門。

凝目望去，只見一丈左右處，放著一個錦墩，錦墩上盤坐著一個美艷的白衣少女。桃腮杏目，面泛微笑。除了那錦墩、少女之外，再無其他之物。

俞秀凡輕輕咳了一聲，道：「姑娘，見著我的朋友麼？」

白衣少女靜坐不動，臉上的笑容依舊，似乎是根本就沒有聽到俞秀凡的問話。

俞秀凡一皺眉頭，道：「姑娘！聽到在下的話麼？」

白衣少女仍無反應。

不知何時，蕭蓮花已追到了俞秀凡的身後，道：「公子！什麼樣子的姑娘？」

俞秀凡道：「一個身著白衣的少女，盤坐那裏，面泛微笑，不言不動。」

蕭蓮花道：「給我看看。」

伸過頭去，向裏面望了一眼，輕輕嘆一口氣，道：「她長得很美。」

俞秀凡道：「哦！」

蕭蓮花道：「任何人看到這樣一位美麗的姑娘，都不會失聲驚叫，是麼？」

俞秀凡嗯了一聲，道：「那又怎樣？」

蕭蓮花道：「所以石生山也沒有發出驚叫之聲。」

俞秀凡若有所悟，道：「你是說，石生山就是受了她的暗算。」

蕭蓮花道：「我沒有這麼肯定。如若是這裏面只有她一個人，石生山會是受了誰的暗算呢？」

俞秀凡點點頭，道：「多謝姑娘指點，咱們過去瞧瞧吧！」

蕭蓮花低聲道：「公子！小心些！玫瑰多刺，前車可鑒。」

俞秀凡道：「我會小心。姑娘請守在門口。」

蕭蓮花意猶未盡地說道：「你記著，她可能會用毒，也可能會突然打出一種見血封喉的絕毒暗器，傷害了你。」

俞秀凡道：「多謝姑娘提醒！」

蕭蓮花嘆口氣，未再多言。

也許是石生山的突然失蹤，在俞秀凡心中留下了很深的記憶，也可能是蕭蓮花的警告，提醒了俞秀凡的謹慎。俞秀凡走得很小心，手握劍柄，全神戒備。

但事情很意外，一直走近了那白衣少女的身側，仍然未見到任何改變。

距離那白衣少女三尺左右，估計是自己手中的長劍，可以擊中她全身上下時，才停了下來。

冷冷說道：「姑娘，在下俞秀凡。」

一直不言動的白衣少女突然開口說道：「我知道。」

俞秀凡道：「在下的劍招很快。」

白衣少女道：「我也知道。你傷了龍字號的劍士。」

俞秀凡道：「姑娘既然知道了，那是最好不過，在下也用不著解釋了。」

處？」

白衣少女道：「你只有這幾句話麼？」

俞秀凡冷冷說道：「我說得很認真，希望姑娘能相信在下的話。」

白衣少女道：「所以，我一直坐著未動。」

俞秀凡道：「現在，你聽著，我一位朋友，剛剛衝了進來，他受了什麼暗算，現在何處？」

白衣少女搖搖頭，道：「剛才坐在這裏的不是我，我沒有見過他。」

白衣少女接道：「我剛剛坐下來，你是第一個進來的人。」

俞秀凡道：「剛才，你……」

俞秀凡道：「你胡說八道！」

白衣少女道：「我說得很真實，你不信，那也是沒有法子的事了。」

俞秀凡道：「姑娘！我現在怒火塡胸，你最好小心一些，別太激怒我。」

白衣少女道：「我說過沒有見到他，就是沒有見到他，騙了你，叫我死。」

突然流下了兩行清淚。臉上早已沒有了笑容，代之而起的是一片淒苦之色。

俞秀凡呆了一呆，道：「你哭什麼？」

白衣少女道：「你冤枉了我，我為什麼不哭？」

俞秀凡道：「哦！那就叫剛才坐在這裏的人出來。」

白衣少女舉起衣袖，拭去臉上淚痕，道：「你一定要見她麼？要見她只有一個辦法。」

俞秀凡道：「在下洗耳恭聽。」

白衣少女道：「你先退出去，等一下再進來。」

俞秀凡道：「為什麼？」

白衣少女道：「因為，我們每人的工作時間不同，所以，只要你再晚來一會兒，就可以見到她了。」

俞秀凡突然冷靜下來，緩緩說道：「姑娘，等一會兒，一定是她麼？」

白衣少女點點頭，道：「是。」

俞秀凡道：「在下明白了，你們在這裏只有兩個人工作？」

白衣少女道：「是。我們只有兩個人，不是她，就是我。」

俞秀凡略一沉吟，長劍突然遞出，劍尖寒芒，直逼在白衣少女的咽喉之上，笑道：「姑娘！你小小年紀，能哭能笑，單是這一點本領，就非常人能及了。」

白衣少女道：「你既然不相信我，那就一劍殺死我吧！」

俞秀凡道：「我會傷害你，但不會把你殺死。」

白衣少女道：「你為什麼要和造化城主作對？」

俞秀凡笑了一笑，道：「問得好！因為造化城主，所作所為，都是傷天害理的事。」

白衣少女道：「你要活活的傷害一個女孩，比起造化城主，也好不了多少。」

俞秀凡神情肅然，道：「人必自侮，而後人侮之。在下敬重的是忠臣孝子、仁人義士。姑娘助紂為虐，在下不能心存仁慈。」

白衣少女冷笑一聲，道：「造化城主他有什麼不好，他使人衣食無憂，生活得安居樂業。」

俞秀凡接道：「這些事姑娘怎麼知道？」

白衣少女道：「我身受其恩，難道還不算真實麼？我本是孤苦無依的小叫化，衣不蔽體，三餐不繼，造化城主把我們扶養長大，供我們鮮衣美食，傳我們武功，教我們讀書，世間如只有一個好人，造化城主當之無愧。」

俞秀凡嗯了一聲，道：「還有麼？」

白衣少女道：「難道這還不夠，我能有今天，全是造化城主所賜。」

俞秀凡淡淡的笑了一笑，還劍入鞘，道：「姑娘！想和在下談談麼？」

白衣少女道：「看你拔劍身手，實是罕見的奇才，我也不想你死在造化城主之手，你如肯歸依城主，小妹願爲引薦。」

俞秀凡道：「在下可以考慮答應，不過，我心中有幾件疑問，先要請教姑娘。」

白衣少女道：「什麼疑問，你請說吧！我會盡量爲你解說。」

俞秀凡道：「請姑娘給在下片刻時光，我要和同伴們打個招呼。」

白衣少女溫柔地點點頭，道：「你請便吧！」

俞秀凡提高了聲音，道：「無名兄、蕭姑娘，請進來吧！」

大門呀然，無名氏、蕭蓮花等，魚貫而進。

蕭蓮花望了那白衣少女一眼，緩緩說道：「這個姑娘……」

俞秀凡接道：「造化城中的高人，正試圖說服在下，投入造化城。」

白衣少女頷首一笑，道：「一旦俞少俠投入了造化城，諸位也就獲得了安全，這就叫大樹底下好遮蔭。」

俞秀凡示意無名氏等不要發作，緩緩說道：「姑娘想要在下投入造化城，並非難事，只要能使在下心生敬服，在下立刻就棄劍投降。」

語聲微微一頓，接道：「姑娘覺著造化城主對你很好，是麼？」

白衣少女道：「不錯。他對我恩同再造。」

俞秀凡道：「這正和姑娘勸在下投入造化城的原因一樣，那是因爲我本身具有了相當的造詣，姑娘的聰明才智，才是造化城主把你收養的主要原因。」

白衣少女道：「這有什麼不同，如是沒有他，我就永遠沒有今天。」

俞秀凡道：「造化城主如若能救蒼生，使天下孤女寒士，人人能如姑娘生活得十分舒適，他不僅可當武林霸主，必將爲萬家生佛。俞某人仗劍當前，誰要危害造化城主，我就第一個不放過他。」

白衣少女道：「我就是一個活生生的例子，難道還不可信麼？」

俞秀凡道：「在下覺著，姑娘只是造化城主培養出來的工具。」

白衣少女厲聲喝道：「你胡說！造化城中高手如雲，豈會嫌少了我一個，他用不著花費偌大的工夫培養我。」

俞秀凡道：「自然不是你姑娘一個人，你只不過是很多人中的一個罷了。」

白衣少女道：「可惜，有一個很冷酷的事實，不投入造化城，你非死不可。」

俞秀凡道：「這一點，姑娘又算錯了。」

白衣少女道：「我說的是實話，也許是不太好聽，但卻是字字真實，出於肺腑。」

俞秀凡道：「姑娘，請看看這位蕭姑娘吧，她出身於春花教，也算是造化門中的人……」

白衣少女突然揚起了右手。

俞秀凡似乎是早已顧慮及此，就在那白衣少女右手揚起的同時，俞秀凡也已經長劍出鞘，刺了過去。

但見寒芒一閃，紅光迸射。白衣少女的右腕突然冒出了一股鮮血。紅血白衣，看上去，更顯得刺目。

俞秀凡冷冷說道：「姑娘，這就是造化城主教你的手段麼？」

但聞卜的一聲，白衣少女右袖中掉下來一把寒芒閃爍的匕首。

那是一把五寸長短的匕首，全身閃動著藍色的光芒。一望之下，即知是劇毒淬練之物。

白衣少女臉色鐵青，緩緩說道：「你出劍很快，無怪造化城主，把你看做勁敵。」

俞秀凡淡淡一笑，道：「姑娘誇獎了。」

語聲一頓，接道：「在下如何才能見到造化城主？」

白衣少女道：「還早得很，你才勉強算過了我這一關。」

俞秀凡道：「姑娘的意思是……」

白衣少女接道：「我只是一個開始。」

俞秀凡長長吁一口氣，接道：「姑娘，由此地開始算起，見到造化城主，還需要過多少道關口？」

白衣少女道：「七道。我只是第一道。」

俞秀凡道：「現在，在下算不算過了這一關呢？」

白衣少女道：「自然是算。」

俞秀凡道：「那就請姑娘讓路。」

白衣少女坐了下去，道：「俞少俠！仔細想一想我說過的話。你本來可以斬斷我的手腕的，結果你手下留情，這一點，我會很感激。」

忽然一轉坐墊，身子突然向下沉去。一道鐵板橫裏伸了過來，剛好掩住那白衣少女向下沉落的洞口。湊合得十分嚴密，那鐵板上放著一樣的坐墊，只不過變成了翠綠的顏色。

俞秀凡提氣戒備，發覺自己停身的地方，尙無異樣，立時回顧了無名氏等一眼，道：「咱們忘記了造化城主是一位精通機關消息的能手，這裏面很可能步步凶險，快退回去，想別的法子逼他們出來。」

他心中的警覺雖高，身子不由己地向後退了一步，但仍是晚了一步，只聽蓬然一聲，一個鐵板，落了下來，封住了他們的後退之路。

無名氏伸手一推，只覺那落下的鐵板，堅厚異常，竟然無法移動分毫。輕輕嘆息一聲，道：「公子，晚了一步，現在，咱們只有一條路，有進無退了。」

俞秀凡抬頭看去，只見這是牆壁夾峙的甬道，寬約八尺，兩邊都是白色的緞子幔了起來，只要一點微光，看上去，就十分明亮。

蕭蓮花道：「前面一段路，是一個活動翻板，但不知有多少長度？」

無名氏道：「這甬道頂棚，高有一丈，無法飛躍跳過，路又不能走，看來只有施用壁虎功，由牆壁上游過去了。」

蕭蓮花道：「牆壁被白緞蒙了起來，只怕連壁虎功也無法施展。」

無名氏道：「咱們不能坐待困死，總要想法子走過去才行。」

只聽一個冷冷的聲音，傳了過來，道：「沒有人能從這一條甬道行過去，諸位都聽說過銅牆鐵壁，今日你們很有幸的見識到了。」

俞秀凡冷笑一聲，道：「造化城主的神通，就是這一條甬道了。」

那冷冷的聲音應道：「你是俞秀凡麼？」

俞秀凡道：「不錯，區區正是俞某。」

那冷冷的聲音接道：「年輕人，別狂得太過分了。這樣甬道，長不過二十四丈，卻有七十二種埋伏，老夫只提兩種，毒煙、毒火，你們就沒有應付之能。只要老夫開動機關，立刻可以使你們身化劫灰，不過，城主到目前爲止，還沒有存置你於死地之心。」

語聲微微一頓，接道：「你們只有一種辦法，坐上那翠綠坐墊，老夫送你們離開這一條死亡之路。」

俞秀凡略一思忖，道：「你送我們到什麼地方？」

那冷冷的聲音道：「自然不是送你去洞房花燭，那地方雖然也不太好，但卻沒有死亡的凶險。老夫言盡於此，聽不聽，那是你們的事了。」

俞秀凡道：「你是什麼身分？」

他一連喝問了數聲，已不再聞回答之言。

皺皺眉頭，俞秀凡低聲道：「無名兄，咱們現在應該如何？」

無名氏道：「剛柔互濟，才能遇挫不折，就目下情勢而言，咱們似乎是只好暫時從權。」

俞秀凡輕輕嘆息一聲，道：「看來也只有如此了。」

他忽然感覺到第一流的武功，舉世無匹的拔劍手法，有時候，一樣無法解決問題。

三個人，都擠上了那翠綠色的坐墊之上，忽然間，坐墊向下沉落，但勢道很緩，不像那白衣少女那樣的快速沉落。

沉落三丈左右，似著實地。抬頭看去，頭上的洞口，又完全被另一塊鐵板給封了起來。四周一片黑暗，黑得伸手不見五指。

蕭蓮花緩緩把嬌軀靠入了俞秀凡的懷中。幽寂黑暗中，俞秀凡感覺到了蕭蓮花心臟的跳動。

忽然間，一道強烈的亮光，直射過來，照得人眼花撩亂。

幾人也不過剛剛適應黑暗，亮光疾射而至，使俞秀凡等視覺，忽然間又變得一片模糊。

一個幽冷的聲音，隨著那照射而來的強光，傳了過來，道：「哪一個是俞秀凡？」

俞秀凡道：「區區便是。」

那幽冷的聲音道：「你仔細的聽著，老夫不會再講第二遍，老夫的每一句話，都可能和你們的生死有關。」

俞秀凡忍耐心頭怒火，沒有答話。

幽冷的聲音接著道：「十二支強力彈簧針筒，正對著你們，稍有妄動，十二支針筒中的毒針，都可能一齊射出。

俞秀凡道：「嗯！」

幽冷的聲音道：「聽老夫的吩咐行事，一步走錯，就難免身化劫灰。」

無名氏輕輕咳了一聲，道：「咱們在仔細的聽著，閣下有什麼話，儘管吩咐。」

幽冷的聲音道：「俞秀凡向前走十步。」

俞秀凡略一沉吟，舉步向前行去。那一道強烈的燈光，始終照射在俞秀凡的臉上，使他雙目無法見物。走過了十步，俞秀凡停了下來。

那幽冷的聲音，又響了起來：「伸手向前，可以摸到一張座椅。」

俞秀凡依言伸手，果然摸到了一把太師椅。

「坐下去！」

俞秀凡依言坐了下來。

「雙手放在木椅的扶手上，後背緊靠椅背。」

在此等情勢之下，俞秀凡雖然心中不願，但已經沒有反抗的餘地，只好依照那人的吩咐，雙手放於扶手之上，挺直了脊梁。

但聞啪的一聲，兩隻扶手之上，冒出了一把鐵鉗形的利刃，把兩手固定在木椅之上。緊接著椅背上也伸出了兩把利刃，交叉於前胸，而且，逐漸收縮到緊勒前胸處，才停了下來。

這時，俞秀凡的雙手和身軀，都已無法自由得伸縮行動。

那幽冷的聲音，重又傳入耳際，道：「俞秀凡！你現在被刀椅上利刃所鎖，全身都已經失去了行動的自由，稍一掙動，就可能被利刃所傷。」

俞秀凡冷冷說道：「在下看到了，用不著閣下再提醒了。」

那幽冷的聲音道：「你現在有如俎上之肉，說話最好能小心一些！」

俞秀凡強忍不下心頭一股怒火，未再答話。木椅突然開始移動，逐漸地向前行去。

無名氏、蕭蓮花，還有先前不見的石生山，都遭受到同一的命運，被刀椅利刃所鎖。

木椅行速，保持著相當的穩定，只要能稍微小心一些，就可以避免爲利刃所傷。

感覺自動行進的木椅，經過了高低不平的軌道。足足走了有一頓飯工夫之久，木椅才停了下來。這一段相當長的距離，俞秀凡暗中計數，至少有三、四里遠近。

突然間，木椅停了下來，停在一座很大的廳堂中。四周的窗上，都蒙著紫色的垂簾，但天光透簾而入，大廳的景物已隱隱可見。無名氏、石生山、蕭蓮花，緊隨著都被刀椅送入廳中。

俞秀凡低頭看去，只見刀椅下面都裝著滑輪。這控制刀椅的機關，構造得很精密，四張刀椅很整齊地排成了一行。

垂簾緩緩拉開，廳中的景物，已清晰可見。

一張寬大的木案上，擺著文房四寶，木案後的高背虎皮交椅上，坐著長長的白髯垂胸，身著青袍的老人。那人生得雙顴高突，三角眼，下顎尖削，嘴唇奇薄，一望即知，這人屬於那種冷厲殘忍的人物。

一把很細很長的窄劍，橫放在木案之上。

白髯老人兩道銳利的目光，打量了俞秀凡等四人一眼，冷冷地說道：「誰叫俞秀凡？」聲音不大，但卻有如寒冰地獄吹出的陰風，聽得人毛髮直豎，心生涼意。

暗暗吁一口氣，俞秀凡緩緩應道：「區區在下就是。」

青袍老人突然伸手在寬大的木案旁側一按，俞秀凡坐著的刀椅，緩緩移到了木案前面。同時，青袍人坐著的虎皮交椅，也緩緩升高，半個身軀，都高出了木案之上。這時，只要他伸手拿起木案上的長劍，都可刺向俞秀凡全身任何一處地方。

青袍人三角眼怒注在俞秀凡的身上，一咧嘴巴，皮笑肉不笑地說道：「你就叫俞秀凡？」一派過堂問案的口氣。

俞秀凡道：「不錯。」

青袍人冷厲一笑，伸手抓起了木案上的窄劍，鋒利的劍尖，輕輕在俞秀凡臉上劃了一下，道：「你知道，老夫可以刺瞎你的雙目，削去你的鼻子，或是割下你的耳朵。」

俞秀凡道：「你也可以一劍刺穿我的咽喉，刺入我的心臟，不用客氣，儘管下手！」

青袍人突然哈哈一笑，放下手中的長劍，道：「你很想死麼？」

俞秀凡道：「大丈夫生而何歡，死而何懼！」

青袍人道：「很豪壯的氣勢。不過，老夫還不想一劍把你殺死。」

俞秀凡道：「殺一劍和一百劍，並無不同。閣下喜歡怎麼殺，就怎麼下手。」

青袍老人雙目暴射出兩道冷厲的寒芒，道：「你知道老夫是什麼人麼？」

俞秀凡微微搖頭，道：「不知道。但知道你不是造化城主。」

青袍老人奇道：「爲什麼？」

俞秀凡道：「造化城主，大奸巨惡，至少在外表看來，他有著領袖群倫的氣度。」

青袍老人怒道：「你說老夫沒有氣度？」

俞秀凡道：「閣下自己沒有這樣的感覺麼？」

青袍老人怒道：「俞秀凡！老夫見過鐵一般堅硬的人物，但他在老夫的手下，都變成了知無不答的懦夫。別說你是血肉之中，就是銅澆羅漢，我也能讓你化成一片銅汁。」

俞秀凡道：「一個人只有一條命，我想不出還有什麼比死亡更可怕的威脅。」

青袍老人突然又恢復了冷靜，道：「俞秀凡！你可要試試？」

俞秀凡道：「儘管請便。」

青袍老人冷笑一聲，突然又拿起手中的長劍，一陣揮動，俞秀凡的前胸上的衣衫，被劃成了塊塊碎片，灑落地上，露出了雪白的前胸。

俞秀凡雖然在刀椅上全身被制，但他一身功力，並未喪失，神志如常，暗中盤算目下的形勢，無論如何也無法解脫這刀椅上的束縛，縱有一身功力，精絕劍技，也是無法施展出手。

青袍老人冷然一笑，道：「俞秀凡！我要看你小子的心，是鐵打的，還是銅鑄的？」

俞秀凡笑了一笑，道：「只管出手！」

青袍老人怒道：「你不怕死？」

俞秀凡暗暗忖道：這刀椅上利刃封鎖之處，都是關節要害，稍一掙動，就難免裂膚切骨之苦，倒不如激怒於他，讓他一刀刺死來得痛快。

心中快轉，口中冷冷說道：「俞某人已無反抗之能，閣下看著哪一塊地方好，儘管出手。」

青袍老人哈哈一笑，道：「看來，你確然不怕死亡的威脅了。」

俞秀凡道：「在下進入造化城時，早已把生死事置之度外。」

青衣老人道：「有種！你既然不怕死，咱們就從頭來過。老夫先要見識一下你精神上的忍受能力。」

咚的一聲，把劍摔在了木案之上，接道：「來人啊！」

一個黑色勁裝大漢，快步行了進來。

青衣老人一按木案的機鈕，蕭蓮花的刀椅，突然向旁側移動，緩緩馳行到一片空闊之處。

俞秀凡一皺眉頭，道：「你要幹什麼？」

青袍老人道：「咱們先從這女人身上開始。告訴我，你叫什麼名字？」

蕭蓮花已存下了必死之心，緊咬銀牙，一語不發。

青衣老人冷冷一笑，道：「臭丫頭，你也敢跟老夫擺起架子來了，先把衣服剝下來。」

那黑衣大漢應了一聲，一鬆腰間的扣把，抖出一條四尺長短的皮鞭。掄動皮鞭，抽向蕭蓮花。但聞沙的一聲，蕭蓮花身上的衣服，被抽落一片。皮鞭揮動，風聲呼嘯，蕭蓮花身上的衣服，有如飄花落葉一般，紛紛落下。

原來，那皮鞭上帶有倒刺。黑衣大漢施用皮鞭的手法，不但精巧絕倫，而且極有分寸，蕭蓮花整個上身，已無片褸遮蓋，但仍未傷到她的身體。

蕭蓮花長髮散亂，本能地一舉雙手，準備掩護前胸，忘了椅上利刃，被利刃劃破了玉臂，鮮血湧出。

黑衣大漢皮鞭掄動，嗤的一聲，抽在了蕭蓮花的雙腿之上。一條緊裹雙腿的長褲，被抽落了一片，露出一片玉腿。

蕭蓮花尖聲叫道：「殺了我吧！」

青衣老人一揮手，阻攔住那大漢，冷冷說道：「想死麼？沒有那麼容易。」

蕭蓮花黯然一嘆，道：「俞少俠！恕我不能追隨了。」突然伸頸向前撞去。

那大漢皮鞭及時而出，快如閃電一般，纏在蕭蓮花的玉頸之上。

青衣人道：「收起椅上的利刃！」

黑衣大漢快步行近木椅，右手在木椅之上一按，但聞幾聲彈簧收縮之聲，椅上的利刃，全部縮了回去。

蕭蓮花身子一掙而起，雙手掩住前胸，右腳疾飛而起，踢向那黑衣大漢的前胸。她上身赤裸，腿上褲子也碎裂了一片，雙臂上滿是鮮血，亂髮覆面，狼狽形態，含有一種淒厲。

黑衣大漢冷笑一聲，左手疾進，抓住了蕭蓮花踢來的右腳，用力一抖，竟把蕭蓮花摔了出去。右手一揮，皮鞭揮出，啪一聲，擊在蕭蓮花的右腿上。

但聞嗤的一聲，蕭蓮花已破裂了一片的褲子，又被扯下了一半。

如若蕭蓮花身上還穿著衣服，她懷中還有春風散，可以施展克敵，但事實上，上身赤裸的寸褸不存，下半身又被扯去了一大半。

在俞秀凡的面前，蕭蓮花有一種強烈的自尊和羞恥感，眼看那黑衣大漢武功高絕，自己難是敵手，與其被他羞辱，不如早些撞壁一死。

心中念轉，不再和那黑衣人動手，轉身一躍，疾如流矢，直向石壁上撞去。

但那黑衣人動作更快，長鞭一揮，纏住了蕭蓮花的雙足，硬把蕭蓮花給拉回來。順勢又扯了蕭蓮花一些衣物。這時，蕭蓮花幾乎已成了全裸的形狀。

俞秀凡厲聲喝道：「住手！」

青衫老者大聲喝道：「點了她的穴道。」

黑衣大漢應聲出手，點了蕭蓮花身上的兩處穴道。

青衫老者哈哈一笑，指著全身赤裸，橫臥於地上的蕭蓮花，道：「這不過只是剛剛開始，俞少俠，似乎受不住了？」

俞秀凡道：「你們準備要把她如何？」

青衫老者道：「要她死！而且，死得很淒慘。」

俞秀凡輕輕咳了一聲，道：「現在，你們要殺死她，也已經很悲慘了。」

青衫老者道：「還不夠。老夫要她求生不得，求死不能。」

陰沉一笑，接道：「老夫看她是一位頗知羞恥的人，所以，老夫要使她感覺到很大的痛苦，我要她全身不留寸褸，要在她死去之前，受到最大的羞辱。」

俞秀凡怒道：「你這人一把年紀了，做事怎的全無一點德行？」

青衫老者道：「老夫如是很有德行的人，怎會執掌這行法堂之位。」

俞秀凡長長吁一口氣，道：「閣下，誰無子女，彼此敵對相處，殺了她也就是了，如是這樣污辱她，閣下能夠安心麼？」

青衣老人冷然一笑，道：「別對老夫說教，我年近古稀，無妻無子，也不怕什麼報應臨頭。」

仰面打個哈哈，接道：「不過，俞秀凡，只有你可以救她。」

俞秀凡道：「我能救她？如何一個救法？」

青衫老人道：「投降造化門，老夫就可饒過她，一人成佛，九族升天，他們也可以跟你享用不盡。」

俞秀凡道：「要我投降造化門？」

青衫老人道：「不錯。你只有這樣的一條路走，除了投降之外，無法救她。」

俞秀凡道：「閣下，能不能給我一點時間，讓我想一想。」

卅一　情深似海

青衫老人道：「好吧！就給你一頓飯的時間。」

俞秀凡道：「還有條件。」

青衫老人道：「我們對你，已經極盡容忍，你如想的條件太苛刻，那就不要談了。」

俞秀凡道：「我要靜靜的思索一頓飯的時光，這裏不許留下你們的人監視我們，也不許你們在暗中偷看。」

青衫老人道：「好吧！老夫也答應。我冷面血手一生中從沒有這麼湊合過人。」

舉手一招，道：「把那丫頭送上刀椅，咱們離開！」

黑衣大漢應了一聲，抱起蕭蓮花，重又放上刀椅，上了刀箍，轉身向外行去。

俞秀凡道：「慢著！拍活她的穴道。」

黑衣大漢冷笑一聲，道：「你小子什麼身分，也要指令老子麼？」

青衫老人道：「照他的話做，拍活這丫頭的穴道！」

黑衣大漢無奈，拍活了蕭蓮花的穴道。

青衫老人道：「老夫一頓飯後，再來此地，希望你能有決定。」

俞秀凡道：「不論是什麼樣的結果，我都會給你一個決定性的答覆。」

青衫老人道：「好！就此一言爲定。」大步行了出去。黑衣大漢緊隨身後而去。

蕭蓮花人早已清醒過來，但直待青衫老人等離去之後，才忽然睜圓雙目，道：「俞少俠，賤妾很慚愧，恕我不能追……」

俞秀凡急急接道：「不可造次！聽在下一言。」

蕭蓮花道：「我這樣赤身暴露於眾目睽睽之下，活著還有什麼顏面？」

俞秀凡道：「姑娘！目下不是顧及顏面攸關的時刻，你受盡了委屈，受盡了屈辱，但你必須活下去。需知這一場正邪存亡的搏鬥，在過程難免要忍辱負重，死有重於泰山或輕於鴻毛的分野，就在此地了。如果姑娘因此而死，那豈不是全無價值了麼？」

蕭蓮花嘆息一聲，道：「俞少俠！我還能活下去麼？」

俞秀凡道：「能！你身上的傷痕，今日的羞辱，都是日後的光榮標識和記憶。」

蕭蓮花道：「別人的看法呢，難道也都和你一樣麼？」

俞秀凡道：「至少也應該和我一樣，對你敬重。」

無名氏接道：「嚴格點說，江湖人對你蕭姑娘的敬重，應該是超過俞公子。」

蕭蓮花果然安靜下來，靜坐不動。

俞秀凡輕輕嘆息一聲，道：「無名兄，如何能打開這些刀枷？」

無名氏低聲道：「公子請把坐椅向後移動，如若咱們能前後相距到兩尺左右的距離，就可有機會打開刀枷。」

俞秀凡道：「無名氏，看到了那控制刀枷機鈕的位置麼？」

無名氏道：「沒有看得很清楚，只能估算出一個大概的位置。所以，咱們要多一點的時間了。」

這刀椅使人雙手受制，無法運用，但它最大的缺點，是沒有困制雙腿的刀枷。也許留下一雙可以活動的雙腿，使被困於刀椅上的人，感覺到自己還在活著，也就有更增加恐怖的感覺，留戀生命的可貴，更容易屈服在威嚇之下。

但有利的事，也往往有弊，雙腿不受控制，一個人就可自由地運用他的兩隻腳。

俞秀凡雙腿移動，盡量把刀椅接近無名氏。

這些刀椅雖然受機關控制，但因椅腿上裝有滑輪，俞秀凡雙足推動，盡量向無名氏移動。無名氏也盡量使自己的刀椅，接近俞秀凡。但這刀椅有彈簧控制，移動了兩尺左右，就停了下來。

無名氏暗中運氣，舉起右腳，但距俞秀凡刀椅三寸，就是無法再接近木椅的後背。

無名氏、蕭蓮花，都盡量把刀椅移近俞秀凡的座椅，但兩人的距離更遠，都無法接近俞秀凡三尺以內。

蕭蓮花目光微轉，望望幾乎全裸的身軀，臉上突然泛起了一片聖潔的光輝，道：「無名兄，你看到了那控制刀枷的機關麼？」

無名氏道：「就在椅背正中間那根木柱上。」

蕭蓮花笑了一笑，道：「無名兄不會看錯？」

無名氏道：「我無法說出在哪一點，也無法確定每一張刀椅上的控制機關，是否相同，但姑娘座椅上的機關，卻是在那根正中的木柱上。」

蕭蓮花輕輕吁出一口氣，道：「俞少俠！你說一個人在死去之前，應該留給別人一些懷念，是麼？」

俞秀凡微微一怔，道：「姑娘怎會忽然有此想法？」

蕭蓮花臉上閃起了異彩，道：「俞相公！你不能死，爲了江湖正義，爲了天下蒼生。」

無名氏一皺眉頭，道：「蕭姑娘！此是何時，先要想法子解去公子椅上刀枷。」

蕭蓮花暗中在提聚真氣，一臉莊嚴地說道：「俞公子！你坐穩了。」

突然一躍而起，直向俞秀凡的刀椅上撞去。椅上枷刀，鋒利無比，蕭蓮花全力飛躍而起，立刻被利刃分屍，雙臂、前胸、腦袋，分成數段，挾一片血雨，撞向俞秀凡椅後背上。

這躍飛一撞，蕭蓮花用盡了全身的功力，雖然被利刃分成數段，但撞擊之力，仍然十分強大。蕭蓮花躍飛起來時，全心全意都集向俞秀凡刀椅的後背之上。所以，雙臂、腦袋、胸前，都集向那木椅後背木柱上。

但聞一陣輕微的波波之聲，俞秀凡木椅上的刀枷，突然縮了回去。

無名氏、石生山目睹這一場慘事，都不禁呆在刀椅上。

俞秀凡見刀枷縮回，一躍而起。回頭看去，只見蕭蓮花早已變成了一攤血肉模糊的肉泥。因爲那撞擊之力十分強大，蕭蓮花的一顆腦袋也撞得片片碎裂。

俞秀凡神情肅然，臉色一片蒼白，對著蕭蓮花的屍體，緩緩跪拜下去，恭恭敬敬地叩了一個頭。

在極度悲痛哀傷之中，俞秀凡仍然保持了相當的清醒，一拜之後，站起身子，行到了無名氏和石生山的身後，右手揮動，拍在無名氏和石生山的椅後木柱之上。刀枷收回，無名氏和石生山全都站起了身子，兩個人臉上一片鐵青，行到了蕭蓮花屍體前面跪了下去。

無名氏黯然淚下，悲淒地說道：「蕭姑娘！咱們枉爲七尺之身，慚愧得很，如英靈不昧，請受在下一拜。」

石生山沒有說話，但雙目的熱淚，卻像是斷了線的珍珠一般，一顆接一顆地滾了下來，以頭觸地出聲，連叩了三個響頭。

俞秀凡冷冷地站在一側，望著兩人的舉動，沒有阻止，也沒有勸解，瞪著一雙星目，淚水由圓睜的星目滾落下來。誰說丈夫不流淚，只是未到傷心處。

拜罷了蕭蓮花的身體，無名氏脫下了上衣，用手把血肉模糊的屍體，收在一處，包了起來，放在那寬大的木案上。

俞秀凡長長吁一口氣，道：「蕭姑娘救了咱們，咱們撿回了性命，但卻增加了責任。」

無名氏道：「公子說得是，蕭姑娘的這轟轟烈烈的死法，叫咱們慚愧，也叫人感動。」

俞秀凡舉起衣袖，拭去臉上的淚痕，道：「無名兄！蕭姑娘有什麼心願麼？」

無名氏怔了一怔，道：「這個麼，倒是沒有聽她說過。」

俞秀凡道：「唉！無名兄閱歷豐富，就沒有瞧出來一些蛛絲馬跡麼？」

無名氏道：「我看她好像對公子十分有情。」

俞秀凡淒涼一笑，道：「你沒有看錯麼？」

無名氏道：「錯不了。」

石生山道：「在下也有這樣的看法，蕭姑娘對公子用情甚深，但她自慚形穢，不敢表達出來，目睹公子受傷後的焦急之情，似乎是尤過她自己受傷後的痛苦。」

無名氏道：「公子！蕭姑娘捨命相救，固然心同日月，光照武林，但如說對公子完全沒有一點私情，那也叫人難信了。如若受制的不是公子，而是另一個人，只怕蕭姑娘也不會拚受肢殘腰斬之苦，撞開你座椅上的刀枷。」

俞秀凡道：「你們真的相信蕭姑娘對我有情麼？」

無名氏道：「蕭姑娘情重如山，難道公子一點都體會不出來麼？」

俞秀凡道：「你們都有這樣的看法，我也有這樣的感覺，想來是不會錯了。」

無名氏道：「這是千真萬確的事，怎麼有錯？」

俞秀凡道：「無名氏！蕭姑娘對我俞某有情，那是她的心願了。」

無名氏道：「但她自知不配，只有把這份心願深藏於心中了。」

俞秀凡道：「像蕭姑娘具有這樣崇高的情操，這樣偉大的人，不配她的是我。」

無名氏道：「蕭姑娘已經死了，咱們能夠生離此地，自會把她這等壯烈的事跡，傳揚出去，讓整個武林，都知曉這件事，讓所有的人都對她生出敬意，蕭姑娘之死，也算是重如泰山了。」

俞秀凡道：「世人對她看法如何，自有公論，但咱們卻應該對她有一份救命的敬意。」

無名氏道：「不錯。蕭姑娘的人雖然死了，但她死得轟轟烈烈，愧煞鬚眉，死的只是她的軀體。她的精神，卻永遠活在咱們心中。」

俞秀凡道：「救命之德，恩同再造，何況她是以自己的性命，救了咱們的性命。」

石生山道：「慚愧，慚愧！蕭姑娘那份豪勇之氣，在下就無法辦到。」

俞秀凡道：「無名兄，石兄！兩位覺著在下真能配得上蕭姑娘麼？」

無名氏一時間還未想通俞秀凡的言中之意，道：「以公子的完美，怎會配不上蕭……」心生警覺，突然住口不言。
俞秀凡平靜地笑了一笑，道：「既然兩位覺著在下能夠配得上蕭姑娘，那就煩請兩位做個大媒，我要娶她爲妻。」
石生山道：「蕭姑娘死了啊！」
俞秀凡道：「無名兄說過了，死去的只是她的軀體，她的精神卻永在咱們心中，是麼？」
無名氏急道：「公子……」
俞秀凡道：「兩位可是不肯做這個媒人了？」
無名氏黯然一嘆，道：「好吧！公子一定要我們做媒，咱們恭敬不如從命。但在下走了數十年的江湖，還未做過這樣的媒，也未見過這樣的事，應該如何，在下也無從著手。」
俞秀凡道：「兩位答應了。」
無名氏、石生山，齊齊點頭。
俞秀凡對著蕭蓮花屍體行了一禮，道：「蓮花！雖然陰陽阻隔，但心存靈犀相通，俞某從權娶你爲妻，只是處境險惡，不能以世情禮法，迎你過門．暫時委屈你一下了。我如能生離此地，自當補行婚典。」
那木桌上除了一把窄劍之外，還有文房四寶，俞秀凡撕下一片衣襟，提筆寫道：「情真無分陰陽界，心有靈犀通幽明。」
中間正楷恭書：「亡妻蕭蓮花靈位。」
俞秀凡吹乾了衣襟上的墨跡，折好衣襟，揣入懷中，投去狼毫筆，順手取過案上窄劍。
只聽一陣木門啓動之聲，那青衫老人帶著兩個黑衣大漢，疾步行了進來。

目睹俞秀凡等站在了木案前面，不禁微微一怔，道：「俞秀凡！你……」

俞秀凡雙目神光閃動，逼注在那青衫老人身上，冷冷接道：「閣下！可想知道在下的答覆麼？」

這幾句話的工夫，青衫老人已完全平靜了下來，道：「不錯。但老夫希望先知道你們如何脫開了椅上的刀枷，而能不受傷害。」

俞秀凡淡淡地說道：「一條人命。」

青衫老人道：「一條人命？」

俞秀凡道：「這刀椅構造得很精巧，椅上的刀枷也很鋒利，能把一個人肢體分解。」

青衫老人目光轉動，四顧了一眼，道：「那臭丫頭呢？」

俞秀凡冷冷說道：「閣下說話小心一些，那位蕭姑娘是俞秀凡的正房妻室。」

青衫老人先是一怔，繼而哈哈大笑起來。

面對著凶殘的敵人，俞秀凡已完全恢復了冷靜，目光轉動，打量了室中的形勢之後，才緩緩說道：「閣下笑什麼？」

青衫老人道：「那丫頭雖然不醜，但卻算不得什麼美人，造化城中，美女無數，你如是喜愛美女，老夫稟明城主，任你選它個十位、八位的，做爲侍妾也就是了。」

俞秀凡道：「在下說過，蕭姑娘是我的正房妻室。」

站在青衫老人左側的黑衣大漢，冷然一笑，道：「蕭蓮花不過是春花教下一名叛徒，造化城中九等以下的守門弟子，不知道經歷過了多少男人，怎會忽然間變成尊夫人了？」

俞秀凡臉色一變，怒道：「住口！」

那黑衣人哈哈一笑，接道：「什麼？她會成了你的夫人？像這樣的女人，稍有一點骨氣的男人，大概都不會再要她吧！」

俞秀凡冷漠但卻堅定地說道：「這是你的看法。在我們的眼中，蕭姑娘是一位智勇兼備的人，她有常人所難及的大勇，她做出了轟轟烈烈的大事。」

黑衣人接道：「不論你如何推崇她，她都是出身春花教的人，知道春花教的人，都會了解內情。」

俞秀凡嚴肅地說道：「像你們這些人，不配談她，就算我肯告訴你們，你們也無法了解。」

冷冷一笑，接道：「無名兄！這人是不是剛才折辱蓮花的人。」

無名氏道：「不錯，就是他。一個專會欺侮弱者的九流武士，頭等凶手。」

黑衣人厲聲喝道：「利口匹夫，老子先宰了你！」

橫移一步，接道：「你出來，你如能在我手底下走過十招，就算你小子祖上有德。」

無名氏怒道：「血手惡徒，狂吠鷹犬，你不怕風大閃了你的長舌頭麼？」口中說話，人卻大步向外行來。

俞秀凡伸手攔住了無名氏，道：「無名兄！他口舌無德，傷害到我的亡妻，就是這一點，我就不能放過他。是麼？」

無名氏道：「是！他出言傷害到俞夫人，自然應該付出代價。」

那黑衣大漢聽得怒火暴起，大喝一聲，直飛過來，右手揮處，長鞭出手，捲向了俞秀凡。

俞秀凡不閃不避，手中的窄劍，忽然間刺了出去，是那麼神準，好像是那黑衣人執鞭的右手，撞向那窄劍一般。

寒光閃動，鮮血濺飛，黑衣人的右手，齊腕被切了下來，但他五指仍然緊抓著長鞭的握把。

無名氏一伸手，接住了長鞭，才發覺這油浸牛皮合以少許銀絲做成的軟皮鞭上，有很尖利、細小的倒刺。

那黑衣大漢右手雖然被一劍斬斷，但因事情太過突然，一下收勢不住，身子仍然向前衝了過來。

俞秀凡右手握拳，迎面撞了過去。

他除了用劍刺和擒拿的手法之外，第一次用左手握拳擊人。但聞蓬然一聲，擊個正著。

原來那黑衣人衝近了俞秀凡時，才發覺右手已然齊肘被斷，心中大驚之下，頓覺右手劇疼，痛徹肺腑。就在這一瞬間，黑衣人的神志感覺到一陣眩暈。俞秀凡拳頭擊來，他已是無法閃避。這一拳擊得著著實實。黑衣人向前奔衝的身子，也被這一拳，擊得向後倒退回去。滿口牙齒被擊落了大半，和著鮮血，噴了出來。

黑衣人右手被斷，滿口牙齒又被擊落，整個的神志已快昏迷過去。他雖然勉強拿穩樁，站住了腳步，人沒有倒下去，但神智已在半昏迷的狀態。

這時，俞秀凡如若要再斬下他的左手，和斷下他的舌頭，不過是舉手之勞。但他沒有下手。

俞秀凡的心中雖然積滿了悲憤，但他不是個生性冷酷的人，殘人軀體的事，還是下不了手。

青衣老人目睹了俞秀凡的快劍，但卻看不出任何奇幻的變化。他只是那麼輕易地一舉劍，就斬下了一個江湖高手的右腕，就像是切菜一樣，是那麼輕便、俐落。

抬頭望望那斷腕的黑衣大漢一眼，青衣老人，突然回頭對另一個黑衣人道：「上去！小心一些。」

俞秀凡暗暗嘆息一聲，忖道：這些人終日以行刑爲業，人已完全麻木，對至親好友的生死傷疼，也到了漠不關心之境。

但那斷去一腕的黑衣人，卻有著完全不同的感受。他平日殺人極多，聽別人慘叫哀號，自己完全無動於衷，但自己的手腕被斬斷之後，卻感受到強烈的痛苦，斷腕之疼，疼得他全身微微發抖。

終於忍不住痛苦而呻吟出聲。

俞秀凡冷笑一聲，道：「原來你也知道痛苦！」

但聞一聲大吼，另一個黑衣人，突然向前衝了過來，雙刀揮舞，直衝向俞秀凡，刀光如雪，分左右襲向了雙肋要害。俞秀凡手中長劍陡然而起，後發先至地刺向了那黑衣人的頂門要害。

他劍勢快速，那黑衣人的雙刀還未到俞秀凡的雙肋，俞秀凡的劍勢，已到了那黑衣人的頂門。

這黑衣人雖然剽悍，但面對死亡時，突然心生寒意，一吸氣，向後退出了三尺。

俞秀凡冷哼一聲，長劍一送，貫穿了那黑衣人的咽喉。這一劍，直中要害，黑衣人雙腿一軟，倒摔了下去。咽喉飆射出一股鮮血，氣絕而逝。

俞秀凡目光轉注到那青衣老人的身上，道：「閣下，你可以上了。」

青衣老人雙目射注在俞秀凡的臉上，道：「你一定要和老夫動手麼？」

俞秀凡道：「不錯。」

忽然間，俞秀凡發覺那青衣老人，雙目似是現出了恐懼的目光，不禁冷笑一聲，道：「你一生殺了不少人吧？」

青衣老人色厲內荏，高聲喝道：「老夫殺了多少人，連我自己也記不得了。」

俞秀凡緩緩說道：「那很好，壞事做得太多了，總有報應臨頭。」

青衣老人道：「你放肆得很。」突然一揚雙手，兩道寒芒，有如閃電一般，電射而出。

俞秀凡從來沒有過這樣的經驗，眼看兩道寒芒交叉而至，不禁心頭一震，窄劍疾起，掃向兩道寒芒。他的劍勢，所以能夠快速，大部分原因在他出劍的角度，選擇得十分正確，劍勢出手，完全走得正路。

只聽一陣輕微的金鐵交鳴，兩道近身寒芒，竟被俞秀凡的劍勢封開。窄劍一轉，寒芒疾閃，長劍忽然間刺向了青衣老人的右臂。

這一劍快速至極，而且出手位置，也大出了一般常規。

青衣老人橫裏閃避，竟然未能閃避開去。波的一聲輕響，尖利的窄劍，穿過了青衣老人的右臂。

青衣老人呆了一呆，道：「這是什麼劍法？」

俞秀凡右腕一挫，拔出長劍，道：「這只是第一劍。第二劍，我要刺你的左腿。」一揮窄劍，果然向青衣老人的左腿刺去。

這一次，事先說明了，青衣老人早已有備，立刻飛身一躍，橫裏閃去。

俞秀凡長劍一轉，突然又刺了過去，這一劍妙到極處。

那青衣老人剛剛著落實地，俞秀凡的窄劍也剛好到了那青衣老人的左腿之上。

其實俞秀凡的劍勢已經一收再發，只是他出劍已到隨心所欲的境界。

須知一個第一流高手武功上的成就，所取部位不會有太大的距離，俞秀凡直覺出劍的方法，更增加了它劍勢的速度。但就是這一點超越的速度，使他劍勢的威勢，增加了千百倍。

青衣老人極力想避開那一劍，硬用內力，把落足之地移開了三寸。但他沒有避過，窄劍刺入了大腿之中。劍勢洞穿了青衣老人的左腿，鮮血分由前後湧出。

這位造化城中行刑的舵主，江湖上冷血的殺人凶手，在中了一劍之後，突然感受到了死亡的威脅。也許兩個助手的重傷和死亡，在他心中已經留下了極深的恐懼，忽然間變得十分軟弱，竟然呆在了當地。

俞秀凡收劍再出，冷厲的劍芒，已然逼上了那青衣老人的咽喉。冷哼一聲，道：「你平常殘人身軀，兩手血腥，今日，我也要你嘗一嘗殘傷的味道。」

青衣老人急急叫道：「俞少俠！你殺了老朽，不如留下老朽之命。」

俞秀凡冷哼一聲，道：「哦！」

青衫老人道：「你如留下我的性命，對你的價值，強過殺死我數十倍了。」

俞秀凡道：「你怎麼幫助我？」

青衫老人道：「老朽可以指點你去見造化城主的辦法。」

俞秀凡道：「好！閣下請說。」

青衫老人道：「老夫可以指點你們去見那造化城主，但咱們之間，總得有一個協定，你要答應老夫會毫髮不傷。」

俞秀凡道：「這個，只怕是有些困難了。我已經在你的腿上刺了兩劍。」

青衫老人道：「由現在開始，你不能對我再有任何傷害。」

俞秀凡淡淡一笑，道：「你真會相信我的話麼？」

青衫老人道：「老朽昔年在江湖上走動，確看過很多英雄好漢。那真是視死如歸，豪情萬丈。但自掌了行刑堂之後，就未見過一個真正不怕死的人。」

突然間，俞秀凡發覺了生與死之間，竟也有這樣大的學問。忖道：人性的美、醜，在面對死亡時，最容易暴露出來，這人行刑多年，這方面所見之博，自非常人能及，倒得聽聽他的見識了。

心中念轉，口中說道：「這麼說來，進入這造化門中的人，都是貪生怕死之徒了。」

青衫老人道：「也不盡然。一個人在江湖上行走，講求的是義氣、豪情，他們面對死亡時，憑一股豪勇之氣，慷慨赴死，只想到死後英名。但進入這行刑堂之後，所見情景，那就完全不同了。見的是刑具、殘軀，聽到的是悲呼、哀嚎，豪情雄心，很快被消磨不見，他們開始體會到死亡的可怖，生命的可貴，和那些殘軀斷肢的痛苦。英雄變懦夫，此念一起，立刻會變得軟弱起來。這時，你只要稍施恐嚇，他就知無不言，言無不盡了。」

俞秀凡道：「他們不會自絕麼？」

青衫老人道：「剛剛進入此地之時，我不會給他們自盡的機會，等他們軟化下來，他們又已消失了自絕的勇氣。就這樣，把一個鋼鐵般的強人，變成了柔可繞指的懦夫。」

俞秀凡道：「不談這些了，告訴我，如何才能見到造化城主？」

青衫老人道：「俞少俠！咱們的條件還未談好。」

俞秀凡道：「我可以不取你的性命，但不能不給你一點懲罰。」

青衫老人道：「有時候傷疼之苦，比起死亡更爲可怕。」

俞秀凡道：「你行刑是動手，還是動口？」

青衫老人道：「大部分時間動口，但也有動手的時候。」

俞秀凡道：「好！那就割了你舌頭，廢去你的雙手。」

青衫老人道：「這太重了。」

無名氏接道：「公子！善惡到頭總有報，像他這種人，如是一劍把他殺死了，那未免太過便宜他了，目下咱們也不用和他太計較了。」

俞秀凡沉吟了一陣，道：「好吧！我不再傷害你。不過，你不能再耍花招，如有一字虛言，在下會讓你嘗到千劍寸剁的滋味。」

青衫老人道：「老朽既然說了，怎會再說一句虛言。」

無名氏道：「你這算不算背叛造化門？」

青衫老人道：「算。」

無名氏道：「不怕造化門主判你個叛逆之罪？」

青衫老人道：「老朽看到了俞少俠的快劍，所以存心賭一賭了。」

無名氏道：「如何一個賭法？」

青衫老人道：「老朽相信，俞少俠的快劍，足可以制服造化門主。」
俞秀凡冷哼一聲，道：「但願你說的話，能叫那造化門主聽到。」
青衫老人道：「在下相信，你俞少俠見到造化門主之後，兩位之中，必有一個死去，死的如若是你，在下自有保身之道。如若死的是造化城主，閣下已經饒過老朽，一諾千金，想來也不會再變卦了。」
俞秀凡嘆口氣，道：「和你這種人多說幾句話，就叫人覺得羞恥。告訴我，如何能見到造化城主？」
青衫老人伸手從懷中掏出了一串鑰匙，道：「造化門中，只有幾個人能夠見到城主，在下就是那很少人中之一。」
俞秀凡道：「你這一串鑰匙……」
青衫老人接道：「打開密門的鑰匙，過了九重密門，才能夠見到造化城主。」
俞秀凡道：「你的意思是……」
青衫老人道：「我把這串鑰匙，交給閣下，閣下就根據這一串鑰匙，去見那造化城主。」
俞秀凡道：「就算咱們有了這一串鑰匙，又如何能找到通往造化城主的門戶？」
青衫老人道：「老朽自然會告訴你們。」
俞秀凡道：「可以。不過，我有一個條件，那就是閣下要跟我們一起同往。」
青衫老人道：「這個麼，實叫老朽爲難了，不過，我可以告訴你們開啓之法，和行進的路線。」
俞秀凡道：「不行！非要閣下帶我們一起去不可！」

青衫老人沉吟了一陣，道：「如是老朽不去呢？」
俞秀凡道：「你會立刻遭到最悲慘的報應。」
青衫老人道：「好吧！老朽帶你們去。」
俞秀凡道：「好吧！你走在前面，去開啓門戶，但別忘了，我緊跟在你的身後。」
青衫老人無可奈何地說道：「看來，老朽只有聽命行事了。」轉身向前行去。
俞秀凡緊追在青衫老人的身後，道：「閣下！不論你發動什麼樣的機關埋伏，我相信，我都能先取你性命。」
青衫老人伸手在石壁上一按，好好的石壁，突然裂開了一條門戶。
俞秀凡長劍忽出，森冷的劍鋒，忽然間，頂在了青衫老人的後頸之上。
青衫老人停下腳步，緩緩回過身子，道：「俞少俠！你這是何意？」
俞秀凡道：「我只是試試看，你是否還想玩什麼花樣，也讓你知道我的快劍，是無所不在。」
青衫老人道：「你答應老朽的條件……」
俞秀凡接道：「答應了就是答應了，決不會改變。見到造化城主之後，我不用殺你，也不必殺你，只要你失去了這個靠山，自會有人取你之命。」
青衫老人道：「你答應不要我死，那不能只包括你不殺我，而是，也不許別人殺我，是麼？」
俞秀凡道：「我要保護你多少時間？」
青衫老人道：「十天如何？」

語聲一頓，接道：「由殺死造化城主開始，你保我十日無事，十日之後，不論我是生是死，那就和你無關了。」

俞秀凡道：「十日之後，我是否也能殺你？」

青衫老人道：「如是你要殺我，也得按現在的約言行事，要過了十天再說。」

俞秀凡道：「好吧！你已經爲惡了很多年，多等十天也不要緊。不過，你要守規矩，如若是不守規矩、約言，很可能你連一天也活不過去。」

冷笑一聲，接道：「閣下！咱們不用再談這些廢話了，你可以開啓門戶了。」

青衫老人點點頭，舉步向前行去。

這是一條甬道，似是穿行在山腹之中。行約十餘丈，甬道已然暗了下來。

俞秀凡冷冷說道：「這是什麼地方？」

青衫老人道：「通往造化城主住處的密道。」

俞秀凡道：「這地方很黑暗。」

青衫老人道：「再轉一個彎，就可以見到了燈光，也到了第一道門戶前面。」

俞秀凡道：「咱們可是穿行在山腹？」

青衫老人道：「不錯。」

果然，又轉過了一個彎，見到了燈火。那是一盞高吊的琉璃燈，雖然燈焰不高，但光亮很強，照得甬道一片通明。距燈光一丈左右處，就到了石道的盡處。

青衫老人拿出鑰匙，伸手在牆壁上一塊突出的石塊上一撥，露出一個小孔。

俞秀凡、無名氏，都看得十分仔細。只見那青衫老人在一串鑰匙選了一根，伸入那小孔之中，輕輕一撥，伸手推去。一扇厚厚的石門，應手而開。

裏面也是一條甬道，也有一盞琉璃燈。形式、寬度，完全一樣。

只是中間隔一道厚厚的石門。

青衫老人回顧了俞秀凡一眼，道：「由此前去，每一道門戶，相隔不足三尺，有了這啓門之鑰，固然是可以暢行無阻，但如沒有這啓門之鑰，不論武功如何高強的人，也無法通過這重重門戶。」又繼續向前行去。

無名氏回顧了俞秀凡一眼，突然加快腳步，行到了青衫老人的身側，沉聲說道：「老兄！有一句俗話說，放下屠刀，立地成佛，你老兄如若真的存心向善，這是你一個很好的機會。」

青衫老人笑了一笑，道：「俞少俠對在下的成見很深。」

無名氏道：「俞少俠爲人正直，對閣下這等做法，自然是有些看不下去。不過，你如表現得很好，可使他的觀念改觀。」

青衫老人道：「老弟！你相信我能改過來麼？」

突然快步而行，打開了第二道門戶。

出人意外的是，青衫老人十分合作，連開了八重門戶。

到了第九重門戶前，那青衫老人的右手突然間開始抖動起來，嘆口氣，緩緩說道：「俞少俠，打開這一道門戶，就是造化城主的客室。他是否在客廳之中，老朽無法預料。」

俞秀凡道：「所以，你不敢打開這重門戶了。」

青衫老人長長吁一口氣，道：「老朽打開這一重門戶之後，就算是完成了責任。」

俞秀凡點點頭。

青衫老人道：「這一次，老夫不能再走前面了。」

俞秀凡道：「可以。你開門吧！」

青衫老人吁一口氣，又道：「俞少俠！老朽開了這一重門之後，是否可以先行告退？」

無名氏道：「老兄！我看不用了。咱們目下是一個生死與共的局面。」

青衫老人搖搖頭，接道：「這個，我看不用老朽跟去了。」

俞秀凡道：「讓他走，我不信他能逃過造化城主的手掌。」

青衫老人不再多言，伸手打開了最後一道門戶。

只覺一陣光亮透了進來，眼前出現了一座豪華無比的敞廳。俞秀凡目光轉動，只能看到半個敞廳的形勢。

正待舉步進入廳中，突然一個嬌媚無比的聲音，傳了進來，道：「諸位請進來吧！敝城主已經候駕多時了。」

青衫老人突然右腕一軟，手中一串鑰匙跌落在地上。

俞秀凡提一口真氣，手中握著窄劍劍柄，道：「哪一位是造化城主？」口中說話，人卻緩步行入了敞廳之中。

一陣幽香撲面，一個全身綠衣的美麗少女，已蓮步細碎地奔了過來。婀娜的身段，擺動的腰肢，充滿著誘惑，但卻又十分快速，只見她身軀扭動著，很快地到達了俞秀凡的身前。

她快速的舉動，使得俞秀凡無暇流目四顧，打量敞廳四周的形勢，但俞秀凡感覺這敞廳中有著不同凡響的豪華。這就像一個人，進入一座美麗的花園一樣，還未見到那似錦的繁花，已感覺到芬芳的花氣。

像一陣香風般，綠衣女衝到了俞秀凡身前三、四尺處時，忽然間停了下來。

俞秀凡握在劍柄上的五指，緊了一緊，但卻忍下去沒有拔劍擊出。

如若俞秀凡拔劍一擊，以他快速、凌厲的劍勢，必會將來人傷於劍下。

其實，經過俞秀凡仔細的一番觀察之後，才覺著那綠衣少女的停身距離，是一個絕大的關鍵，那是一個習劍人拔劍擊出的微妙距離。這距離，並沒有一個明顯的判定，那是屬於一種本能支配的意識，只要那綠衣少女再前進一步，俞秀凡就無法控制自己，會在本能的支配下拔劍擊出。

能在這樣一個距離下，停住了向前奔衝之勢，這綠衣少女，必然是一位用劍的高手。

這念頭迅快地在俞秀凡的腦際轉動了一下，也不過就是一轉念的工夫。

綠衣少女已經輕啓櫻唇，婉轉吐出一縷清音，道：「來的可是俞少俠？」

她長得秀致、俏麗，全身都散發出一種嫵媚氣息。緊身的水綠衣服，充分地表現出她美妙的身段。這是屬於那種嬌麗、俏皮那一型的少女，但她說話卻又是那樣穩健。

俞秀凡點點頭，道：「不錯，在下正是俞某人。姑娘是……」口氣、神情間，都流露出相當的敬重。

綠衣少女暗中點頭，口中卻淡然一笑，道：「丫頭！造化城主四位從婢之一。俞少俠孤身進入造化城，卻又能就地取材，把我們的人手收作己用，單是這一份才能，就叫我們好生佩服。」

俞秀凡道：「聽姑娘這麼一說，在下確然有些高興了。造化城主，能這麼看得起我俞某人。」

綠衣少女嫣然一笑，道：「很短的時間，你由第四級的敵人，被城主提升上第一級強敵，那真是一件從未有過的事了。」

只聽另一個清脆的女聲，接道：「二妹！俞少俠進入這道暗門開始，已被城主提成爲特級強敵了。」

俞秀凡抬頭看去，只見一個全身桃紅衣著的女子，緩步走了過來。一張粉白透紅的肌膚、宜嗔宜喜的臉兒，襯著那一身桃紅顏色的衣服，看上去，簡直是一朵盛放桃花。

俞秀凡暗暗忖道：這造化城主，果然是一位很能享受的人，單是這兩個女婢之美，就是人間絕色，不知他如何選到這樣的美女。

綠衣少女嫣然一笑，道：「大姊！快過來，我替你引見、引見。」

紅衣少女笑道：「用不著了，雖是初見俞少俠，但早已耳熟能詳。」口中雖是這麼說，人卻還是婀婀娜娜地行了過來。

綠衣少女低聲道：「這是我們的大姊，四女從婢之首，人稱桃花女何湘紅。」

俞秀凡微微一頷首，道：「原來是何姑娘，久仰了。」

何湘紅一躬身，道：「不敢當。俞少俠！我只是一個大丫環罷了。」

目光轉注到綠衣少女的身上，嗯了一聲，接道：「二妹！你還有什麼沒有告訴人家的，可要我這做姊姊的替你說一聲？」

綠衣少女笑道：「大姊艷色當前，小妹麼，不提也罷！」

何湘紅笑了一笑，道：「一見面，你就把我連名帶姓加綽號的告訴了人家，自己卻還沒有介紹，那大姊就替你代勞了。」

目光又轉到俞秀凡的臉上，接道：「我這位二妹，號稱綠鳳凰，而且也有一個適宜雅致的名字，叫做陳娟黛。」

俞秀凡道：「果然是又雅致、又動聽的好名字。」

這時，無名氏、石生山，都已行出了暗門，卻不見那青衫老人跟著出來。

俞秀凡沒有回答何湘紅的話，卻回顧了無名氏、石生山一眼，道：「見過何、陳兩位姑娘。」

無名氏、石生山一抱拳道：「見過兩位姑娘。」

陳娟黛撇撇嘴巴，道：「兩位都是由地獄中出來的人？」

無名氏道：「不錯，咱們是脫離地獄，撥雲見日。」

陳娟黛冷笑一聲，道：「由人間地獄出來，再到真正的地獄去，那還不如自在人間地獄，多活幾天。」

無名氏哈哈一笑，道：「就算姑娘說得不錯吧！咱們進入了真正的地獄，也比在人間地獄活著好些。」

陳娟黛冷笑一聲，不再理會兩人。目光轉注到俞秀凡的身上，立刻換上了一副笑臉，道：「俞少俠，請隨便坐吧！」

俞秀凡目光一轉，只見不遠處放著一個錦墩，緩緩坐了下去，淡淡一笑，道：「陳姑娘！在下幾時才能見到造化城主？」

無名氏、石生山，立時移動身子，分立在俞秀凡的身後。

陳娟黛道：「城主已知道俞少俠進入造化城中，也預計到你會找到這地方來。不過，你來的這樣快速，倒是出了城主的意料之外。所以，他沒有能及時趕回來。」

俞秀凡表面上雖然表現得十分大方，但他內心仍有著極爲嚴肅的戒備，一直暗中留心著防備對方突然暗算，所以沒有時間打量一下這座豪華大廳中的布置。

輕聲一笑，俞秀凡緩緩說道：「以貴城主布置的森嚴，在下到此的機會不大。老實說，這有七分運氣在內，貴城主竟然能料到在下到此，判事能力真是幾近神奇了。」

桃花女何湘紅，忽然接口說道：「俞少俠說得如此坦誠，咱們也坦然相告了。城主能成此大業，得力於『謹慎』二字，他雖然布下了銅牆鐵壁，但也想到了百密一疏，所以，你能進入此地的機會，也預算其中了。」

俞秀凡笑了一笑，道：「原來如此。」

何湘紅笑了一笑，道：「俞少俠！江湖大事，等你見到我們城主時再談，咱們目下先談一些不掃興的事。」

俞秀凡道：「談什麼呢？兩位姑娘請出個題目吧！」

何湘紅道：「主隨客便，隨興所至，貴賓想談什麼，咱們姊妹奉陪就是。」

俞秀凡道：「聽姑娘的口氣，是詩詞歌賦、琴棋書畫，樣樣皆精了。」

何湘紅道：「做丫頭嘛！各方面都要涉獵一點，才能夠侍候的叫主人愉快。是麼？」言下之中，無疑是說只要俞秀凡能夠提出來，她都可以應付。

俞秀凡低聲吟道：「六代豪華，春去也，更無消息，空悵望，山川形勝，已非疇昔……」

何湘紅道：「俞少俠好悲壯的情懷！」

陳娟黛道：「王謝堂前雙燕子，烏衣巷口曾相識，聽夜深寂寞打孤城，春潮急。思往事，愁如織，懷故國，空陳逑，但荒煙衰草，亂鴉斜日……」

俞秀凡暗暗嘆息一聲，接道：「看來，那造化城主，還是一位雅人。」

何湘紅笑了一笑，道：「城主文武雙絕，小婢不過得其一、二。」

俞秀凡道：「二位姑娘的詩文、武功，都是那造化城主親自調教的了。」

陳娟黛道：「城主淵博如海，無物不容，我們四姊妹限於才慧，只能磨墨、拭劍，做爲從婢罷了。」

俞秀凡劍眉聳動，星目放光，豪氣忽發，朗朗吟道：「挽弓當挽強，用箭當用長，射人先射馬，擒賊先擒王。殺人亦有限，列國自有疆，苟能制侵陵，豈在多殺傷。」

何湘紅臉色一變，道：「這是杜甫的前出塞，此情此景之下，引用出口，不覺著口氣太狂一些麼？」

俞秀凡淡淡道：「俞秀凡如沒有三分狂氣，豈敢進造化城來。」

陳娟黛低聲勸道：「大姊！咱們是奉命迎客，不管他狂氣如何，自由城主裁決發落，用不著和他生氣。」

何湘紅冷笑一聲，道：「二妹陪他吧！我不願再和這等狂妄之人交談。」羅袖一拂，轉身而去。

俞秀凡心中暗道：那造化城主，不知是用的什麼手法，造就出這等才色雙絕的女婢，但不知她們在武功上的成就如何。

心中念轉，陡然升起了出手一試的心意，立時冷笑一聲，道：「站住！」

何湘紅霍然停下腳步，緩緩回過身子，臉上怒氣勃現，冷笑一聲，道：「俞少俠！對我說話麼？」

俞秀凡本是彬彬多禮之人，但他心有所計，變得蠻橫起來，冷然一笑，道：「你不過是丫頭身分，也敢說俞某無禮麼？」

何湘紅眉梢間殺機隱現，道：「遇文王說禮儀，遇桀紂動干戈。像你這等狂情暴態，卻也值不得我們做丫頭的敬重。」

俞秀凡心中暗暗敬佩此女的剛烈性情，卻故意仰天大笑，道：「你可知道罵我俞某人的，要付出什麼樣的代價麼？」

何湘紅道：「我不知道，也不想知道。」

俞秀凡眼看已逗起對方的怒意，立刻平靜地說道：「姑娘可要聽俞某人奉告麼？」

何湘紅道：「說與不說，任君自主，小婢不願裁決。」

俞秀凡道：「好利的口舌！」

何湘紅道：「咱們本是以禮相待，但公子口氣狂妄，那也怪不得咱們失禮了。」

俞秀凡吸一口氣，緩緩說道：「罵過我俞秀凡的人，必得自己掌嘴三下。」

何湘紅接道：「恕難從命。」

俞秀凡道：「那就接我一劍。」

何湘紅道：「但請出手。」

俞秀凡道：「姑娘小心了。」

忽然一劍，刺了出去。像一道閃光，劍勢直奔心臟要害。

何湘紅早已戒備，右手一抬，一縷寒芒，疾飛而出。噹的一聲，一把一尺五寸的短劍，在前胸半寸處，架住了俞秀凡刺來的劍勢。

俞秀凡未存心傷人，長劍去勢，未竟全刺，但那一劍之快，也非常人能夠封擋。但何湘紅竟然身軀未移，在胸前封住了劍勢。

俞秀凡哈哈一笑，道：「好快的劍法！能擋我俞某一劍，足見造詣，姑娘請去吧！」

何湘紅雖然及時封住了俞秀凡刺來一劍，但劍尖寒芒，已及前胸，她在全神戒備下尚且如此，心中實已驚駭莫名。暗暗忖道：這俞秀凡的快劍，果然是雷奔電閃一般的快速。

心中生出了敬服之意，心中的氣憤頓消，緩緩把短劍收入袖中，望了俞秀凡一眼，躬身一禮而去。

她未發一言，但表現出來的柔順，已勝過千言萬語，陳娟黛低聲說道：「俞少俠！好快的劍法，大姊已然認輸了。」

俞秀凡道：「她能及時封住我的劍勢，也叫在下敬服。」

陳娟黛道：「大姊生性雖然剛烈，但她卻是一個明白事理的人。她已覺著你俞少俠確有著可以狂妄的本錢，那就不算狂妄了。」

俞秀凡淡淡一笑，道：「只怕俞某這劍法，比起造化城主，還要遜色很多了。」

陳娟黛沉吟了一陣，道：「兩位都是劍道絕頂高手，婢子何敢妄作論比。」

俞秀凡忖道：這丫頭好緊的口風，卻又能應對得體。

陳娟黛道：「俞少俠！小婢想到一件事，想請教俞少俠？」

俞秀凡道：「什麼事？」

陳娟黛道：「如是你無法和城主談成合作，那將如何？」

俞秀凡道：「只怕是難免一場血戰了。」

陳娟黛道：「我們的人手很多，真要動手，只怕輪不到你和城主相搏。」

俞秀凡嘆口氣，道：「就算姑娘說得句句真實，但在下已經別無選擇的餘地了。」

陳娟黛嘆口氣，道：「這麼說來，你是非要把事情鬧到絕頂不可了？」

俞秀凡道：「姑娘！在下一路行來，遇上了重重的攔劫，但卻證明了一件事。」

陳娟黛道：「證明了什麼？」

卅二　城主化身

俞秀凡道：「現在已派出的高手中，沒有人能夠封拒我的快劍，包括令姊何姑娘在內。除非，這裏還有比令姊武功更高明的人物，否則只有造化城主自己動手了。」

陳娟黛是屬於溫婉、柔和一類的女人，和何湘紅的剛烈，有著很大的不同。笑了一笑，道：「俞少俠！你的劍法誠然很快，但我們有四姊妹，加在一起的力量，不知是否會兩敗俱傷？」

俞秀凡沉吟了一陣，道：「那就要看你們是否能一起出劍了？」

語聲一頓，接道：「姑娘！你應該從我的談話之中，了解了一個大概。我想，你不會再問什麼了。」

陳娟黛嘆息一聲，道：「俞少俠！我們四姊妹的劍法，都是得造化城主的指點，他是否會比我們高明一些呢？」

俞秀凡道：「應該是高明一些了。」

陳娟黛道：「不要說還有很多別的高手，單是我們四姊妹加上了造化城主，我相信，就足可以使你俞少俠招架不易。」

俞秀凡道：「以造化城主之尊，難道還會以多為勝麼？」

陳娟黛道：「自然是不會。不過，我只是提醒你一聲罷了。」

但聞一聲哈哈大笑，道：「不會！絕對不會！老朽這一生，還從未打過群攻群毆，以多爲勝的仗。」

陳娟黛立刻一欠身，道：「見過城主！」站起身子，垂首站在一側。

俞秀凡抬頭看去，只見一個慈眉善目的白髮老人，神情肅然地站在七、八尺外。

他穿著一件玄色長袍，神情很和藹，怎麼看，也不像一個嗜殺成性的人。

俞秀凡雙目注在玄衣老人身上，打量了一陣，道：「閣下就是造化城主？」

玄衣老人道：「不錯，正是老朽。」

俞秀凡道：「閣下總有一個姓名吧？」

玄衣老人道：「這些年來，他們都稱我造化城主，所以老夫把姓名也已經忘去了。」

俞秀凡淡淡一笑，道：「只怕不是如此吧？」

玄衣老人道：「俞少俠的看法呢？」

俞秀凡道：「以閣下尊高的身分，也許不願隨口捏造一個姓名來欺騙在下，但如你說出真的姓名，又怕暴露出你的身分，只有以城主代名了。」

玄衣老人仍然帶著慈和的笑容，道：「年輕人口舌如刀，只怕不會有什麼好的結果。」

俞秀凡冷笑一聲，道：「在下進入這造化城中時，就早已把生死事置之度外，不放在心上。」

玄衣老人笑道：「貴賓可以失禮，老朽身爲地主，卻不能失去迎賓之道，二丫頭，吩咐擺酒！」

陳娟黛一躬身退了下去。

這時，整座的敞廳中，只有俞秀凡和造化城主兩個人。如是俞秀凡拔劍相迫玄衣老人動手，此情此景之下，造化城主縱然是不願動手，但也是無法推辭了。

可惜俞秀凡做不出這等蠻不講理的事，心中念轉，冷哼一聲，道：「閣下慈眉善目，外貌仁厚，實不像滿身罪惡的人。」

玄衣老人笑了一笑，道：「看來俞少俠對老朽的成見很深。」

俞秀凡道：「不只是很深，而是一種勢不兩立的形勢。所以，在下覺著，咱們應該盡早做個了斷。」

玄衣老人道：「說得也是啊！與其拖延下去，不如早做了斷的好。」

俞秀凡道：「那很好！城主請亮劍吧！」

玄衣老人哈哈一笑，道：「俞少俠！你既然見到了老朽，還會怕老朽跑了不成？咱們總會有一個了斷，不過，容老朽先盡地主之道，咱們再打不遲。」

俞秀凡手握劍柄，冷冷說道：「你這人老謀深算，外貌忠厚，內藏陰險，何況，江湖上一向有『會無好會，宴無好宴』的傳說。老實說，就算閣下準備的酒席上，有著龍肝鳳髓，玉液瓊漿，俞某人也吃不下去。」

玄衣老人微微一笑，道：「老弟！可惜，你說得太晚了一些。」

俞秀凡還未來得及答話，只見何湘紅、陳娟黛帶著八個白衣女婢，行了過來。

四個女婢抬著一張木桌，四個女婢各捧著一個木盤。木盤上各放著細瓷碗，扣著大花瓷盤。

木桌就在兩人的面前擺了下來，另外四個女婢，放下了手中的瓷碗，取開扣盤，是四盤美肴。

何湘紅笑了一笑，道：「老爺和俞少俠都請坐吧！小婢給你兩位斟酒。」

早有白衣女婢替兩人移過錦墩，陳娟黛卻打開了一瓶女兒紅。

玄衣老人道：「俞少俠，先請坐下，如是你覺著酒菜之中有毒，可以不用。」說完話，自己卻舉起了筷子，在每樣菜上嘗了一筷子，然後，又乾了面前一杯酒。

陳娟黛低聲道：「俞少俠！酒菜之中無毒，請放心食用。」

俞秀凡道：「我知道。貴城主已然表露的非常明顯，不過，在下決定的事，一向不想更改，城主和陳姑娘，也不用多費心思了。」

玄衣老人哈哈一笑，道：「俞少俠！既然是不想進用酒菜，老朽一人吃也是無味得很。」

俞秀凡道：「閣下只管慢慢的吃，在下會很耐心的等候閣下。」

玄衣老人道：「你來勢洶洶，似乎是非要殺造化城主不可，你可認識造化城主麼？」

俞秀凡道：「閣下不是麼？」

玄衣老人道：「俞少俠！你能肯定我是麼？」

俞秀凡怔了一怔，道：「你不是造化城主麼？」

玄衣老人道：「老朽是不是造化城主，是另一回事，你不能認出老夫，那是可以確定了。」

俞秀凡雙目注在玄衣老人的身上，冷冷說道：「閣下這些話的意思是……」

玄衣老人笑了一笑，接道：「你對造化城中的事務，太過陌生，你不知道的事情又太多了。」

俞秀凡道：「在下只要知道一件事情就夠了。」

玄衣老人道：「什麼事？」

俞秀凡道：「找到造化城主，然後，把他一舉殺死。」

玄衣老人道：「俞少俠！你可能找錯人，也可能殺錯人。」

呵呵一笑，接道：「就算你真的找到了造化城主，又如你之願，取了他的性命，你又能得到什麼？」

俞秀凡道：「在下沒有求得到什麼，所以，我也不會得到什麼。」

玄衣老人道：「別說你殺不了造化城主，就算你殺了他，你不過只會受到武林道上幾句讚揚之中，那只是浮雲流水一般的虛名罷了，但造化城主能給你的，卻是無比的尊貴，和號令天下武林同道的權威、財富、美女，應有盡有。」

俞秀凡道：「閣下究竟是不是造化城主呢？」

玄衣老人道：「這個麼，要你俞少俠多費一些猜疑了，」

俞秀凡冷哼一聲，道：「故弄玄虛。」

玄衣老人淡淡一笑，道：「造化城主，身外化身，自然是不會只有一人，俞少俠能見到老朽，已經是不容易了。」

俞秀凡道：「這麼說，閣下只是造化城主的化身之一了？」

玄衣老人笑了一笑，道：「這個老朽不會告訴你，你要憑藉自己的智慧去判斷了。」

俞秀凡冷冷說道：「如若我把你殺死，造化城主至少又少了一個化身。」

玄衣老人冷冷說道：「俞秀凡！你不覺著自己的口氣太大了麼？」
俞秀凡仰天打個哈哈，道：「你果然是一個化身。」
玄衣老人怔了一怔，道：「你怎能夠確定老朽是化身之一？」
俞秀凡道：「造化城主乃邪中之邪，惡之中惡，一代梟雄人物，怎會像你這樣容易動怒。」
玄衣老人道：「哦！」
俞秀凡道：「所以，我確定你不是造化城主，他不是輕易動怒的人。」
目光一掠陳娟黛道：「陳姑娘！在下是否猜對了？」
陳娟黛搖搖頭，道：「我不知道。」
玄衣老人笑了一笑，道：「無用的丫頭，你們據實說吧！我是不是造化城主？」
陳娟黛道：「我們見到的城主，和你一個樣子。」
玄衣老人道：「既是一樣，你這丫頭怎的竟不能肯定我是不是造化城主？」
陳娟黛一躬身，道：「城主有身外化身，有時我們也不清楚。」
俞秀凡站起身道：「在下有辦法分得清楚。」
忽的長劍出鞘，寒芒一閃，閃電一般的快速，劍尖已逼到了那玄衣老人的前胸之上。
玄衣老人很鎮靜，望了抵在前胸的劍尖一眼，道：「造化城主如若這樣輕易的被你殺死，還能稱爲造化城主麼？」
俞秀凡道：「培養一個化身，也許要三年、五年，但在下殺死一個化身，只需要一眨眼的時間。」

玄衣老人搖搖頭，道：「俞少俠！你殺不死我。」
俞秀凡道：「要不要試試？」
玄衣老人道：「儘管請便！」
俞秀凡冷哼一聲，暗運勁力，手中窄劍向前一推。但見那玄衣老人隨著向前推進的劍勢，向後一側身子，俞秀凡的劍尖竟從玄衣老人的前胸上滑了過去。
俞秀凡呆了一呆，那玄衣老人已雙筷並出，夾住了俞秀凡手中的長劍。冷笑一聲，道：「俞少俠！你現在是否已經相信，你殺不死老朽的話？」
俞秀凡道：「不信！」
玄衣老人頗感意外的哦了一聲，道：「爲什麼？」
俞秀凡道：「因爲，你身上的衣服作怪。」
玄衣老人哈哈一笑，道：「這個，就算你猜對了，我也不會承認。你永遠無法證明，我用的什麼方法，避開你的刀劍。」
俞秀凡道：「上一次當，多一次經驗，我第二次出劍，就會改變一個位置。」
玄衣老人笑了一笑，道：「年輕人，老朽已安排很多使你吃驚的事，一一要讓你見識。不過，你必需要有一些耐心。」
俞秀凡道：「聽閣下之意，在下真得再忍耐一時了。」
玄衣老人道：「你想動手搏殺一陣，老朽可以保證不會讓你失望，不過，那是最後的辦法，也是最下等的策略，非到萬不得已的局面，老朽實不願意用。」
俞秀凡冷冷說道：「好吧！在下就先見識一下閣下故弄的玄虛。」

玄衣老人竹筷一張，放開了俞秀凡手中的窄劍，之後，又突然伸手合擊三掌，但聞步履聲響，四個玄衣老人，魚貫行了出來。

玄衣老人笑了一笑，道：「俞秀凡！你看看這四位，和老朽有何不同？」

俞秀凡定神一看，頓時大吃一驚。只見四個玄衣老人衣著、高矮、臉型、神情，全身上下，沒有一處不同。再看看那先前的玄衣老人，和四人也是完全一樣，不禁一呆。

玄衣老人仰天打個哈哈，道：「俞少俠！他們不但外型一樣，而且，連平常舉動行爲，也完全一樣，對一件事的反應，和內心的感受，也有著接近的觀點。」

俞秀凡搖搖頭，又仔細地看了一眼，道：「果然是維妙維肖的改扮。」

玄衣老人道：「還有一件最重要的事，我們五人不但外貌相同，就是武功上，也有著很接近的成就。」

俞秀凡道：「果然很驚人，閣下還有什麼更震驚人的東西。」

玄衣老人道：「老朽準備了很多、很多，不過，咱們先一樣一樣的來。」

俞秀凡道：「在下已經見識過了，你們的易容術，高明得很。」

玄衣老人哈哈一笑，道：「俞秀凡！在我們五人之中，有一個是真正的造化城主，你能夠確定是哪一個麼？」

俞秀凡道：「在下不願用這份心思。」

玄衣老人道：「你錯了。這是一次很嚴重的考驗，也是一道關口，你必需找出真正的造化城主，才算過了這一關。」

俞秀凡道：「原來如此。」

玄衣老人道：「俞少俠！這是一次智慧的考驗，希望你俞少俠能夠安然度過此關。」

俞秀凡目光轉動，發覺陳娟黛早已走得不知去向。

只見那說話的玄衣老人，突然舉步而行，走入一排而立的四個玄衣老人身前。

俞秀凡目不轉睛，瞧在那玄衣老人身上，心中暗暗忖道：不論你如何奸詐，我不信，你混入了四個人中，我就找不出你的真身來。

但見四個玄衣老人突然一轉，迎上那快步而來的玄衣老人，五個合在一起之後，突然疾快地轉動起來。人影一陣閃動，五個玄衣老人突然排成了一排站好。

只見當先那玄衣老人緩緩說道：「俞少俠！你看老夫是不是造化城主？」

五個老人轉動的身法很怪異，俞秀凡確已無法找出哪一個是和自己談話的玄衣老人。

俞秀凡沒有立刻回答為首玄衣老人的話，目光由二、三、四、五人身上掃過，心中暗暗叫苦，忖道：這五人一模一樣，如何能分辨出來？一時間張口結舌，半晌說不出一句話來。

但聽第二個玄衣老人說道：「俞秀凡！老夫是不是造化城主？」

依序是三、四、五個玄衣老人，各自問了一聲。

俞秀凡突然腦際靈光一閃，暗暗忖道：造化城主能有今日成就，是何等自狂自大的人，豈會和這些人混在一起，這五個人怎麼會是真的造化城主呢？

心中念轉，冷冷說道：「五位都不是真的造化城主。」

五個玄衣老人怔了一怔，面面相覷，答不出話。

俞秀凡察顏觀色，心中落實，冷冷說道：「這一關幸未難住在下。」

只見排在第四的玄衣老人突然向前行了一步，接道：「俞秀凡！認識老朽麼？」

俞秀凡搖搖頭，道：「不認識。」

玄衣老人道：「老朽就是剛才要和你俞少俠一桌共飲的人。」

俞秀凡冷冷說道：「不論你是誰，那都不太重要，反正你們五位，都是冒充的。」

玄衣老人冷笑一聲，道：「老夫就算是冒充的，但我這一身武功，只怕是冒充不來。」

俞秀凡道：「你不會永遠都是好運氣，我也不相信你全身上下都穿有暗甲，這一點，希望你閣下心中明白。」

玄衣老人淡淡一笑，道：「俞秀凡！你狂得有些過分了。難道老朽這身武功，還不配和你動手一戰？」

俞秀凡豪氣勃發，仰天打個哈哈，道：「閣下如若想以武功恐嚇在下，那是打錯算盤了。」

玄衣老人冷笑一聲，道：「俞秀凡！咱們五個化身，出迎閣下，有兩個目的。」

俞秀凡道：「請教！」

玄衣老人道：「第一，咱們考驗閣下的智慧，算你運氣好，通過了這一關的考驗，但咱們還有第二個目的，那就是，咱們要討教閣下的武功了。」

俞秀凡道：「但不知五位是一齊上呢，還是車輪大戰？」

玄衣老人道：「我們先有一人領教，俞少俠如是勝了，咱們就以四象陣法對付。」

俞秀凡道：「策劃得很精密，設計得也周到，不過，要看諸位的運氣如何了？」

玄衣老人踏上一步，道：「在下先行出手。」

俞秀凡點點頭，道：「你亮兵刃吧！」

玄衣老人道：「你小心了。」左手一揮，拍出一掌。掌勢帶起了一股淩厲的暗勁，掌勢未到，潛力先至。

俞秀凡並未拔劍擊敵，卻一吸氣，向旁側退開三尺。

玄衣老人冷笑一聲，拍出的左掌衣袖之中，突然暴射出一道寒芒，疾如流星一般，刺向俞秀凡的前胸。

俞秀凡萬未料到，他的衣袖之內竟然藏著兵刃，匆忙間拔劍一封。他出劍手法之快，天下似已不作第二人想。

但對方佔盡先機，寒芒如閃電一般，俞秀凡的劍勢雖快，但也只勉強封住了前胸要害，寒光吃劍一擋，斜斜向一側滑開。只聽一聲嗤的輕響，寒芒劃著左臂而過，衣衫破裂，臂上也被劃了一道數寸長的傷口，鮮血淋漓而下。

玄衣老人哈哈一笑，道：「老夫這袖裏刀如何？」

俞秀凡道：「很惡毒，也很卑下。」

玄衣老人怒道：「俞秀凡！你能夠活著到達此地，全是城主的仁慈，要是城主真要下令把你處死，就算有十個俞秀凡，也早已魂歸地府。」

俞秀凡冷笑一聲，道：「造化城主，對在下並非仁慈，如是真存了一份好生之德，那也希望把在下陷入更深的痛苦之中。」

玄衣老人接道：「你這人，簡直是不堪救藥了。」

冷哼一聲，右手一揮，迎頭劈下。

俞秀凡對他已生出了極大的警惕之心，不敢稍存大意，就在那玄衣老人舉起右掌的同時，長劍也刺了過去。

一進一迎，快速至極。只見到寒芒一閃，耳際間已響起那玄衣老人的慘叫之聲。凝目望去，只見俞秀凡的長劍，由那玄衣老人的手中刺了進去，直透入一尺多深。

這一劍的方位，巧妙至極，劍循手心刺入，穿骨破肌，一尺多深。

站在一側的四位玄衣老人，看得臉色一變，神色間露出了畏怯之情。

俞秀凡冷冷說道：「我已經告訴過你，你的雙手和沒有衣服掩遮之處，就沒有保護的甲冑，你應該小心一些才是。」

極度的痛苦，使那玄衣老人的身軀，有些微微的顫抖。但他卻強行忍著，忽然一揮左手，一把長約九寸的匕首，由袖中飛出，斬下了右臂。

冷冷說道：「俞秀凡！告訴老夫一件事，你用的什麼劍法？」

俞秀凡微微一怔，道：「我用的劍法是……」

這本是無招無式的劍法，俞秀凡一時間也想不出它叫什麼名字。

玄衣老人長嘆一聲，道：「俞秀凡！你好惡毒，竟然叫老夫死不瞑目。不過，造化城主功參天地，你也難生離造化城。」左手一揚，自斷咽喉而死。

俞秀凡右手震動，扔去劍上的一截手臂，嘆息一聲，道：「很抱歉，老前輩！我很想告訴你，但我也不知道應該給這劍法取個什麼名字？」

就這一陣工夫，另外的四個玄衣老人，已然布成了四象陣法，把俞秀凡困在中間。

俞秀凡冷笑一聲，道：「四位準備合手而攻了？」

四個玄衣老人神情肅然，各自舉起了右手。

俞秀凡忽然感覺自己已陷入了四隻手掌的圍困之中，全身方位，都在四隻掌指的籠罩之下。

四個玄衣老人的神情，十分嚴肅，隨著俞秀凡移動的身軀，緩緩移動雙手。

俞秀凡暗暗吁一口氣，盤算目下的處境，不論對哪一個出手，就可能受到另外三方面的攻擊。而且，這種攻擊，有如洪流狂潮一般，無法遏止。

心中推算的結果，俞秀凡自覺以最快的速度，出劍、收劍，最多能殺死兩個人，自己亦必在另外兩個人的攻襲下，傷在兩人手下。

俞秀凡並不怕死，但他感覺到此時此情之下，自己還不能死。

不論付出多大的犧牲，他必需保下性命。他開始考慮，準備犧牲一條左臂，或是一條腿，以求保全性命的辦法。

四個玄衣老人似乎也被俞秀凡的快劍嚇著了，一時間，也不敢出手。雙方面暫時形成一個僵持之局。

無名氏回顧了石生山一眼，低聲說道：「石兄！咱們應該幫個忙了？至少咱們有一條命，可以替公子死。」

石生山道：「哦……」

無名氏道：「這四個玄衣老人的架式，分站了四個方位，看起來，似乎是同時出手。俞公子的劍法雖快，但他也無法同時對付四個人。」

石生山道：「不錯。」

無名氏道：「所以，咱們替公子分擔一下，你攻正南方位的玄衣老人，我攻正西方位，只要引開兩人，就算給公子幫了忙。」

石生山點點頭，道：「好！你下令，咱們立刻出手。」

石生山不再多言，吸了一口氣，運集了全身的功力，準備出手。

無名氏也暗暗把功力提聚到十成，只聽俞秀凡的聲音，傳了過來，道：「兩位不可莽動，那將亂了我的章法。你們該知道，這造化城中的高手，不是只有這四個人。」

只聽一陣哈哈大笑，接道：「說得是啊！老夫化身千百，如若不存心和你見面，就算你們找遍了造化城中每寸土地，也無法找到老夫。」

隨著那說話之聲，又一個玄衣老人，大步行了進來。

這老人也生得慈眉善目，和適才五個老人全是一個樣子。

只見他舉手一揮，嚴陣待敵的玄衣老人，突然各自收掌後退。

俞秀凡目注那最後現身的玄衣老人身上，道：「你是……」

玄衣老人接道：「別管老夫是誰，我想先證明一件事。」

俞秀凡道：「什麼事？」

玄衣老人道：「我要你先看一個人，親眼看看他背叛老夫的下場。」

突然提高了聲音，道：「帶他進來！」

一側室門大開，兩個劍手押著那出賣主人的青衫老人行了過來。

俞秀凡一眼就看出那青衫老人，正是冷酷殘忍，但自己又很怕死的刑堂堂主。他雙手反綁，雙目也被一條黑色的布帶勒住。

只聽那玄衣老人冷冷說道：「挑開他蒙眼的黑布帶。」

隨行劍手長劍一探，寒芒掠面而過，挑開了青衫老人臉上蒙面的黑紗。

青衫老人蒙面黑紗已經挑開，看清了室中之人，突然雙腿一軟，對著玄衣老人跪了下去。

玄衣老人望也未望青衫老人一眼，卻回顧了俞秀凡一眼，道：「俞秀凡！你已經見到了老夫，似乎是用不著再急了。」

俞秀凡接道：「夜長夢多，在下希望早些和你做個了斷。」

玄衣老人突然哈哈一笑，道：「俞秀凡！你能夠確定老夫的身分麼？」

俞秀凡回目望去，只見另外的玄衣老人，都已悄然而去，一具屍體，也同時被人帶走。

廣敞的大廳中，似乎是只餘下了一個玄衣老人。但俞秀凡仍然無法分辨出這人的真實身分。

輕輕吁一口氣，俞秀凡緩緩說道：「閣下，請教一件事。」

玄衣老人淡淡一笑，道：「俞少俠！老夫處置了叛徒，咱們再說吧！」

俞秀凡轉眼一顧那青衫老人一眼，冷笑一聲，轉過臉去。他心中對此人有著無比的厭惡，只覺他殺人的冷酷和他求命時的卑下，都是天下最醜陋的面孔。

但聞青衫老人說道：「屬下被迫，獻上了密道之鑰。」

玄衣老人道：「我知道，你是情非得已。」

青衫老人接道：「城主明察。」

玄衣老人笑了一笑，道：「你幫忙我多年，不知道替我懲治了多少叛徒，這份功勞不算大，也不算小。」

青衫老人接道：「城主明察。」

玄衣老人冷笑一聲，道：「不過，老夫幾時原諒過背叛我的人了。」

青衫老人突然飛身而起，向外衝去。他武功高強，雖然是雙手被反綁，但這一衝之勢，仍然是強大無比，疾如閃電一般，向外衝去。

只聽那玄衣老人冷哼一聲，道：「想走麼？」突然一揚右手，三點寒芒，疾如流星一般，破空而出。

那青衫老人向前奔衝的身子，被那飛出的寒芒擊中，慘叫一聲，身子生生被拉了回來。

原來，那三點寒芒之後，帶有著三道極細的銀線。

無名氏失聲叫道：「三星奪魂鏢！」

玄衣老人回顧了無名氏一眼，卻對兩個劍手說道：「斬斷他兩條腿。」

兩個劍手應聲出劍，嚓的一聲斬下了青衫老人的雙腿。

青衫老人口中發出一聲慘叫，玄衣老人卻一揮手，冷然說道：「段堂主！你一生殺了不少的人，手段慘酷，使整個造化門中人，聽到行刑堂主四個字就全身發抖，看到你的人，不寒而慄，一個人的威風被你抖盡了。」突然右手用力一收，三個血洞，激射出三股鮮血。

目光轉到了兩個劍士的身上，接道：「拖出去，丟在狼窟裏！」

兩個劍士應了一聲，抬起那青衫老人的屍體，也撿走了殘腳、斷腿。

俞秀凡長長吁一口氣，道：「想不到號稱人間仙境的造化城，竟然還有狼窟。」

突然仰天打個哈哈，道：「不過，閣下也不是造化城主。」

玄衣老人淡淡一笑，道：「俞少俠這樣武斷，可有所本麼？」

俞秀凡道：「造化城主，一代梟雄，他決不會拿狼群來施以威脅。」

玄衣老人點點頭，道：「俞秀凡！你果然是造化城的一個勁敵，目下，你只有兩條路走了，一個是埋骨此地，一個是投入造化城。」

俞秀凡目睹他施放三星追魂鏢的快速手法，心中早生警惕，手握劍柄，冷冷說道：「咱們之間，也該做個了斷了。」

玄衣老人嘆息一聲，道：「俞秀凡！你很急於找一個結果出來，是麼？」

俞秀凡道：「造化城主，有如許多的化身，不知幾時才能夠見得到他，閣下多耽誤我一刻時間，在下就可能減少一分體能。」

霍然站起身子，接道：「在下話已說完，閣下可以出手了。」

玄衣老人緩緩站起身子，突然揮揚雙手。

雙方還有著相當的距離，那玄衣老人未拔兵刃，如若只用雙手攻敵，俞秀凡很可能有疏忽大意之心。但他看到了那玄衣老人施放三星奪魂鏢，那是快如閃電的手法。

俞秀凡心中有備，以最快的手法，拔劍擊出。玄衣老人雙手抬起了一半，俞秀凡的劍已然刺入了老人的咽喉。三星奪魂鏢，也由那玄衣老人的手中射出，但因方位不對，都射在俞秀凡身側地上，鏢尖衝入了三寸多深。

玄衣老人睜大著一雙眼睛，瞪著俞秀凡，有著死不瞑目的感覺。

俞秀凡還劍入鞘，回顧了無名氏和石生山一眼，緩緩說道：「兩位，請記住！如若未得在下同意，兩位最好不要出手，免得分我心神。」

無名氏笑道：「如是公子不幸被人殺死，對方也不會留下我們的性命。所以，咱們至少要死在公子前面。」

俞秀凡道：「正因爲他們還未把兩位看成強敵，所以，兩位的機會很多。再說，我還有很多借重之處。」

無名氏嘆口氣，道：「公子，目下的情勢十分明顯，造化城主似是把所有的力量都集中起來，準備對付公子了。」

俞秀凡瀟灑一笑，道：「無名兄，這是區區進入這造化城時的心願，我希望造化城主，拿出最大的力量對付我。」

他說的聲音很高，這座敞廳中如若有人，都會聽得很清楚。

無名氏四顧一眼，突然高聲大笑，道：「公子！咱們進入此城之前，就沒有打算活著出去，是麼？」

俞秀凡道：「不錯。」

無名氏道：「咱們也不能拖延時間。」

俞秀凡道：「無名兄的意思是……」

無名氏接道：「打進去！見一個，殺一個。」

俞秀凡道：「辦法不錯，咱們向裏面搜進去。」

但聞一陣冷笑，傳了過來，道：「用不著諸位搜進去了。」

屏風後面，轉出了四個人來。

那是四個完全不同的人，但有一個相同的地方，那就是四個人都夠老。

一個白眉垂目，身著黃色袈裟的老僧，手執戒刀，腰間掛著兩面銅鈸。

一個花白長髯飄垂胸前的青袍老道，背上斜插長劍。

一個土布長衫、稀疏白髮、留著花白山羊鬍的矮老頭兒，手中握著一根龍頭杖。

一個頭戴竹笠、身披簑衣，手中執著一根金色魚竿的老人。

這四人，一字排開，攔住去路。

俞秀凡揮揮手，示意無名氏和石生山退開一些，一抱拳，道：「四位老人家，在下俞秀凡，給四位見禮。」

黃衣老僧合掌喧了一聲佛號，道：「你就是那位身懷絕技的俞少俠？」

俞秀凡道：「正是晚輩，大師是……」

黃衣老僧接道：「老衲法號忘情。」

俞秀凡道：「大師的法號倒是含有禪機，但不知可否告訴在下來自何處？」

忘情大師道：「老衲出身在嵩山少林寺。」

俞秀凡道：「失敬！失敬！嵩山少林寺，一向被武林同道視做泰山北斗，今日有幸得會高僧。」

忘情大師淡淡一笑，道：「誇獎了。」

俞秀凡道：「大師德高望重，不知何以會投入造化城？」

忘情大師道：「俞少俠和老衲初見面，怎知老衲德高望重？」

這等稱頌之言，本是隨口說出，俞秀凡卻未想到這老和尚，竟然會這麼反口相問，不禁一呆。

忘情大師臉色一變，冷冷接道：「小施主，看你年輕俊雅，骨格清奇，又帶著滿臉書卷氣，死了實在可惜。」

兩人一番交談之後，俞秀凡原本對他有著極高的崇敬之心，已然消失。目光轉到那老道身上，道：「這位道長，仙風道骨，不像是爲非作歹之人，當今之世，以武當盛名最著，閣下不會是出身武當吧？」

青袍道人拂髯一笑，道：「貧道麼，武當金星。」

俞秀凡搖搖頭，道：「意外呀！意外！」

青袍道人淡淡一笑，道：「造化城中，藏龍臥虎，你這點年紀的人，如何能透悟玄機。你如能活得下去，遇上的意外還要多些。」

俞秀凡目光轉到那土布長衫的矮老頭兒身上，緩緩說道：「能和少林高僧、武當名道同進同出，想來，閣下也是大有名望的人物了。不知可否見告姓名？」

土布老人道：「老夫土龍吳剛。」

俞秀凡點點頭，道：「久仰！久仰！」

土龍吳剛一咧嘴，皮笑肉不笑地說道：「老夫退出江湖已經二十餘年，那時間你大約還沒有出生！」

俞秀凡道：「雁過留聲，人過留名，閣下雖然退出了江湖很久，但閣下的聲名，仍然在江湖上傳誦。」

吳剛冷笑一聲，道：「老夫是吃米吃麵長大的，不是被人騙大的。閣下這點年紀，就想對老夫施展詐術，真是有些自不量力了。」

俞秀凡不再理會土龍吳剛，卻望著那頭戴竹笠、身披簑衣、手執金色魚竿的老者，說道：「閣下是……」

竹笠老者緩緩說道：「老夫金釣翁。」

俞秀凡暗中觀察這四人，發覺了都不像邪惡之徒，除了那位土龍吳剛有些介於邪正之間外，另外三人，一個個都是滿臉正氣，不像是邪道中人。

俞秀凡有些想不通，何以這些人，竟都會甘願做那造化城主的爪牙。

內心中感慨萬端，忍不住長長吁了一口氣，道：「大師！道長！在下進入過人間地獄，也到過少林和武當別院。」

忘情大師道：「他們都好吧？」

俞秀凡道：「好！他們雖然在毒物折磨之下，但還有不少人風骨嶙峋，不甘屈服於毒物折磨。」

忘情大師道：「阿彌陀佛！蘭因絮果，勉強不得，俞少俠，不用彈弦外之音了。」

俞秀凡道：「好吧！咱們不說前因，只談眼下，四位雖都是武林赫赫有名的前輩，但我俞某人決不會輕易認輸。」

金釣翁道：「我們四人現身之後，還沒有留過一條活命的紀錄。」

俞秀凡道：「當然！以四位修爲之高，同時現身出手，武林有什麼人能夠逃過生命。」

忘情大師道：「並非是絕不可能，就老衲所知，當今之世，就有一個可能的人。」

俞秀凡道：「什麼人？」

忘情大師道：「金筆大俠艾九靈。」

俞秀凡道：「艾大哥……」自知失言，立刻住口。

土龍吳剛臉色一變，道：「你是艾九靈的師弟？」

金星道：「艾九靈藝出數位前輩高人的合力調教，他們都已逝世，不可能是他師弟。」
吳剛道：「他如非艾九靈的師弟，怎會稱那艾九靈爲大哥？」
金星道：「這個麼，有很多原因……」
沉吟了一陣，接道：「可能是艾九靈的義兄弟，也可能是艾九靈培養的一位年輕高手，專門來對付咱們了。」
吳剛道：「如若他是艾九靈培養出來的新人，那應該稱艾九靈爲師父才對。」
金星突然轉向俞秀凡，道：「你小子究竟是他的什麼人？」
俞秀凡道：「兄弟！」
忘情大師道：「艾九靈和你可是金蘭之交？」
俞秀凡道：「你們用不著多費心機了，有什麼話，問我就是。」
金星道：「好！先說說你和艾九靈的關係？」
俞秀凡道：「我已經說過了，我們是兄弟相稱。」
忘情大師道：「你這一身武功，可是艾九靈傳授你的？」
俞秀凡道：「諸位不覺問得太多了麼，就算我願意說，諸位也不好意思聽下去吧？」
忘情大師道：「道兄，看來，今天是難免一場血戰了。」
吳剛接道：「你是準備拚命了？」
俞秀凡道：「不錯。不過，在下希望未動手前，向諸位請教一件事。」
金釣翁冷冷一笑，道：「你如是想問我們爲什麼甘願投入造化門中，那閣下似乎是不用多問了，因爲，你問了也得不到答覆。」

俞秀凡突然長長嘆息一聲，道：「造化城主能使諸位武林高人，爲他效命，自然是有他不凡之處，在下真想見識一下那位造化城主的真實面目。」

金釣翁笑了一笑，道：「有一個辦法。」

俞秀凡道：「像諸位一樣，賣身投靠進入造化城。」

吳剛道：「除此之外，在下想不通，你還有什麼別的辦法？」

卅三　驚天劍法

俞秀凡道：「除非四位能把我殺死此地，在下就無法見到造化城主，如是在下能過四位這一關，大約不會再遇上更厲害的人了。」

金星淡淡一笑，道：「俞秀凡，別把我們估計得太高，在造化城中，我們並不是武功最強的人。」

俞秀凡心中震動了一下，但仍淡然一笑道：「道長的意思，是說在下就算過了四位這一關，仍然見不到那位造化城主了。」

金釣翁道：「如若你算我們四人是一關，見到造化城主時，你最少還要再過三關以上，一關比一關難過。」

俞秀凡接道：「也許諸位說的很真實，不過，在下既然來了，不論結果如何，在下都要全力以赴，四位是一個個出手呢，還是四個人一起出手？」

這一問，頓然使四個人面面相覷，一時間答不上話。原來，四人自投入造化城之後，一向是聯手拒敵，但俞秀凡這麼一問，四人反而有著不好意思開口的感覺。

沉吟了半晌，吳剛才冷冷說道：「你們三人一齊出手，我們四個人聯合對敵，人數上，你們只少了一個。」

俞秀凡道：「在下對敵，一向是單槍匹馬，不容群打群毆。」

吳剛道：「那也是沒有法子的事了。我們四人這些年來，一直是聯手拒敵。」

俞秀凡冷冷說道：「四位如想一齊出手，實也不用找很多的理由出來。」

四個人都聽的臉上一熱。

金星長長吁一口氣，道：「俞少俠！咱們既然投入了造化城，個人的聲譽利害，早已抛置九霄，就算你把此事傳揚江湖之上，咱們也不會放在心上了。」

俞秀凡點點頭，道：「道長這一解說，倒叫俞某慚愧。一個人如是完全不理會名譽的價值，就算是萬人唾罵、千夫所指，那也算不得一回事了。」

吳剛怒道：「「大師！道長！金釣兄！咱們出手，這小子口舌如刀，叫人聽了難過。」

忘情大師白眉微聳，嘆息一聲，道：「小施主！事已如箭在弦，徒逞口舌之利，於事何補，咱們四人合手，讓你一招先機。請出手吧！」

俞秀凡望望手中的窄劍，道：「這把劍，是造化城行刑堂主所用，沾滿義士碧血，小可不願使用。如是四位還有一點公道之心，交還小可的佩劍如何？」

金星道：「你用的可是一柄寶刃？」

俞秀凡道：「凡鐵鑄成的普通兵刃，但不知四位，是否有這個風度。」

金釣翁道：「還給他順手的利劍，要他輸得心服口服，不知大師、道長和吳兄的意見如何？」

忘情大師道：「老衲亦有此意。」

金釣翁高聲說道：「把他的兵刃送上來。」

只聽一個清冷的聲音，由屏風後傳了出來，道：「金老稍候，在下立刻去取。」

忘情大師等也未再出言相激，四個人分佔了四個方位，把俞秀凡圍在中間。大廳突然沉靜下來，靜得聽不到一點聲息。

大約過了一盞熱茶工夫，一個全身白衣的佩劍少年，手捧一把長劍行了過來。

土龍吳剛搶先伸手接過，一按機簧，抽出長劍，仔細看了一陣，又瞧瞧劍柄、劍身，還劍入鞘，道：「拿去！」五指一鬆，用掌心的內力，把劍投向俞秀凡。

俞秀凡接過長劍，冷然一聲，道：「吳前輩！在下的寶劍如何？」

吳剛冷笑一聲，道：「只是一把凡鐵長劍，如若一定要老夫評論一下，這把劍唯一的可取之處，就是它有些年代了。」

俞秀凡棄去手中窄劍，彈劍長嘯，道：「一把劍的名貴與否，鋒利固很可貴，但它只是劍的本身。所謂名劍俠士，紅粉佳人，好的劍，必需施用的有……」

吳剛怒聲喝道：「住口！老夫是何等身分，豈能聽你這個後生晚輩說教。」

俞秀凡長長吁一口氣，突然擺出一個劍式，道：「諸位既然不願聽晚輩的相勸之言，那就請出手吧！」

吳剛搶前一步，正想發動攻勢，但卻突然向後退了一步。金釣翁擺動手中的金釣竿，但也沒有出手。金星移動了兩步，又回原位。只有忘情大師沒有動，但卻皺著眉頭，一臉冷肅神色，肅立不動。四個人，八隻眼睛，都睜得大大的，望著俞秀凡。

俞秀凡臉上是一片誠正冷肅之色，右手中的長劍，斜斜指向左面。這是個很奇怪的劍式，但全身上下，卻全都保護在劍身之下。以忘情大師等四人的武功，竟然也找不出下手攻擊的地方。
俞秀凡也有很沉重的感覺，這四大高手分站的方位，有如一道環圍的銅牆鐵壁一般，沒有一點可以讓人突襲的空隙。但更難承受的，是那四人冷厲的氣勢，不用出手，那一股強大的氣勢，已然直逼過來。就像是四團火，不用燒到你，但那散發出的熱力，就有著一股炙人的力道。
土龍吳剛有些暴躁地說道：「金星！你是用劍高手，看看他這是什麼劍法？」
金星道：「貧道如是能瞧出來，不用你吳兄吩咐，我早就出手了。」
金釣翁道：「這不是艾九靈傳他的劍法，咱們和艾九靈動過手，從來沒有見過他練這招劍式。」
俞秀凡不斷地運集真氣，把真氣逼注劍身之上，一把凡鐵兵刃，透出了俞秀凡運集的內力，逼出了陣陣劍氣。
金星道：「貧道浸沉劍道數十年，從沒有見過這樣的劍式。」
吳剛道：「難道這是他自已創出來的不成，老夫就不信這個邪。」一側身，準備出手。
忘情大師道：「老衲知道，這是驚天三劍的第二式『石破天驚』。」
吳剛移動的腳步，又收了回來，道：「驚天三劍，不是已經失傳很久了麼？」
金釣翁道：「大和尙！你既識出驚天三劍的劍式，就該想一個破解之法才是。」
忘情大師道：「沒有破解之法，才被稱爲劍中之絕。」
吳剛道：「總不成，咱們就這樣乾耗下去吧？」
金星道：「多耗一刻，咱們就多一些機會。」

吳剛道：「怎麼說？」

金星道：「等他先發動，咱們才能找出劍中的破綻。」

吳剛道：「你知道他攻向誰麼？」

金星道：「不知道，他這守中寓攻的劍式，防守四面八方。咱們四個人中任何人，都可能受到他的攻擊。」

吳剛冷笑一聲，正待開口，發覺了俞秀凡劍氣更盛，兩道目光，也逼視了過來，心中忽生畏懼之感，不敢再多開口。

金釣翁突然又搖動手中的金釣竿，道：「老夫發動，三位給我接應。」

金星道：「好！」長劍斜斜指出，劍訣領動，擺出了迎接金釣翁的氣勢。

吳剛微微一抬龍頭杖，也準備出手相助。忘情大師右手握住了戒刀的刀柄，左手拇指、食指，捏住了一面銅鈸。局勢已形成了劍拔弩張的局面，雙方面立刻就是一場火併。

俞秀凡手中的長劍，忽的開始微微擺動，劍尖忽而指向金釣翁，忽而指向吳剛，忽而轉向忘情大師，忽然轉向金星。

金釣翁等準備發動的攻勢，又突然地停了下來。原來，四人發覺那俞秀凡整個的人，已和長劍凝結在一起，劍勢轉動時，整個氣勢，也都隨著搖擺的劍勢在轉動。這就使四個人，都爲之猶豫起來，肅立不動。

四個人停下來之後，俞秀凡搖動的劍勢，也緩緩停了下來。

忘情大師吁一口氣，道：「諸位！咱們向後面退開一些，再商議一陣。」

這四人都是武林頂尖的高手，經過大風大浪的人物，自有很高明的辨別能力，他們發覺了俞秀凡是一位很難對付的人物，那靜如山嶽的氣勢，使人感覺到極難對付。

金星首先響應，一吸氣，腳未移步，腿未屈膝，人卻突然間向後退出兩尺。金釣翁也向後退了三步。

土龍吳剛一提氣，也準備向後退開時，俞秀凡手中的長劍，突然寒芒暴長，疾向吳剛攻去。

這一劍勢道如長虹電射，快速至極。吳剛疾舉手中龍頭杖封向俞秀凡的長劍。金釣翁一抖金釣竿，一條銀線，疾飛而出，帶著一個金鈎，擊向長劍。同一時間，金星的長劍，也伸了過來，封擋俞秀凡的劍勢。

吳剛的龍頭杖，雖然很快，但仍然慢了一步，俞秀凡的長劍，已然先行攻到，龍頭杖舉起時，長劍已然劃過了吳剛的左肩。但聞噹的一聲輕響，金釣翁飛出的金鈎，擊中了劍身。金星的長劍，也化做了一道銀虹，護住了吳剛半個身子。三人一齊施爲，才算把俞秀凡的劍勢變化封住。

俞秀凡一擊中敵之後，伸出的長劍，又突然收了起來。

吳剛臉色鐵青，左肩上裂了一個半尺長的口子，鮮血淋漓而下。金釣翁一挫腕，飛出的銀線金鈎，又縮回了金釣竿之中。金星也收回了長劍。

土龍吳剛冷哼一聲，道：「老和尚！你爲什麼不出手，他攻向老夫時，留下了一個空隙，你可以趁勢出手的。」

忘情大師道：「他出劍太快，時機一閃即逝，換了別人也一樣無法出手。」

吳剛怒道：「老道士和金兄，都能攻出兵刃，至少你可以打出飛鈸，爲什麼站著不動？」

忘情大師道：「沒有把握的事，老衲怎能輕易出手。數十年來，我這一對飛鈸，一出手從未落空，至少，也要見到對方流出鮮血才行。」

金星道：「兩位不用爭執了，大敵當前，此刻不是吵架的時刻。」

金釣翁道：「俞秀凡的劍勢太快，對咱們的威脅也太大，不殺了他，咱們是席難安枕，食難知味了。」

忘情大師道：「老衲可以奉告三位一言，俞秀凡剛剛攻出的一劍，並不是驚天三劍招式，他只是刺出一劍，快如電光石火的一劍。」

金釣翁道：「他刺出一劍，就有這樣的厲害麼？」

忘情大師道：「不錯。就是平平凡凡刺出的一劍，只是他得了一個要訣。」

金釣翁道：「什麼要訣？」

忘情大師道：「快、準二字。老衲在武林行道，從來沒有見過這樣快、準的劍法。」

金釣翁道：「這個，咱們應該如何？」

忘情大師道：「咱們四人合手以來，從未遇到過對手，而且，出手一試之下，立刻就可以判斷出勝負之數，不但老衲心中有數，就是三位心中，也都有著致勝的把握。當年咱們合手對付艾九靈，雖然覺著他武功精絕，但咱們都還有著不會敗給他的感覺，果然在苦拚了百招之後，他負傷而逃。現在，咱們雖然面對著一個後生晚輩，但三位是否有勝他的把握？」

三人面面相覷，沉吟了良久，金星才緩緩說道：「貧道心中，實無把握。」

吳剛道：「一對一，咱們誰也無法封住他的快劍，但如說四人聯手，也無法勝他，那就未免有些誇張了。」

忘情大師道：「四人一齊出手，各出全力，也許可以置他於死地，但咱們至少也要死亡兩人。」

吳剛道：「大師的意思，可是說咱們四人之中，哪兩個應該死亡是麼？」

忘情大師道：「是絕對的死亡，另兩個人，也只有一半的生存機會。」

吳剛嘆息一聲，道：「大師！咱們總不能就這樣對耗下去吧？」

忘情大師道：「這是最高明的辦法。目下的形勢，不但要比武功，而且還要比修養，何況時間愈久，對咱們愈是有利。」

吳剛道：「乾耗著，等他出手？」

忘情大師道：「對！不過，俞秀凡不會輕易出手，這表示他不但在劍術上有著特殊的成就，就是在涵養上，也有著極深的修爲。」

俞秀凡這一陣全神貫注，思索驚天劍譜的劍法，他本有過目不忘之能，這一全力思索，頓然感覺到脈絡分明，連接三式的劍法，呈現腦際。原來這驚天劍譜，有一套劍法變化，驚天三劍式，只是這套劍法最精彩的部分而已。

俞秀凡想通了劍法之後，突然彈劍輕嘯，道：「四位打算的很好啊！」

忘情大師道：「衡情度勢，咱們只有如此了。」

俞秀凡冷冷說道：「四位把在下估計得太低了一些。」

忘情大師道：「此話怎講？」

俞秀凡道：「在下願和四位拚搏百招，讓你們見識一下！」

忘情大師道：「你是說彼此交手百招？」

俞秀凡道：「不錯。咱們互拚百招，以定勝負，如是四位在百招之內，還未勝得在下，四位準備如何？」

吳剛道：「好！只要你不用快劍制敵，咱們過手百招，我們如若不能取勝於你，我吳某人第一個引劍自絕。」

俞秀凡道：「如是你不願死，還有一條可選之路，那就是追隨我俞某人，做一個從衛。」

吳剛怔了一怔，道：「好吧！就此一言爲定。」

俞秀凡目光一掠忘情大師和金釣翁等，道：「三位如何？」

金星道：「閣下的意思呢？」

俞秀凡淡淡一笑，道：「咱們以百招爲限，如是過了百招，諸位還沒有傷了我，諸位就要脫離造化城。」

忘情大師道：「阿彌陀佛！小施主口氣太大了。」

俞秀凡道：「打足百招，在下如若被四位所制，那就甘願棄劍聽命，任憑四位處置，或是橫劍自絕，或是把在下縛往去見造化城主。但是四位呢？」

金星笑了一笑，道：「大師、金釣兄，你們覺著如何？」

忘情大師道：「咱們有十之八、九的勝算。」

吳剛道：「賭一下吧！咱們勝算在握，那就不用再猶豫不決了。」

忘情大師道：「好！俞秀凡，老衲答允了，如是你能過百招，還未受制，老衲願棄刀認輸。」

金星、吳剛、金釣翁齊聲說道：「我們也願賭一下。」

俞秀凡疾退兩步，長劍斜指，道：「諸位請出手吧！」

吳剛龍頭杖緩緩舉起，道：「俞秀凡！如是在百招之內，你傷了我們，那該如何？」

俞秀凡道：「難道那也算在下輸麼？」

吳剛道：「理當如此。主意你出的，條件你提的，我們要四人合手，攻你百招，如是我們四人缺了一個，百招威力，減低很多，那自然不能算數。」

原來，他心中明白，俞秀凡對他含恨最深，很可能先取他性命，所以提出了四人合攻百招的條件。

忘情大師、金星、金釣翁雖然是覺著吳剛之言，有些強詞奪理，但這時四人利害所致，所以無人提出反對。

俞秀凡沉吟了一陣，道：「好！但四位要說話算話。」

金釣翁道：「放心！放心！我們既然答應了，決不會改變。」

俞秀凡長劍突然抖起一片劍花，換了一個劍式，道：「四位請上吧！」這是一個完全守勢的劍式。

吳剛道：「大師！咱們用什麼手法攻他？」

忘情大師道：「先用密雷急雨，各攻五招，看看他如何防守。」

只聽那四字代號，就知道這是一陣狂急的猛惡攻勢。

金星首先發動，長劍一探，突然間幻起了一片劍花，分向俞秀凡五處大穴刺到。這劍勢很奇怪，幻起的劍花，有如同時用五把劍分射出來，叫人無法分辨虛實。這是精深的內功，硬把一支劍化成五道劍氣，每一道都可以由虛變實、由實變虛，除非能同時把五處攻襲，一起封住，任何一道，抵隙而入，就可以取人之命。
俞秀凡右手一揮，長劍挾一股疾風，揮掃而出，化成了一片護身劍幕。但聞一連串金鐵交鳴，金星五道劍氣，盡都被封擋開去。
吳剛大喝一聲，龍頭杖挾一股淩厲的風聲劈下，有如泰山壓頂一般，直落下來。俞秀凡突然間長劍化龍，斜斜裏由一個不可能的角度轉了過來，斬向吳剛的右臂。劍勢捷勁，迎向吳剛的右腕，身子卻隨著劍勢轉向一側。吳剛被形勢所迫，一吸氣，硬把向前的攻勢，給收了回來，向後退開五步。
俞秀凡還未來得及借勢攻敵，一道金光，閃電般地點向前胸。是金釣翁發動的攻勢。
俞秀凡長劍斜轉，劍上蓄力迸發，噹的一聲，封開了金釣翁的魚竿。
這不過是一瞬間的時間，金星、金釣翁和吳剛，各攻了一招。只有忘情大師，仍然站著未動。
俞秀凡接過三人各攻一招之後，全神貫注在忘情大師的身上。哪知忘情大師竟未發動攻勢。
俞秀凡淡淡一笑，道：「大師！怎麼對俞某手下留情？」
忘情大師道：「我們各攻五招，老衲亦必會湊足五招之數，俞少俠只管放心。」
俞秀凡腦際熟記的劍法，如潮水一般湧了過來，立時長嘯一聲，揮劍攻出。這一次，他搶先出手，劍勢卻直取肅立未動的忘情大師。
石生山低聲道：「無名兄！老和尚譽滿武林，淪落爲造化城殺手，大概內心也有些慚愧，他一直動口不動手，豈不是給公子減少一個勁敵，在下想不通，公子何以出手撩撥他？」
無名氏道：「老和尚腹笥淵博，如若給他多些時間，只怕他會看出公子的劍路，所以公子要迫他動手。」
石生山道：「原來如此。」
無名氏道：「石兄，公子不但武功高強，而且智慧、才略，也在咱們之上。」
兩個人談幾句話的工夫，場中已經有了很多的改變。
忘情大師在俞秀凡有意的撩撥之下，出手還擊。避開了俞秀凡刺來的一劍之後，還擊了三刀。雖是三刀，但看上去有如一刀，快如星火的攻勢，把三招完全不同的攻勢，綿連成一招。
俞秀凡劍起如風，錚錚錚三聲金鐵交鳴，硬把三刀封開。
雙方刀劍、內力交觸互擊的一拚，也不過眨眼之間，但心中都已感覺到遇上生平少遇的強敵。
忘情大師原來十分嚴肅的臉色，在這一刀互拚之後，忽然間輕鬆下來。哈哈一笑，道：「俞少俠！好劍法啊！好劍法！只是在下不明白，俞少俠，何以會捨長取短？」
言下之意，無疑是說，你這劍法雖好，但和你那出手如電的快劍相較起來，實不足相提並論。
俞秀凡淡淡一笑，道：「在下心懷大願，只希望能使四位頑石點頭。」
忘情大師哈哈一笑，道：「大心願！大心願！不過，大願難償。」
俞秀凡接道：「求其在我罷了。」
但聞吳剛大喝一聲，龍頭杖有如排空巨浪一般，挾一股疾猛的杖風，橫掃而至。

俞秀凡心頭凜然，只覺這一杖的威勢，可以橫斷鐵杵，碎碑開山。雖然，俞秀凡感覺到自己內力充沛，行氣似虹，但也不敢以輕靈的長劍，硬接對方的杖勢。

一提氣，身子忽然間向後退出。有如一片落葉般，又加一點飄絮，隨著那凌厲的杖風，飄退了五步。

金星長劍一起，如水銀瀉地一般，抵隙而入。劍光掠過了俞秀凡的後肩，斬落下俞秀凡頭上一綹長髮。強厲的劍風，使俞秀凡感覺到後肩處有些生疼。

金釣翁哈哈一笑，道：「大師！咱們太過高估他了。」忽然一竿，迎頭點來，有如一道金光激射而至。

俞秀凡一偏頭，金光掠著耳根而過，金風如刀，刺的俞秀凡左耳生疼。

吳剛道：「金兄說得不錯，老夫不信，世上真有獨力對付咱們合手的劍法。」

龍頭杖縱送橫擊，威風凜凜地又掃出了一杖。俞秀凡頓然間有著被壓縮的感覺，只覺這四面八方湧來的攻勢，有如一片聚合的鐵牆，正把自己壓迫的四面收縮。

金星笑了一笑，道：「大師！這就是驚天三劍麼？」

俞秀凡長劍疾起，接下了金釣翁攻來的一竿，人又被迫的向後退了兩步。

這時，俞秀凡已被迫的退向一處牆角。

吳剛強大的龍頭杖勢，使得俞秀凡被迫出了四人合擊的圈子之外，已退後一丈多遠。

但這也有好處，這一閃退，使得四人原本分由四面的攻勢，變成了迎面的扇形攻勢。

只聽忘情大師道：「老衲也只是聽人說過了驚天三劍，那只是三個劍式，各具有無窮的威力，但這俞秀凡使用的又不像驚天三劍。」

吳剛橫杖而立，眼看金星、金鈞翁收回了魚竿、長劍之後，接道：「大師！我看不用五招了，這第四招，就可以要他濺血在老夫的龍頭杖下。」

龍頭杖倏然懸空繞了一個大圈，迎頭擊了下去。一條龍頭杖，忽然間幻化出數十條杖影，烏雲蓋頂般地壓了下來。這是土龍吳剛龍頭杖的絕招「天羅罩」。

俞秀凡有如被壓縮的一個氣泡，人已被逼的退無可退，身軀距離石壁只不過三尺左右。他心中有些後悔，不應該用劍法硬接四人的攻勢。如是使用那千敗老人傳授的拔劍手法，至少可以拚他們兩個，最不濟，也可以撈一個墊背。

心中悔恨交加，人卻提聚真氣，全力擊出了一劍。這一劍，用盡了他全身的內勁，劍勢出手，身子竟然也隨著這全力擊出的一劍，向上升去。正如尖錐一般，長劍由那重重杖影直射而去。

但聞一陣連珠般的金鐵交鳴之聲，俞秀凡挾持一片劍氣寒芒，脫出了那重重杖影，射向了金鈞翁。

金鈞翁未料到俞秀凡能脫出吳剛這一杖，略一猶豫，寒芒已然逼近了前胸，匆忙橫裏掃出一竿。

兩人的兵刃上，都貫注著強大的內勁，硬接之下，竟把俞秀凡向前奔衝的身子，硬給擋了下來。

金星長劍一擺，閃起了兩朵劍花，刺了過去。俞秀凡長劍疾舉，封住了金星的劍式，長嘯一聲，展開了劍法。但見寒芒翻滾，銀虹閃轉，全身都被圍在一片寒幕之中。

金星、金鈎翁、吳剛，一劍、一杖、一釣竿，展開了猛烈的攻勢。這武林三大高手，展開了快速的合手攻勢，直如狂風急雨，奔雷閃電一般，帶起了一陣陣破空金風。

俞秀凡開始幾個回合，劍法還有些生疏，打了一陣之後，劍法逐漸的熟練，劍勢也更見綿密。

這真是激烈絕倫的惡鬥。雙方以快打快，不過一會兒功夫，已過百招。

俞秀凡劍招也愈見熟練，雖然明知過了百招，但三人仍不停手，也就裝作不知。

金釣翁愈打愈是心驚，只覺對方的劍招，變化越來越奇，簡直如行雲流水一般，快速順暢，愈見精厲。這時，雙方已然拚搏了將近三百招，金釣翁突然一收魚竿，道：「夠了！咱們打夠一百招了。」

金星也及時收住了劍勢，向後退了一步。

吳剛龍頭杖仍然攻出一招「立劈華山」。

俞秀凡避過杖勢，突然削出了一劍。劍勢掠著吳剛的鬢邊削過，斬落下吳剛頰上一片鬍鬚。

土龍吳剛霍然而退，望著俞秀凡緩緩說道：「好劍法！」

俞秀凡冷冷說道：「如若四位有人要死，閣下是第一個人。」

吳剛苦笑一下，道：「我知道。」

俞秀凡目光一掠金星和金釣翁，道：「咱們打了近兩百招，不知諸位還有什麼高見？」

金星嘆息一聲，道：「我們談些什麼條件，也可以履行了。」

俞秀凡笑了一笑，道：「諸位準備怎樣履行條件？」

但聞忘情大師道：「阿彌陀佛！這一次不能算。」

俞秀凡微微一怔，道：「為什麼？」
忘情大師道：「老衲沒有出手。」
俞秀凡冷哼一聲，忖道：原來最陰險的人是你。
口中卻冷冷說道：「我們已打過兩百招，就算你沒有出手，那也該補足了。」
忘情大師道：「很大的不同。我們是四個人，不是一個人，老衲有老衲的修為。」
俞秀凡氣極而笑，道：「大師的意思是……」
忘情大師接道：「老衲的意思是，我沒有出手，雖然打了兩百招，但這兩百招不能算。」
俞秀凡嘆口氣，道：「大師！你是德高望重的高僧，在下實在想不到，你竟然是如此一個卑下的人。」
忘情大師道：「老衲能忘情，就能忘去人間的各種事物。」
俞秀凡道：「包括了信諾和禮義廉恥。」
忘情大師道：「不管你怎麼說，反正老衲認定了這場比試不能算，不論你怎麼說，也無法改變老衲的主意。」
俞秀凡長長吁一口氣，道：「好吧！忘情大師，你準備怎麼辦？」
忘情大師冷冷說道：「不算就是不算。咱們之間，也沒有什麼條件好談。」
俞秀凡苦笑一下，道：「我想總該有一個辦法。」
忘情大師道：「請教高明！」
俞秀凡道：「諸位如若死了，自然就不會攔阻在下。」
忘情大師道：「自然這是最好的辦法了。」

俞秀凡道：「大師，咱們兩個先來吧！你閣下剛才沒有出手，現在，咱們單打獨鬥，大師也可以施展了。」

忘情大師漠然一笑，道：「俞秀凡！老衲已經再三的說明了，我不會爲你言語所激，俞少俠！老衲已到了心如止水的境界，你閣下不用對老衲動任何心機了。」

俞秀凡道：「哦！大師果然是修養深厚，好叫在下佩服。不過，咱們之間，總要有一個結束的辦法，大師準備如何，自己說個辦法出來。」

忘情大師突然哈哈一笑，道：「金星道兄！對此事有何高見？」

金星道：「咱們是輸了。」

忘情大師道：「輸了應該如何？」

金星道：「咱們和俞秀凡早有了約定，但是否應該遵守，貧道無法作主，這要大師裁決了。」

忘情大師道：「講的四人合攻，但老衲沒有出手，這一場比試，自然是不能算了。」

金星道：「說得也是。」

金釣翁接道：「在下麼，也覺著大師的決定不錯。」

忘情大師道：「吳兄呢？」

土龍吳剛道：「在下麼，一向是聽從大師的決定。」

俞秀凡突然縱聲大笑，道：「大師！在下發現了一件事。」

忘情大師道：「你發現了什麼？」

俞秀凡道：「你們這四人之中，閣下似乎是一位領導人物。」

忘情大師道：「現在你才瞧出來，不覺著太晚了一些麼？」

俞秀凡冷冷說道：「不晚，而且，正是時間。如是一開始你大師就加入攻襲在下，也許在下可能已經傷在諸位手中了。可惜你自作聰明，竟然不肯出手，他們三人凌厲的攻勢，砥勵了在下的劍法。」

忘情大師愣在當地，半晌說不出一句話來。

俞秀凡道：「至少金星道長、金釣翁前輩，甚至土龍吳剛，都似乎是受著閣下的控制，他們雖然不滿你背信行爲，但卻不敢抗你之命。」

忘情大師淡淡一笑，道：「俞少俠！你知道的事情，似乎是愈來愈多了。」

俞秀凡冷笑道：「在下覺著，只要能把閣下除去，金星、金釣翁和土龍吳剛，似乎不至於再會以命相搏了。」

忘情大師笑了一笑，道：「俞少俠能在極短的時間，求得到如此的結果，這份聰明才智，好生叫老衲敬服。」

俞秀凡笑了一笑，道：「大師，我甚至相信，你如傷在了區區的劍下，我可能會早一些見到造化城主。」

目光一掠金釣翁、金星和吳剛，說道：「諸位！由現在開始，哪一位先對區區出手，哪一位就可能先做區區的劍下之鬼。」

金星、金釣翁相互望了一眼，默不作聲。

俞秀凡目光轉注到忘情大師的身上，冷冷接道：「大師！咱們該動手了。」右手一抬，擺出了一個劍式。

正是驚天三劍的第一式「驚天動地」。這劍式具有著無比的威勢，擺出之後，立刻有一股逼人的殺機。

忘情大師臉色微變，右手疾快地舉起了戒刀，左手拇指、食指，捏在一面飛鈸之上，道：「金星道兄、吳兄、金釣兄，三位可以出手了，這一次全力施襲，求得一擊成功。」

金星望望金釣翁，金釣翁望望吳剛，三個人都沒有出手。

忘情大師怒道：「三位聽到老衲的話了麼？」

金星道：「聽到了。」

忘情大師冷冷說道：「現在距離子時，不過幾個時辰，行血回集之苦，決非一個人的體能所可承受。」

金星道：「這個麼？貧道早已想好了。」

忘情大師道：「想好了什麼？」

金星道：「在下不會等到午夜時，就會自絕而死。」

忘情大師道：「金星道兄準備死了？」

金星道：「貧道想了很久，這些年來活得很窩囊，再這樣苟延殘喘的活下去，也是無味得很，那就不如死了的好。」

忘情大師的臉色很難看，緩緩說道：「金釣兄呢？」

金釣翁道：「這個麼，在下想了一想金星道兄的話，倒也十分有理。」

忘情大師道：「道兄既然如此說，老衲倒是不便再勸你了。」

俞秀凡擺出攻擊的劍勢，但聽他們的爭執激烈，也就忍下不出手，看著他們的爭執。

需知在幾人這樣的爭執之中，暴露了不少的內情隱密。聰明的俞秀凡，雖然已瞧出了不少的內情，但他一直隱忍著，不肯接言，以免對逐漸形成的自爭，轉移到自己的身上。

忘情大師情緒顯然有些激動，雙目閃動殺機，厲聲喝道：「金釣翁、吳剛！金星已然決定背叛造化城主，你們兩位是否也準備背叛造化城主呢？」

金釣翁道：「大師一定要問麼，老朽倒是和金星道兄，有著一樣的感受。」

忘情大師忽然間恢復了冷靜，哦了一聲，道：「吳剛！你也是一樣了？」

吳剛笑了一笑，道：「不錯。在下心中忽然間生出了很多的疑問，但不知大師能否爲在下解說一下？」

忘情大師道：「其實你不必多問，今夜子時之前，諸位都已經決定了要自絕而死，不過還有幾個時辰好活，就算你知道了很多的事，那又於事何補？」

吳剛似是想到很多的事情，高聲說道：「俞少俠！你們搏殺動手之前，可否延遲片刻？老朽先向忘情大師求證幾件事。」

俞秀凡心中已盤算好了，如若能夠把金釣翁、金星、吳剛等收爲己用，收獲之大，比殺忘情大師強勝百倍。是以，吳剛一提，俞秀凡立刻向後退了兩步，劍式也把攻勢改成了守勢。

他心中明白，面對著這位狡惡的強敵，任何一點疏忽，就可以造成很大的錯失，有性命的危險。

果然，俞秀凡在收劍後退時，忘情大師一直注意著俞秀凡是否留下了鬆懈的空隙，但俞秀凡小心謹慎，未露出一點空隙。

吳剛突然一橫身，擋在了俞秀凡和忘情大師之間，妙的是，他是面對著忘情大師，而且，戒備森嚴，卻把後背交給了俞秀凡。

忘情大師道：「吳兄，當心俞秀凡在你身後出劍。」

吳剛搖搖頭，道：「不會的。你剛才和我們交談時，神情激動，露出了不少破綻，俞秀凡卻一直沒有借機會向你出手。」

忘情大師接道：「也許那俞秀凡沒有看出來。」

吳剛道：「老朽能看得出來，俞秀凡豈有看不出的道理。經過這一陣觀察，老朽發覺了俞秀凡一直在遵行著江湖上的規矩，正正大大，不施暗襲，是一位很守分的君子人物。」

忘情大師道：「哦！吳兄就是想和老衲說這句話麼，我已經知道了。」

吳剛道：「咱們相處了二十年，和俞秀凡不過剛剛見面，而且，他還傷了我一條臂，我心中應該對他積恨甚深，但是此刻，我心中不但不恨他，反而覺著他是一個可以信賴的人。所以，我敢把後背對著他，而且全不戒備。因爲，我相信他絕對不會對我暗下毒手。」

忘情大師道：「你面對老衲，可是表示對老衲不信任了？」

吳剛道：「不敢相瞞，老朽麼，確實有這一點感覺。」

忘情大師道：「咱們相處了這麼多年，同行拒敵，朝夕相對，吳剛，現在你怎會對老衲生出此等之心？」

吳剛道：「那是因爲老朽一直沒有時間想過這件事。」

忘情大師道：「這麼多年，就沒有想過？」

吳剛道：「可悲的也就在此了。我們似乎每天只想著如何度過到子時之關口，過去之後，又醇酒美人的享用起來，日日只似有一天好活，實在很難抽出餘暇，想些別的事情。」

忘情大師冷哼一聲，道，「吳兄，老衲只要奉告你一件事情，死亡並不可怕，可怕的是那種難以忍受的痛苦。」

吳剛哈哈一笑，道：「這個，咱們不是已經告訴過大師了，毒性發作之前，咱們會自作了斷。」

忘情大師冷冷說道：「吳剛，識時務者爲俊傑，不論是俞秀凡也好，金釣翁和金星也好，他們都無法逃過造化城主的掌握，如若吳兄能夠及時悔悟，時猶未晚。」

吳剛突然一頓龍頭杖，厲聲喝道：「賊和尚！老朽現在明白了。」

卅四　重重險阻

忘情大師道：「你明白什麼？」

吳剛道：「真正受苦的，只是我和金星道兄、金釣兄，你和尚沒有吃到一點苦。」

忘情大師道：「咱們四大從衛人人都是一樣，老衲亦無特異之處。」

吳剛冷笑一聲，道：「賊和尚！咱們幸得遇上了俞少俠，要不然咱們死也是個糊塗鬼。」

目光一掠金星和金釣翁，接道：「兩位！咱們既然決心死了，臨死之前，何不做一件心中高興的事！」

金星道：「什麼事，能使咱們心中高興？」

吳剛道：「這些年來，咱們受盡了忘情這賊和尚的欺騙，如今咱們既然明白了這件事，何不痛痛快快地和這賊和尚打上一架，也可以節省一下俞少俠的體力。」

金星回顧了金釣翁一眼，道：「金釣兄！有何高見？」

金釣翁道：「咱們相處了很多年，一旦反臉，就要動手，豈不是太失義氣麼？」

吳剛道：「和這賊和尚還講的什麼道義？」

只聽忘情大師冷笑一聲，道：「找死！」左手一揮，一片鈸光，疾飛而至。

雙方的距離既近，那忘情大師的銅鈸，又突如其來，快如閃電，以吳剛武功之高，竟然也無法避開那急如星火的一鈸。但見金光一閃，鮮血迸濺，吳剛一條右臂，生生被斬落下來。

飛鈸斬斷了吳剛一條手臂之後，借一股旋轉之力，突然打了一個轉，又飛回到忘情大師的手中。

金星突出一指，點了吳剛一處穴道，停止流血，冷冷說道：「好厲害的飛鈸。」

忘情大師冷笑一聲，道：「這不過讓他長點見識，也讓你知道，吳剛不過名符其實的是一條土龍，並不能騰雲駕霧。」

金星冷笑一聲，道：「大師和我們相處了很多年，雖然我們每日憂慮子時毒發之苦，無暇多想別的事情，但這些年的相處，咱們對大師的武功，總該有些了解。」

忘情大師冷冷說道：「三位都已決心背叛城主，要老衲如何向城主交代？」

金釣翁冷哼一聲，道：「看來，吳剛沒有說錯。表面上，你和咱們一樣，是造化城主四衛之首，其實，你受著強過我們十倍的優遇，我們不過是造化城主手中的一個小卒，你卻是他的心腹大將。」

忘情大師接道：「老衲既然是四衛之首，就算稍受一些優遇，那也是應該的了。」

金釣翁道：「造化城主是不是借你之手，在咱們身上動的手腳？」

忘情大師淡淡一笑，道：「金釣翁！你真的想知道麼？」

金釣翁道：「不錯。事至如今，你如還有一點人性，就該實話實說。」

忘情大師道：「好吧！老衲告訴各位，三位進入造化門下，都是由老衲一手設計，自然，也是老衲在三位身上動的手腳。」

金星道：「過去你那些傷發之苦，也是裝作的了？」

忘情大師道：「不錯。」

金星道：「看來，咱們還不如吳剛，他似乎比咱們早一點想通此事。」

忘情大師淡淡一笑，道：「現在時猶未晚，兩位何不出手一試？」

原來，忘情大師狡猾異常，感覺俞秀凡的劍法非凡，一旦出手，必極凌厲，倒希望能先和金星、金釣翁等動手一戰，或許可以拖延一些時間。

這等窩裏反，自相殘殺的事，想那俞秀凡，絕對不會出手干預了。

果然，金星已忍耐不住，長劍平舉，護住前胸，道：「貧道先來領教。」

金釣翁道：「咱們一向對敵，都是合圍而上，早爲武林同道不齒，也不用顧及什麼了，在下和道兄聯手。」

俞秀凡冷眼旁觀，心中念頭不停地轉動，不知是否應該插手。

眼看吳剛的斷臂之痛，金星、金釣翁都早已有了戒心，兩人在說話之時，早已溝通了彼此的心意，立刻聯袂而上，金星長劍一振，寒芒閃動，直奔忘情大師前胸。金釣翁手中的魚竿同時以迅雷驟雨之勢，攻了過去。

忘情大師右手戒刀一揮，劃出一道銀虹，但聞一陣金鐵交鳴，金星、金釣翁的長劍、魚竿，盡被戒刀封開。

金釣翁冷冷說道：「大師，閣下這一刀，力量很雄渾，但不見得就能勝了老夫。」魚竿揮動，連攻三竿。

忘情大師戒刀幻起了一片護身的銀虹，一片噹噹聲中，封開三竿。

原來，情緒十分激動的忘情大師，經過這一陣交手之後，卻突然間，變得十分平靜。

金釣翁攻出三竿之後，橫竿待敵。但忘情大師卻肅然而立，停手不攻。

金釣翁冷冷說道：「你怎麼不出手？」

忘情大師淡淡一笑，道：「老衲忽然想到，咱們相處數年之情，如若真的以命相搏，豈不是太過分麼？」

一直沒有說話的俞秀凡，此刻卻突然開口說道：「老前輩！他是在拖延時間，如若諸位肯給晚輩一個機會……」

金星接道：「你要什麼機會？」

俞秀凡道：「對付這位身披佛門袈裟，胸藏蛇蠍心腸的假和尚。」

忘情大師臉色一變，道：「俞秀凡！你說什麼？」

金釣翁、金星相互望了一眼，退後兩步。兩人行動的用心，顯然是同意了俞秀凡的要求。

俞秀凡捧劍一禮，道：「多謝兩位老前輩！」

金星道：「貧道慚愧得很，俞少俠如此客氣，真叫我等無地自容了。」

俞秀凡慢條斯理地把目光抬注到忘情大師身上，道：「我說你是假和尚，因爲如若你真是佛門弟子，你就該有佛門弟子的心腸，可惜你沒有。」

忘情大師突然長嘆一聲，道：「俞少俠，老衲亦有苦衷，俞少俠是否要聽一聽呢？」

俞秀凡哈哈一笑，道：「大師，就憑你這份做作之情，忽喜忽怒，在下也無法相信你了。」

忘情大師一皺眉頭，道：「俞少俠，人是一張臉，樹是一張皮，你這樣羞辱老柄，老衲只有放手和你一拚了。」

但見金芒一閃，忘情大師突然發出了一面飛鈸。金光如輪，撲面而至。這一擊迅如電光石火，而且距離不過數尺。

無名氏、石生山，連同那金釣翁和金星都失聲而叫。

俞秀凡突然間舉起長劍，快速得就像那忘情大師發出的飛鈸一樣。

飛鈸吃長劍一擋，響起了一陣刺耳的金鐵之聲，斜斜向一旁飛去。忘情大師大約自己也明白，自己這一鈸，無法傷得對方，第一鈸發出後，第二鈸連續發出。

俞秀凡的劍勢，快的不可思議，忘情的飛鈸還未出手，俞秀凡長劍挾一寒芒，已然襲到。只見血光一閃，忘情大師左手中、食、無名三指，已被削斷。

鮮血和斷指，跌落地上。但忘情大師內力已然推動了銅鈸，銅鈸和斷指，一齊脫離了手腕。

飛鈸向下沉落半尺，突然向下旋轉起來，斬向了俞秀凡的雙腿。金釣翁早已全神戒備，右手疾揮，藏在釣竿中的魚鉤，突然飛了出來，噹的一聲，擊在了銅鈸之上。

那魚鉤雖是細小之物，但在金釣翁的強大內力之下，力道甚強，一撞之勢，硬把飛鈸擊出半尺。飛鈸旋轉著由俞秀凡的身側掠過，劃開了俞秀凡左腿褲管。如若不是金釣翁適時的一擊，俞秀凡一條腿，勢必要被生生斬做兩段。

這不過是一瞬間的工夫，俞秀凡已然疾翻而起，劍尖指向忘情大師前胸，寒光搖顫，劍光撥開忘情大師前胸的袈裟，露出來一片細皮白肉。

俞秀凡突然發覺了一件事，那就是這和尚身上的肌膚，和他臉上以及手上的肌膚，有著很大的不同，不禁一皺眉頭，道：「你是什麼人？」

忘情大師感覺著那劍尖上發出的強烈劍氣，直似要裂肌而入。面對著生死時，忘情大師神情間，忽然流現出畏懼之色，道：「俞秀凡，我如不是忘情大師，我是什麼人呢？」

俞秀凡道：「這個麼，要你自己說了。」

忘情大師道：「這是一件很大的隱密，也是一椿很長的故事，但不知俞少俠是否願意聽下去。」

俞秀凡心中雖然急於知道內情，但口中卻冷厲地說道：「這件隱密，咱們能否知道，並非是一件很重要的事。」

金星、金釣翁兩人，四道目光，全都投注在忘情大師臉上，神情間是一片奇異神色。

忘情大師突然一閉雙目，道：「如是俞少俠不願知曉內情，那也用不著留下老衲的性命了，希望你能給老衲一個痛快。」

金星嘆息道：「咱們被騙了這麼多年，一直錯把馮京當馬涼，原來你不是忘情大師。」

金釣翁道：「咱們早該知道的。那忘情大師乃是出身於少林寺的高僧，怎會如此的沒有骨氣。只是，如若他不是忘情，他怎會有這樣的武功，又怎能發出閃電一般的飛鈸？」

金星道：「也許忘情大師，早就被他們囚禁了起來，逼他交出了武功和飛鈸手法。」

忘情大師道：「個中玄機變化，豈是你們能測想得出來的？」

俞秀凡突然一送長劍，劍尖刺入了忘情大師的肌膚之中，一縷鮮血，順長劍滴了下來，道：「不論個中有多少變化，但你的性命只有一條。」

忘情大師嗯了一聲，道：「看來，老衲是非死不可了。」

俞秀凡接道：「你還有活命機會，那就要看你願不願活了。」
忘情大師道：「老衲如何才能活得下去？」
俞秀凡道：「簡單的很，只要你告訴我造化城主是誰，我就可以放了你，而且，讓你離開。」
忘情大師道：「說出他的姓名麼？」
俞秀凡道：「最好除了他的姓名之外，再說出他的形貌。」
忘情大師沉吟了一陣，道：「沒有人能知道造化城主是什麼樣子，也沒有人知道造化城主的出身。」
俞秀凡哦了一聲，道：「金星道長，忘情大師說的是真是假？」
金星道：「就貧道所見而言，那造化城主只是文雅仁慈的長者。」
俞秀凡一皺眉，道：「文雅仁慈的長者？有多大年紀了？是不是鬚髮皆白？」
金星道：「沒有。他鬚髮如漆，看上去只不過五十左右的年紀，但卻有一種仁慈長者之風。」
俞秀凡道：「果然是化身萬千，叫人難測高深。」
忘情大師道：「他們見到的，只是造化城主的一面，在下見到的造化城主，有兩種形貌。一種是文雅仁慈的長者，一種是威嚴冷酷的至尊，一舉手，一投足，都帶著無與倫比的力道，使人震服，不敢抗命。」
俞秀凡道：「一個人就算精通易容之術，也不能把他的神韻和身形完全改變。」
忘情大師道：「一個人自然是不可能，如若是兩個完全不同的人呢？」

俞秀凡呆了一呆，道：「這麼說來，那造化城主，根本就不是一個人了？」

忘情大師道：

「情況的複雜，也就在此了，任何一個接近過造化城主的人，都不能確定他的身分，巧妙的易容術，再加上虛虛實實的變化，叫人眼花撩亂，無法分辨。總之，老衲言盡於此，是放是殺，悉憑尊便了。」

俞秀凡道：「我還要問你一件事？」

忘情大師道：「問一件和十件，並無不同，俞少俠請問吧！」

俞秀凡道：「你不是忘情大師？」

忘情大師道：「是！真正的忘情大師。」

俞秀凡道：「一個人身體上的膚色，和手臉的膚色，縱有差別，也應該不會太大，但你卻判若兩人，這又做何解說？」

忘情大師道：「我替造化城建了不少的功勳，已登傳授脫胎神功的名次，你看到我身上膚色，和手臉之上有著很大的不同，正是脫胎神功的成就。」

俞秀凡道：「世上還有這樣的奇功？當真是聞所未聞的事了。大師可否說得更明白一些？」

忘情大師道：

「少林寺有伐毛洗髓的神功，也可以使一個人返老還童，或至少也可以長駐青春。但這脫胎神功，卻是更進一步的神功，有如蛇之脫皮，一種內爲的修練之法，加上藥物的神奇效力，不但可以使一個人整個的肌膚變色，而且連內腑五臟，都有了強烈的增強……」

「膚色先由身上變起，漸及雙手、頭臉，不過，到了兩手脫皮變色，就要坐關靜修，百日功行圓滿，出關之後，那就完全變了一個人。」

俞秀凡道：「變成什麼樣子的人？」

忘情大師道：「看天分，也看機緣。如是天分深厚的人，可能變成了一個二十三、四的少年，天分差一些的，會變成一個三十四、五的人。總之，那是生命的再生，軀體的蛻變。」

俞秀凡道：「不可思議啊！」

忘情大師道：「你深入了造化城之後，就可遇上這樣的奇事，一個年輕的後生，卻有著深厚異常的功力。」

俞秀凡道：「這麼說來，那造化城主，真有功參造化之能？」

忘情大師道：「這個，老衲無法答覆。不過，老衲練這脫胎神功，並無不適之感，而且，三年有成，把自己全身的肌膚，練成了細皮白肉。」

俞秀凡嘆口氣，道：「大師，希望你說的很真實。」

長劍揮動，挑斷他繫著飛鈸的繩索，道：「放下你手中的戒刀，你可以去了。」

忘情大師丟了手中戒刀，嘆息一聲，道：「老了！豪氣盡消，對死亡竟是如此的恐懼。」

俞秀凡淡淡一笑，道：「因爲你心中有鬼，你想練成了脫胎神功之後，恢復一個翩翩少年，所以，你甘願爲人所用，爲人效命，不惜把一世的英名，盡付流水。」

忘情大師點點頭，道：「也許你說的有理。」

俞秀凡一揮手，道：「你去吧！希望你真能練成脫胎神功，也好讓我們長一番見識。」

吳剛突然高聲喝道：「賊和尚！給我站住！你斬下我一條手臂，應該如何？」

忘情大師道：「你準備要老衲如何？」
吳剛道：「我也要斬下你一條手臂。」
忘情大師道：「可以。吳兄如是一定要出手，那就不妨試試了！」
吳剛神情激動，掙扎著準備出手。
金星長劍一伸，攔住了吳剛，道：「吳兄，你身受重傷，如何會是他的敵手？」
吳剛道：「咱們今夜子時之前，都要自絕而死，是麼？」
金星道：「不錯。」
吳剛道：「咱們最多也不過有幾個時辰好活，與其等到毒發而死，何不死個轟轟烈烈，就算戰死於賊和尚的飛鈸、戒刀之下，也好消去胸中一口悶氣。」
金星長嘆一聲，道：「咱們只有幾個時辰好活，自然要珍惜這僅存的生命，咱們也應該去找真正的罪魁禍首。」
吳剛道：「找誰？」
金星道：「造化城主。」
吳剛道：「咱們常見的那位文雅仁慈的長者？」
只聽一陣慈和的笑聲，傳了過來，道：「什麼事使諸位心中，對我有著如此深重的記恨？」
抬頭看去，只見一個紫袍、白髯，慈目修長，帶著一身瀟灑氣度的文雅長者，緩步行了過來。
儘管金星等對這人早已充滿著恨意，但一旦看到這紫袍老者時，仍然有著極大的震動。

金星、金釣翁相互望了一眼，金星道：「貧道心中對閣下確然有著很大的記恨。」
紫袍老人淡淡一笑，道：「兩位對在下如何會有如此深重的仇恨？」
金星道：「你來得正好，咱們也正想找你問個明白，你閣下是不是造化城主？」
紫袍人微微一笑，道：「你看呢？諸位追隨我二十年了，應該對我已經有個認識了，是麼？」
金星道：「如是貧道沒有看錯，你應該不是造化城主。」
紫袍人道：「我不是造化城主，又是什麼人呢？」
金星道：「所謂造化城主，也不是一個人。」
紫袍人接道：「閣下之意，可是說，在下也是幾個造化城主之一了。」
金星道：「不錯。」
紫袍人笑了一笑，道：「就算在下是替身之一，諸位又準備如何呢？」
金星道：「咱們這些年來，一直在閣下的控制下，受盡了屈辱，爲你們賣命，對人們做了不少的壞事。」
紫袍人道：「道長的意思是……」
金星接道：「咱們受了很多年的窩囊氣，但卻一直有些糊糊塗塗的不明所以，現在，咱們遇上了俞少俠，經他這麼一點撥，咱們有如撥開雲霧重見青天。」
紫袍人道：「你現在的打算呢？」
金星道：「咱們想殺了你，想來你閣下決不會束手待縛了！」
紫袍人道：「只有你一個人麼？」

金釣翁一挺胸，道：「在下也算一份。」

吳剛道：「還有吳某人。」

紫袍人道：「三位一齊上麼？」

俞秀凡突然接口說：「用不著，在下和閣下，一對一的搏殺一陣如何？」

紫袍人目光轉注俞秀凡的臉上，緩緩說道：「可以，不過，在下不喜刀來劍往的搏殺，咱們變一個花樣，比拚勝負如何？」

俞秀凡道：「哦！說說看！」

紫袍人道：「用你的劍，在下先斬下一條手臂，閣下也斬下一條手臂，如是雙方平了，咱們割耳、挖目，一直到比出勝負爲止。俞少俠，你認爲這個比試方法如何？」

俞秀凡道：「很新奇，不過，身體髮膚，受之父母，如是被人殘殺，那是沒有法子的事，自殘軀體，那就愧對父母了。」

紫袍人笑了一笑，道：「看來，你讀了不少的書，才能說出這樣似是而非的堂皇道理。」

俞秀凡道：「閣下能否解說得清楚一些？」

紫衣人道：「俞少俠，如若有惜愛受之父母的身軀，就不該歷險江湖，到造化城來。既敢進入造化城，想來，定已把生死置之度外，一個人如若連死都不怕了，還愛惜什麼身軀？」

俞秀凡淡然一笑，道：「造化城能有今天這樣一個局面，果然有著不少的人才，閣下這份辯才不錯，可惜的是，俞某人不是輕易受激上當的人。」

語聲微微一頓，接道：「在下進入了造化城，誠然是抱有必死之心，但我要憑仗自己的藝業，和劍道上的成就，爲武林同道，爭取一些武林正義。」

紫袍人道：「俞少俠，對自己在劍道上的成就很自負了？」

俞秀凡道：「談不上自負，不過，在下倒是有一份鬥鬥造化城主的勇氣。」

紫袍人道：「閣下可知道我是誰麼？」

俞秀凡道：「在這樣的情景之下，在下相信，還無法見到造化城主。閣下，至多不過是造化城主的眾多化身之一罷了。」

紫袍人未置可否的笑了一笑，道：「照俞少俠的算法，如何才能見到造化城主？」

俞秀凡道：「在下是笨辦法，造化城主的替身死完了，他總可以現身了。」

紫袍人點點頭，道：「看來咱們這一戰是無法避免了。不過，請俞少俠給在下片刻時光，讓在下先辦一點本門私事。」

俞秀凡道：「希望越快越好。」

紫袍人道：「快得很，一盞熱茶工夫如何？」

俞秀凡點點頭，道：「好吧！不過，閣下不能離開。」

紫袍人道：「未和你分出勝負之前，在下不離開這座大廳，但在下處理本門私事，也希望你俞少俠不要插手。」

目光轉注到忘情大師的身上，接道：「你一向被城主視做心腹，但你臨陣棄刀，又洩露了本門不少的隱密，你自己說，該當何罪？」

忘情大師望望俞秀凡，又望望那紫袍人，道：「老衲就算犯了什麼戒規，似乎也用不著由閣下問罪。」

紫袍人冷冷說道：「你好大的膽子，可是覺著我無法處置你麼？」

忘情大師右手一招，一股吸力，把棄置在地上的戒刀，重又取回手中。

紫袍人搖搖頭，道：「忘情，你何止忘情，簡直是忘了自己的身分了！」雙手互搓了一下，推出了一掌。

忘情大師手中的戒刀疾揮，迎面劈下。

紫袍人視那迎面落下的百煉精鋼，直如朽木頑鐵，輕輕一伸右手中、食二指，竟然把迎面斬落的戒刀夾住。那紫袍人的動作，看上去，舉手揮掌，十分清楚，但卻極爲快速、俐落，右手夾住了忘情大師劈出的一刀，左手虛空點出一指。

俞秀凡冷眼旁觀，目睹那紫袍人雙指夾刀之舉，心中大感震駭。忖道：這一刀至少有數百斤的勁力，但那紫袍人竟然能輕輕二指夾住，這份功力，我是萬萬難及。

心念轉動之間，忽見忘情大師張嘴吐出了一口鮮血，全身抖動，五官扭曲，似乎是正在承受著無比的痛苦，他握刀的五指已鬆，那紫袍人也同時鬆開了夾刀的食、中二指。噹的一聲，戒刀又跌落在實地上。

忘情大師突然張大嘴巴，似是想說什麼，但他的舌頭已經僵直，無法發出清楚的聲音。

紫袍人冷然一笑，目光由忘情大師的身上，又轉到了金星的身上。

金星橫劍當胸，已然運集了全身的功力，隨時準備出手。

紫袍人笑了一笑，道：「金星，人貴自知，你自信比那忘情大師如何？」

金星道：「我不用和忘情大師作比，貧道只求在奮力一擊，能取了你的性命。」

紫袍人冷笑一聲，道：「你大概心中明白，你沒有這份能耐。」

金星道：「試試看吧！」

紫袍人右手突然一揮，擊向金星。

目睹那忘情大師的遭遇之後，俞秀凡早已留上了心，看得十分仔細。那紫袍人雖然武功詭異，但如說一掌能把忘情大師那等高手擊斃，實不可能，可見掌中定有古怪。

但聞蓬然一聲，忘情大師已然跌摔在實地之上。只見他臉色鐵青，嘴巴大張，全身蜷縮成一團，似乎是全身的肌肉都在開始收縮。

這些變化都發生在同一時間，那紫袍人掌力擊出的同時。金星的長劍，也以迅如雷奔的速度，刺向了紫袍人的前胸。

閃動的劍尖寒芒，就在將要接觸那紫袍人的前胸時，突然間停了下來，緊接著五指鬆開，長劍落地。好像是金星忽然間失去了控制自己的勁力，無法再握緊長劍。

俞秀凡心頭震動了一下，暗暗忖道：這是什麼掌功，如此厲害！

金星有如發了急病，其形狀就和忘情大師一樣，口中噴出鮮血，大張嘴巴，舌頭僵硬，說不出話。

紫袍人冷然一笑，目光又轉到金釣翁的身上，道：「閣下也要試試麼？」

金釣翁道：「我是否還有選擇的機會？」

紫袍人道：「當然有。要不然，我也不會出面對付你們。」

金釣翁道：「哦！」

紫袍人道：「我隱身在暗中，一樣也可操縱你們的生死。」

俞秀凡心中一動，暗道：好啊！原來，他們早在這些人身上動了手腳，那一掌只是引它發作而已。

但覺心中之疑，片刻間，得到了解答。但這些答案，有如劃空而過的一道閃光般，只那麼一閃而逝。

深一層想，俞秀凡又覺得茫然難解，這些人身上，究竟是毒藥，還是被一種特異的武功所傷，和自己動手相搏時，全無二狀，但那紫袍人揮掌一擊，竟然能引得它潛傷突發。

只聽那紫袍人冷冷說道：「金釣翁！你可以選擇了，在下無暇多等。」

又是一聲蓬然輕響，金星倒摔在地上。

金釣翁長長吁一口氣，道：「和閣下動手，那是難免一死，和俞秀凡動手，也難免死於他的劍下，橫豎我是死定了。」

紫袍人道：「那也是沒有法子的事了，你只有在兩種死法之中，選擇一個。」

突然間起了一股疾風，土龍吳剛，悄無聲息地突起發難，用頭做爲兵刃，直向紫袍人撞了過去。

這一下，大出人意料之外，急如流矢劃空。

但那紫袍人應變夠快，右手一揮，急推而出。

蓬然一聲輕震，那紫袍人的右掌，正拍在吳剛的頭上。血光迸冒，吳剛的腦袋被紫袍人一掌拍得粉碎，但吳剛猛衝之力，也把那紫袍人撞得向後退了三步。

這一下，看出了紫袍人的真實武功，也激得俞秀凡熱血沸騰。

橫跨一步，俞秀凡攔住了金釣翁的身前，冷冷說道：「時間到了。」

紫袍人笑了一笑，道：「還有一個金釣翁，請俞少俠再給我片刻工夫。」

俞秀凡道：「我很守信諾，最討厭不守信諾的人。」

紫袍人道：「哦！」

俞秀凡道：「這三位武林頂尖的高手，他們幫你殺了不少的人，尤其是忘情大師，雖是身難由己，但也罪不可恕。但他們死亡之前，忽然徹悟，這一點，倒叫在下有些替他們惋惜了。」

紫袍人道：「可惜的是，他們已經死了，人死了就一了百了，以你俞少俠之能，只怕也無法使他們復生了。」

俞秀凡道：「那是因為我給了你的承諾，如若我是個不守信諾的人，我相信可以阻止你殺死他們三個。自然，他們手沾血腥，滿身的罪惡，死的也是罪有應得了。」

紫袍人道：「這金釣翁和他們一樣，也是一手沾滿血腥。」

俞秀凡道：「他的運氣好。在下覺著對閣下承諾的時間已經到了。」

紫袍人道：「如是我覺著還不到呢？」

俞秀凡道：「大丈夫一言如山，那只是心理上的一點束縛，但求心之所安罷了。如是閣下強詞奪理，那就要拿出一些真實的本領了。」

紫袍人道：「哼！俞少俠，你認為你就能保全他麼？」

俞秀凡道：「也許不能。不過，至少他可以晚死一些。」

紫袍人道：「俞秀凡，你應該明白，金釣翁不死，你並非是多一個朋友，而是多了一個敵人。」

俞秀凡道：「這就不用閣下關心了。」

紫袍人臉色突然冷肅，道：「好！閣下請出手吧！」

俞秀凡手握劍把，道：「你亮兵刃吧！」

紫袍人道：「聽說你劍法很快，在下倒是想赤手空拳的見識、見識。」

俞秀凡冷冷說道：「閣下如此誇口，想必是身負絕技了。」

紫袍人道：「好說，好說，俞少俠再三要和兄弟動手，何不出手試試？」

俞秀凡點點頭，道：「閣下小心！」忽然一揮右腕，長劍疾如閃光一般，直劈了過去。

但見那紫袍人身如隨風飄絮一般，隨著那刺來的劍勢，忽然間向後飄開五尺。劍尖掠胸而過，劃開了紫袍人前胸的衣衫。

紫袍人臉色微變，道：「好快的劍法。」

俞秀凡道：「閣下能避開俞某人一劍，確也身手高明。」喝聲中，連攻三劍。

但見紫袍人雙手飛舞，兩道金光，由袖底飛了出來，一陣叮叮咚咚之聲，竟把俞秀凡的三劍擋開。

俞秀凡冷笑一聲，橫劍而立，道：「該閣下出手了。」

他連出四劍，未傷對方，心中也是暗暗震駭。自出道以來，俞秀凡第一次遇上了這樣的敵手。

紫袍人雖然封開了四劍，但也用盡了全身解數，對俞秀凡的快劍，也感到震駭莫名。

長長吁一口氣，紫袍人緩緩說道：「俞少俠，驚天劍法絕技尚未施展，在下恭候教益了。」

俞秀凡道：「既然如此，在下就恭敬不如從命了。」

展開了驚天劍法，攻了過去。劍光如長江大河一般，傾洩而下，綿綿密密，攻勢銳利至極。

那紫袍人雙手中突然多了兩把金色的短劍，左飛右舞，竟然封住了俞秀凡的攻勢。

自學劍以來，俞秀凡第一次遇上單打獨鬥的勁敵，不禁激起了爭勝之心，提聚真氣，全力施為。

百回合之後，劍光擴及到一丈開外，無名氏、石生山等，都感覺到冷厲的劍風侵肌。

金釣翁手執金釣竿，全神貫注在兩人的搏殺之上，等待最有利的一擊。

忽然間，俞秀凡發出了一聲長嘯，手中的劍法忽然一變。但見劍氣籠收，散布的劍光，凝聚成一道冷芒，直捲過去。一陣金鐵交鳴之後，雙方又恢復了對峙之勢。

那紫袍人身上一件長衫，被劃了數道裂口，鮮血由裂口中滲了出來。顯然，那紫袍人不但被劃破了衣衫，而且傷及肌膚。

俞秀凡臉上也見了汗水。這一仗，他似是用出了全力。

緩緩吁一口氣，俞秀凡道：「閣下還不認輸麼？」

紫袍人道：「俞少俠劍氣逼人，不過，在下還有再戰之能。」

忽然間，雙手齊揮，兩把金劍脫手而出，分襲俞秀凡前胸、咽喉。

俞秀凡右手疾舉，身子微側，避過了咽喉要害，但他兼顧攻敵，已無法避開前胸的金劍。匆忙間，一側身，金劍唰的一聲，掠過前胸，劃破了衣衫，也劃破了前胸的肌膚。鮮血泉湧，流了出來。

但俞秀凡卻有機會刺出了一劍。這一劍快如閃電，由那紫袍人的前胸，洞穿到後背。鮮血由前胸至後背，兩面噴出。

紫袍人臉色慘白，緩緩說道：「俞秀凡，你的劍法很快。」

俞秀凡冷笑一聲，接道：「閣下這一招偷襲，也很凌厲。」

紫袍人五官扭曲，泛起一個痛苦的笑容，道：「多謝誇獎，我只是一個……」是一個什麼，他沒有說出口來。吐出一口鮮血，倒地而逝。

俞秀凡望望那紫袍人的身體，黯然嘆息一聲，道：「這一劍，如能偏一些，我們就可以多得到不少內情。」

金釣翁行前兩步，伸手取出一包金創藥，道：「造化城主的金創藥，俞少俠要不要用？」

無名氏接道：「藥中有毒麼？」

金釣翁道：「不知道。不過，在下用過兩次，止血生肌，極具神效。」

俞秀凡道：「金創藥，不會含毒。」

金釣翁打開金創藥，替俞秀凡敷上、包好。道：「俞少俠，老朽還有幾個時辰的性命，不知有什麼可為效勞之處？」

俞秀凡道：「好說，好說。老前輩只有幾個時辰的性命了，應該十分珍惜，老前輩想幹什麼，悉聽尊便了。」

金釣翁笑道：「我糊塗了二十年，現在應該做幾件清醒的事了。」

俞秀凡道：「老前輩準備做什麼？」

金釣翁道：「老朽先把自己所知的造化城形勢，告訴俞少俠。」

俞秀凡道：「老前輩，這是我們最希望知道的事情，不過你只有……」

金釣翁接道：「我只有幾個時辰好活了，至少應該活得正正大大，清清白白，對麼？」

無名氏接道：「老前輩，可否告訴咱們，那是一種什麼樣的痛苦，竟然叫人想而生畏，懇求自絕。」

金釣翁道：「凡是人，都不可能忍受那種痛苦，那是一種無法形容出來的痛苦，像萬千隻毒蟻，在經脈爬行，像千百支鋼針，在內腑刺挑。痛得人全身冷汗淋漓，但這倒可以忍受，最難忍受的，是那一股怪癢，癢得人心神皆懍。」

俞秀凡嘆口氣，接道：「老前輩既已爲他們所用，難道還要承受那些痛苦麼？」

金釣翁道：「造化城主的厲害，就在折磨一個人時，折磨得叫你由心中害怕，征服一個人時，不但要征服你的軀體，而且要征服你的靈性。」

俞秀凡道：「這人才具之高，設計之密，化身之多，實已到了叫人疑幻疑真的境界，想一想，實是可怕極了。」

金釣翁道：「開始讓我受的痛苦時間很短促，只不過片刻工夫，但歡娛卻是很長的時間。以後，只讓我們發作一下，然後，再連那份發作的時間也完全減去。不過，也並非完全沒有一點警告，每隔上十天、八天，再讓我們發作片刻，不過那時間極爲短促，剛一發作，立刻就好。」

俞秀凡道：「英雄只怕病來磨，這等征服人的手段，的確高明。」

俞秀凡道：「老前輩，你究竟見過了造化城主沒有？」

金釣翁道：「十幾年的時間，我想我們一定見過他。」

俞秀凡道：「你對造化城主，有多少了解？」

金釣翁道：「俞少俠，談不到了解，因爲我根本無法確知誰是造化城主。」

沉吟了良久，接道：「不過，我真的見過他，如若有什麼化身和他坐在一起，我能夠分辨出誰是真的造化城主。」

俞秀凡道：「老前輩如何一個分辨法呢？」

金釣翁道：「我無法說出仔細的內情，那只是一種感覺。」

俞秀凡道：「我明白了。多謝老前輩的指點。」

金釣翁道：「俞少俠，老朽還有幾個時辰好活，但不知現在應該幹些什麼？」

俞秀凡道：「這個麼，我看不用了。老前輩這幾個時辰，應該好好的休息一下。」

金釣翁接道：「俞少俠，他們三位死得很慘，但他們死得一點也不可惜。他們做的惡，和我一樣多，俞少俠如是覺著我老頭沒有用處，老頭就立刻自絕而死。如是覺著我老頭還有點用處，那就指派我一點事做。」

俞秀凡笑了一笑，道：「老前輩如此吩咐，在下就恭敬不如從命了。」

語聲一頓，接道：「目下最重大的一件事，就是要想法子找出那位造化城主。」

金釣翁道：「不容易，俞少俠，除非他自願見你，咱們沒有法子把他逼出來。」

俞秀凡低聲道：「老前輩，他那四大從婢在造化城中的地位如何？」

金釣翁道：「她們雖是丫頭身分，但她們在造化城的地位，卻是十分崇高。老實說，就算我們號稱近身四衛的人，也未必比那四大從婢的身分高些。」

俞秀凡點點頭，道：「她們在劍道上的成就，決不在四位之下。」

金釣翁道：「這個老朽也有同感。」

俞秀凡道：「老前輩，你們號稱近身四衛，想來是應該經常和造化城主守在一起，請你想想看，所謂造化城主，是不是集很多高手的代名？」
金釣翁道：「這個，確叫人有這樣的懷疑。不過，老朽思及此情，覺著有些不太可能。」
俞秀凡道：「爲什麼？」
金釣翁道：「這麼一個神秘的組合，這麼龐大的實力，那創辦之人，定然是雄才大略，陰險無比，豈容他人和他分權而治？」
俞秀凡點點頭，道：「老前輩和晚輩的淺見相同，造化城主，只有一個，其他的都不過是他的化身罷了。」
金釣翁道：「不同的是，他要求的化身，並非是完全相同。而是在不同場合，他以不同的化身出現。這一來，某些不同相處的人物，對那造化城主，都有不同印象。我們這些近身侍衛，表面上更接近他，事實上，卻是眼花撩亂，無法確定我們保護的人，是不是造化城主。」
俞秀凡道：「任他心機精密，化身千百，但這個地方，定是他的安身之處。發號施令的中心地位。」
金釣翁道：「是的。」
俞秀凡道：「只要咱們能深入腹地，定可見到他了。」
金釣翁道：「應該如此。」
俞秀凡道：「老前輩是否願意和咱們合力衝入內府，逼他現身？」
金釣翁道：「但有所命，老朽無不遵從。」
俞秀凡道：「老前輩，可否先把裏面的內情告訴我們？」
金釣翁呆了一呆，道：「這個，老朽知道的有限。這座大廳屏風之後，有一道門戶，向後通去，每一個轉彎之處，就有一座宅院，我們四人，合住在一座宅院之內。自然，那裏布置得十分豪華，各具數室，就在那裏，我們過著醇酒美人的生活，忘去了自我。」

俞秀凡道：「後面，你們就沒有去過麼？」

金釣翁道：「沒有。」

俞秀凡道：「好！那咱們就換個法子。」

輕輕吁一口氣，俞秀凡低聲接道：「老前輩，那裏面可有什麼機關麼？」

金釣翁道：「這些年來，老朽從未見過他們用過什麼機關埋伏。」

俞秀凡道：「走！不入虎穴，焉得虎子。」舉步向前行去。

金釣翁道：「老朽帶路。」

搶在俞秀凡前面，向前走去。他手執金釣竿，抬頭挺胸，一副視死如歸的豪壯氣勢。

屏風後果然有一道門戶，而且是可容三個人並肩而過的大門戶。目力可及到七丈之處，有一座攔住去路的宅院。

金釣翁指著這座宅院，道：「就是那一座宅院，是我們四人的宿住之處。」

俞秀凡道：「可有穿宅而過的甬道？」

金釣翁道：「有一條折轉的去路，繞過那座宅院向後通去，但巧妙的建築，卻使人有著到此爲止的感覺。」

俞秀凡長長吁一口氣，道：「老前輩到過那宅院後面的甬道去過麼？」

金釣翁道：「沒有，甬道折轉五尺處，有一道鐵門，封閉了甬道。那鐵門十分堅牢，由裏面關著，除非裏面的人願意打開，外面的人無法打開鐵門。」

俞秀凡道：「咱們瞧瞧去吧！」

金釣翁當先帶路，行入宅院之中。這座宅院佔地不大，一道青石圍牆，把宅院完全圍了起來，裏面分成一座小廳，四個房間，房間不大，但卻都十分精巧。

卅五　誤陷羅網

金釣翁帶幾人繞過小廳後面，果然有一條向後通行的甬道。一道鐵門。橫阻去路。

俞秀凡抬頭看去，只見兩側的圍牆，高約一丈五尺，那鐵門的高度，恰與圍牆相齊。

無名氏低聲說道：「這鐵門不算太高，在下上去瞧瞧。」

一提氣，呼地一聲，騰躍而起，落在鐵門之上。無名氏江湖經驗豐富，雙足一搭上鐵門，身子疾向一側斜臥。目光轉動，打量了四周的景物一眼。

只見圍牆外面，緊鄰峭壁，一眼望去深不見底，鐵門後是一條八尺寬窄的甬道，在兩道圍牆夾峙之下，向裏面蜿蜒而去。真是不登山牆不知牆外的凶險，如是沒有兩道青石砌成的堅牢圍牆相護，單是這一道險徑，就叫人有著驚心動魄的感覺。不見有暗器襲來，無名氏才緩緩挺直身子，向鐵門裏望去。

只見數十隻閃動的金睛，瞪著望向鐵門上的無名氏。夕陽下，看得清楚，那竟是十幾隻金錢豹。輕輕吁一口氣，無名氏倒翻而下。

金釣翁久居此地十餘年，但卻一直未向鐵門裏面瞧過，好奇之心，更勝他人，忍不住問道：「可有什麼埋伏？」

無名氏道：「十幾隻豹。」

俞秀凡道：「豹？」

無名氏道：「是的。最凶狠的一種金錢豹，真不知牠們如何能養在一起，這種凶獸，最不合群，向是獨來獨往，十幾隻散布於鐵門之內，竟然互不侵犯。」

俞秀凡道：「幾頭猛獸，也能攔住咱們麼？」

無名氏道：「如是地方廣闊一些，咱們自然不怕，但那甬道太狹窄，兩面的圍牆之外，都是深不見底的絕壑。」

金釣翁道：「無名氏兄，那一條甬道，有多長？」

無名氏道：「約估有十五、六丈的距離，甬道隨著山勢向右彎去。」

金釣翁道：「有沒有人？」

無名氏道：「沒有。」

金釣翁道：「老朽當年在深山大澤之中走動，有著對付金錢豹的經驗，我先過去。」

俞秀凡道：「老前輩既是如此說，咱們恭敬不如從命了。」

金釣翁飛身一躍，超過鐵門。俞秀凡、無名氏、石生山幾乎同一時間，飛身而起，越過鐵門。四個人，也就不過先後之差，落在實地之上。

俞秀凡目光轉動，果見十三隻生著灰、黑花紋的金錢豹，瞪著二十六隻大眼睛，凝注著四人，前腿半伏，擺著一副攻襲的姿態。

金釣翁道：「俞少俠，這十幾頭豹，都受過嚴格訓練，才不會立時向人攻襲。」

俞秀凡道：「牠們似乎是在等著什麼？」

金釣翁道：「攻襲咱們的令諭。」

俞秀凡道：「那是說暗中仍然有指揮牠們的人了。」

金釣翁道：「就算沒有人在暗中指揮這群猛獸，牠們也練過攻襲人的方法，似乎是要選擇有利的時機，合群而攻。」

俞秀凡道：「這甬道寬不過八尺，咱們如是站在一排拒擋獸群攻襲，只怕施展不開。」

金釣翁道：「哪一位有對付猛獸的經驗，和老朽站在前排。」

無名氏踏上一步，道：「我來。」

石生山和俞秀凡站在後排，前後兩排，相距約七尺遠。

十三隻金錢豹，仍然靜伏未動，既未向人攻襲，也未發出吼聲。

金釣翁目光轉動，看俞秀凡等已擺出了迎擊之陣，立時大喝一聲，金釣竿一揮，擊了出去。

一只金鈎，疾飛而出，直擊向兩丈外一隻巨豹頭頂。那些豹群，似已通靈，眼看金釣翁一竿擊出，立時厲吼一聲，飛撲而上。三隻花豹，並排而出，帶著一股腥風，閃電而至。

金釣竿飛鈎，已到了出神入化之境，暗中運氣，貫注於繫鈎的銀線之上，飛出的金鈎，突然中途折向，波的一擊，擊在中間一頭花豹的左眼之上。

那金鈎不大，但在金釣翁的內力貫注之下，力道卻十分強勁。

但聞波的一聲，金鈎深入豹目，金釣翁右手一收，生生把花豹一隻左眼，給鈎了出來。花豹受創，張口怒吼，鮮血飛濺，反而加速了撲擊之勢，迎向金釣翁當頭落下。

金釣翁冷哼一聲，道：「畜牲找死！」金竿揮搖，斜裏擊出。順花豹向前飛撲之勢，借力用力，呼的一聲，硬把一頭花豹，摔出圍牆之外，帶著一陣淒厲的吼叫聲，摔落深谷。

無名氏手執一把單刀，平胸而舉，蓄勢戒備。

左面的一隻花豹，大張巨口，迎頭落下。將近無名氏身前時，忽然一伸前腿，露出了利牙，抓了下來。這就是「金豹露爪」，在武功上，也是一式很有名的招術。

無名氏霍然推出一刀，一片刀光，斬向雙爪。這花豹攻勢猛厲，但對無名氏這等高手，還構不成威脅，刀光過處，斬落下花豹兩條前腿。花豹受創，身子向下沉落，大口一合，咬向無名氏的腦袋。

這一下，變出意外，無名氏未想到這花豹在受傷之後，還能傷人。一時間，來不及舉刀封擊，只好向後退去。

幸好石生山疾衝兩步，一揮手中得自少林僧侶的一把戒刀，橫裏拍出。啪的一聲，擊中那花豹的腦袋。花豹吃石生山一刀拍出五尺，跌落在石地之上。

俞秀凡忽然間拔劍擊出，寒芒一閃，刺入了花豹的頭內。

三頭撲上來的花豹，片刻間全數死去。只聽幾聲豹吼，又是三隻花豹，撲了上來。

俞秀凡疾上兩步，長劍一揮，寒芒閃過，腰斬了一頭花豹。

金釣翁、無名氏，全部揮動兵刃擊出，又擊斃了另外兩頭花豹。

俞秀凡抬頭看去，只見另一批花豹身做撲擊之狀，但卻未立刻發動，似乎是在等待什麼。

金釣翁輕輕吁了一口氣，道：「俞少俠看出來了吧？」

俞秀凡道：「看出什麼？」

金釣翁道：「一直有人在暗中操縱這些花豹向人攻擊，這等野獸，卻無法做攻襲時機的選擇，只有人才會有此能力。」

俞秀凡道：「目力所及處，不見人影，也聽不到什麼聲音。」

金釣翁道：「可能是一種很輕微的聲音，也可能是咱們不注意的暗號，但一定有人在暗中主持。」

俞秀凡道：「老前輩的意思是，咱們先找出那操縱這些花豹的人？」

金釣翁道：「正是此意。不知俞少俠的高見如何？」

俞秀凡道：「這辦法不錯，但不知如何才能找出那個人？」

金釣翁雙目凝神，緩緩在群豹之中搜尋。

俞秀凡心中一動，低聲道：「老前輩，那人可是混在豹群之中？」

金釣翁道：「造化城主的機詐，叫人防不勝防，如若有一個人，披著豹皮，裝做成一頭花豹，豈不是很容易瞞過人的眼睛。」

俞秀凡道：「不錯，如是那人再裝出豹吼之聲，指揮群豹，那就更天衣無縫了。」

金釣翁道：「老朽也有同感，但不知俞少俠找出那人沒有？」

俞秀凡道：「慚愧！晚輩還未找出可疑目標，老前輩有何教我？」

金釣翁銳利的目光，凝注在三丈外一隻緊靠石壁的花豹身上，緩緩說道：「俞少俠，看到那隻花豹麼？」

俞秀凡道：「看到了，但晚輩看不出牠有什麼不同之處！」

金釣翁道：「虎豹屬於獸類，不會把身子那樣靠在石壁上。」

俞秀凡恍然大悟，覺著那頭花豹倚在石壁上的姿態，有些可疑。他目光過人，仔細觀察之下，發覺那隻花豹，不但姿勢可疑，而且目光也和其他的花豹不同。除此之外，全身都扮得維妙維肖，如非有經驗的人，決難看得出來。

輕輕吁一口氣，俞秀凡緩緩說道：「老前輩高明得很，那不是一頭花豹，那是一個人扮裝的。」

金釣翁淡淡一笑，道：「待老夫賞他一鈎。」

右手一揮，一道金芒，破空而出。日光下，但見金光閃了一閃，立時響起了一聲吼叫。那是人的慘叫，聲音淒厲，似是受了極重之傷。

金釣翁金釣竿一帶，收回金鈎，帶起了一股鮮血。那一股鮮血很細，但卻激射出一丈多高。只見那花豹前腿一震，一副豹皮由身上脫落了下來。豹皮退下，現出了個人來。

那人穿著黃色的勁裝，雙手按在前胸之上，鮮血由指縫透了出來。他五官扭曲，似在忍受著極大的痛苦，臉色猙獰，滿是恨意。

只見黃衣人向前奔跑了一陣，突然停了下來，倒在地上死去。

微微一怔，俞秀凡緩緩說道：「老前輩，這一鈎打在了什麼地方，如此厲害？」

金釣翁道：「鈎斷了他的心脈，我只對準了豹腹上面擊去，卻不料擊中了他的要害。」

那豹群失去了指揮的人，頓形星散局面，有不少竟然掉頭而去。

俞秀凡輕輕嘆息一聲，道：「對付凶人惡獸，只有一個辦法，那就是以殺止殺，以暴制暴。這些花豹，在猛獸中最為凶殘，但牠們似也知道死亡的可怕。」

金釣翁點點頭，道：

「這十多隻花豹，集於一處，就算是第一流武功的人，也難免心生畏懼。如是咱們適才稍有退縮行動，這些花豹，必前仆後繼的猛撲過來。老實說，這十多隻花豹如若是一擁而上，就算是咱們能夠應付下來，亦必要傷在花豹的利爪之下。」

俞秀凡略一忖思，道：「造化城中也是如此。只要咱們能一舉制服了造化城主和他一部分死士，這組織龐大的造化城，也可能在失去主宰人物之後，風消雲散。」

金釣翁道：「俞少俠語含禪機，發人深省。但咱們不用再談下去了，揣測無補於事，何不闖進去瞧瞧！」

俞秀凡道：「老前輩說得是。」舉步向前行去。

伏於甬道的花豹，竟然靜臥不動，只是用兩隻眼睛望著幾人。

行至甬道盡處，忽然甬道折轉，又向一側彎去，但彎角五尺處，又是一道鐵門。俞秀凡一提氣，飛身登上鐵門。在他想來，那鐵門外面，仍然是一條甬道。哪知一足踏空，身子忽然向下落去。原來，那鐵門之外，再無去路，竟然是一道百丈深谷。那山谷雲封霧鎖，深不見底。

俞秀凡大吃一驚，急伸左手抓住了鐵門，一個倒翻，重又躍回門內。因爲那鐵門外深谷，有一股不大不小的捲吸之力，如是心中無備，很容易被那捲吸之力，引的一腳踏空。

俞秀凡輕輕吁一口氣，道：「好惡毒的設計，這一次，算我運氣好，逃過了一劫。」

無名氏臉色一變，道：「怎麼說？」

俞秀凡道：「那鐵門之外，是一道深谷，那鐵門下面緊臨峭壁。而且，鐵門外面，光滑得連一個著腳之處也沒有，如若身子離開那鐵門，超過一步，只怕就很難再有逃命的機會了。」

無名氏道：「這設計當真是惡毒得很。」

俞秀凡目光轉到金釣翁的身上，道：「老前輩！這也是一片絕地，似乎是後面再無去路了。」

金釣翁皺皺眉頭，道：「這個麼，老朽就不清楚了。不過，就老朽所知，有不少人，常常從後面行來，如是完全沒有出路，他們都到了何處呢？」

俞秀凡道：「這座造化城的設計，變化多端，雖然不能說有巧奪造化之功，但卻處處出人意外，如是老前輩確然看到了很多人自後面行來，這其中定然有什麼花樣了。」

金釣翁道：「照老朽的看法，這地方一定有路，而且，可通達四方，問題是咱們如何去找這條路了。」

俞秀凡道：「老前輩，這座深谷，有多少丈深？」

金釣翁道：「第二道鐵門之後，老朽從未來過，這道峭壁有多少丈，老朽也不清楚。不過在我們住的地方，兩面峭壁，大約有二百丈深。」

俞秀凡道：「那樣的距離，就算是一塊生鐵摔下去，也會摔成碎片。」

金釣翁道：「不錯。不論何等高明的輕功，也要被摔成粉身碎骨。」

俞秀凡道：「那是說，咱們無法橫越這道深谷，他們也一樣無法越過了。」

金釣翁道：「俞少俠，在老朽看來，這地方也只是一個陷阱。」

忽然聽到無名氏大聲叫道：「快些看，那是什麼？」

俞秀凡等轉頭望去，只見鐵門外面，冉冉升起一個白衣人來。

這突然出現的白衣人，使得場中之人，全都大吃一驚。

俞秀凡親身經歷，那鐵門外面，是滑不留手的峭壁，這人怎會在鐵門外面出現。

那現身的白衣人，似是有意造成俞秀凡一種詭異的感覺，腰部超過了鐵門之後，立刻停下。

俞秀凡已鎮定下心神，淡淡一笑，道：「見怪不怪，其怪自敗。他不會長出那樣長的兩條腿，由深谷中把身子撐起來。」

金釣翁道：「如是在鐵門外的峭壁上，橫插上一座可以著足之物，這就不足爲怪了。」

俞秀凡點點頭，道：「既能在這峭壁上修築圍牆、鐵門，自然是不難在那足著的峭壁上設下埋伏。」

那白衣人一直靜靜地聽著，直待俞秀凡說完了話，才冷冷地說道：「你就是俞秀凡？」

俞秀凡冷然一笑，道：「不錯。區區正是，閣下是……」

白衣人接道：「引渡使者。聽說你想見造化城主？」

俞秀凡道：「在下冒千險萬難而來，用心就在一見造化城主。」

白衣人道：「如無本使者的引渡，閣下再找十年，也一樣無法見到造化城主。」

俞秀凡道：「我希望見到真的造化城主，不希望再見他的化身。」

白衣人冷冷說道：「可以。但不知你要出什麼價錢？」

俞秀凡道：「出價？」

白衣人道：「是。想那造化城主，乃人中之仙，豈是輕易可以見得的！」

俞秀凡道：「咱們乾脆一些，閣下想要什麼，還是一口說出來吧！」

白衣人道：「老夫如是開了口，只怕你付不起。」

俞秀凡道：「閣下，造化城的凶險，在下已經見識了不少，似是用不著再故弄玄虛了。你如是要天上的星星，在下自然是付不出來。」

白衣人道：「老夫要的東西，自然是你能夠付得出來之物。」

俞秀凡道：「好！那就請說出來吧！」一面卻仔細打量那白衣人，他雖口口聲聲自稱老夫，但卻連一點鬍子也看不到。

只聽金釣翁冷冷說道：「陰陽叟，你做了引渡使者，連太湖故友，也不認識了麼？」

陰陽叟皮笑肉不笑地一張嘴巴，道：「金釣翁，別說你還是人，就是你骨化灰塵，老夫也能認出你來。」

俞秀凡低聲道：「老前輩，這一位也是武林大有名望的人物了。」

金釣翁道：「是！縱橫東南道二十年的陰陽叟。」

俞秀凡嘆一口氣，道：「老前輩，有一件事，實叫晚輩不解。」

金釣翁道：「什麼事？」

俞秀凡道：「這些武林的名人高手，爲什麼都甘願做爲造化城主的爪牙？」

金釣翁笑了一笑，道：「有很多爲形勢所逼，有很多卻生具惡根。」

但聞陰陽叟的聲音，傳了過來，打斷了金釣翁未完之言，道：「俞秀凡，你還未回答老夫的話？」

俞秀凡道：「你還未開出價來？」

陰陽叟道：「一條臂膀。不妨害你用劍的手臂，這代價不算太大吧！」

俞秀凡道：「嗯！不算太大，不過，在下覺著無此必要。」

陰陽叟接道：「不錯，付一條手臂，立刻見到真正的造化城主，也可留下你一條性命。」

俞秀凡道：「造化城主要見我，爲什麼又不肯給我一個公平的機會，我已經受了很多處的傷。體力方面，已然打了很大的折扣，再讓我斬下一條手臂，還有什麼動手的能力，這一點，不知道閣下是否想到了。」

陰陽叟冷冷說道：「閣下說得不錯，但那造化城主，是一位非常好勝的人。他知道了俞少俠闖過了重重的險關，所以，他也希望見你。不過。他有一個規矩，任何一個陌生的人，要想經由引渡使者去見他，那人就必須自殘一處身體，或者是挖出一隻眼睛，至少也要割下鼻子。」

金釣翁道：「慢著！」

陰陽叟怒道：「金釣翁，你吃裏扒外，已不可原諒，竟然又來破壞大事。」

金釣翁笑了一笑，道：「陰陽叟，你沒有看到忘情大師、金星道長和土龍吳剛的死狀，你要看到了，你也會寒心得很。」

陰陽叟長長吁一口氣，道：「就算你說得很真實吧，但也無補於事。」

金釣翁道：「你也是武林大有名望的人物，屈辱於引渡使者之位。」

陰陽叟冷笑一聲，道：「金釣翁，別想在中間挑撥離間，老夫不吃這個。」

金釣翁道：「你執迷不悟，那也是沒有法子的事了。」

陰陽叟冷冷說道：「咱們的身分不同，老夫這引渡使者，比起你那從衛的身分，高出甚多。」

金釣翁道：「從衛固然不是什麼很高的身分，但引渡使者，也不過是一個帶路的人罷了。」

陰陽叟突然尖笑一聲，道：「金釣翁，你似乎應該休息一下了。咱們還有一筆老帳沒有算清楚，過去咱們同屬於造化城主之下，老夫還不好意思找你，如今你背叛了造化城主，咱們應該清一清老帳了。」

金釣翁道：「數十年前之事，你似乎是還沒有忘記。」

陰陽叟道：「忘不了。任何傷害到老夫的事，我這一生都不會忘記，你等著。辦完了俞秀凡的事，咱們就結算舊帳。」

金釣翁笑了一笑，道：「俞少俠不會斬下他的手臂，你也不用心存妄想了。」

陰陽叟道：「他不斬下他的手臂，就不可能見到造化城主。」

金釣翁道：「不錯，造化城主一樣也見不到俞少俠。」

陰陽叟道：「造化城主不一定要見他。」

金釣翁道：「俞少俠也未必急在一時要見造化城主。」

陰陽叟道：「你該明白，如是造化城主想見俞秀凡，可以各種不同的化身，和他見面，在造化城主而言，那不過是舉手之勞而已。」

金釣翁道：「不錯，但我們自然會發覺他的改扮。老實說，目下俞少俠已是造化城主的眼中之釘，背上芒刺，急於要見俞少俠的是造化城主吧！」

陰陽叟怒聲喝道：「金釣翁！你這老奴才，似乎是已認俞秀凡爲主了。」

金釣翁道：「言重！言重！咱們就是俞秀凡的奴才，那也是心甘情願。」

俞秀凡急急說道：「老前輩，這叫晚輩如何能夠擔待得起！」

金釣翁接道：「陰陽叟，你聽聽，俞少俠是一個什麼樣的人物。至少，我們是平行論交，你和造化城主敢麼?他會稱你一聲老前輩麼，你才是真正的奴才。」

陰陽叟只聽得臉色大變，咬得牙齒格格作響，道：「金釣翁，城主不會饒過你的。你會嘗試到造化城中最慘酷的刑罰，你會被片片碎裂，分餵狼群。」
突然一揚右腕，一團銀芒，疾如流星般直飛過來。
金釣翁哈哈一笑，手中金釣竿疾飛而出。一點金光，閃電迎去。
金光、白芒，突然一接，立時閃起了一團火光。
耳際間響起金釣翁的聲音，道：「諸位快請閃開！」
其實，無名氏、石生山等，都是江湖上閱歷極爲豐富的人，眼看火光爆閃的刹那，已然向旁側避去。
而兩人都有著同樣的心意，覺得俞秀凡的生死，比自己的生死還要重要，所以，兩人幾乎在同一時間，伸手抓住了俞秀凡向旁側帶去。無名氏更是一閃身，攔在了俞秀凡的身前。
但見那爆裂的火光，射入鐵門之內，散落在地上。立時間，化成了一團一團的慘綠火焰。
無名氏左袖上沾染了一點火星，立刻熊熊燃燒起來。俞秀凡一劍削出，劍鋒掠著手腕滑過，削落下一片衣服，也削落那燃燒的衣袖。
金釣翁金釣竿抖動，又是兩點金芒射出，擊向數丈之外的陰陽叟。
但見上半身浮動在空中的陰陽叟，突然向下一沉，消失不見了。
金釣翁右腕一挫，收回擊出的金鈎，道：「這老妖物，越來越陰險了。」
俞秀凡低聲說道：「我一直想不明白，那陰陽叟怎會停留在鐵門外面的深谷之上？」
金釣翁道：「俞少俠，那機關不在這道鐵門之內，而在這鐵門之外。」
無名氏低聲接道：「兩位只管大聲交談，在下瞧瞧去。」
俞秀凡臉色一變，欲待出言喝止，無名氏卻不停地搖手阻攔。

只見他輕步行近鐵門，悄然向上游去。

金釣翁一皺眉頭，道：「俞少俠，如若老朽沒有看錯，必然另有門戶，通入那峭壁之中。」

俞秀凡也提高了聲音，道：「老前輩看法不錯，可惜咱們無法找到那座門戶。」

金釣翁道：「如是咱們想法子把這座峭壁炸毀，那就省去了不少的麻煩。」

這時，無名氏已爬上鐵門，緩緩伸出頭去，向下探望。他舉動小心異常，竟未發出一點聲音。

俞秀凡則眉頭微皺，暗中戒備，一面說道：「那陰陽叟用的是什麼暗器，竟然如此厲害？」

金釣翁道：「那是老妖物賴以成名的惡毒暗器，陰燐水火彈。」

俞秀凡道：「剛才，是一顆陰燐水火彈了？」

金釣翁道：

「不錯，還有一種毒水彈。這兩種暗器都不能用兵刃觸及，尤其是刀劍一類擊中，立刻爆裂，灑出毒火、毒水，逼及數尺方圓。就算是一流武功的人，如在驟不及防之下，只怕也無法防止這毒火、毒水。據說那毒火沾染肌膚，燃燒不熄，毒水中人之後，潰爛不止的是惡毒之物，老朽想不到他會突然打出此物，還未來得及告訴俞少俠。」

這當兒，無名氏已然把整個的人頭伸出鐵門外面，大約是沒有發現什麼可疑之處，心有未甘，整個的上半身，伸了出去。忽然無名氏探出鐵門的身子，似是遇上了極大的吸力，整個身子，向下沉去。耳際間，響起了一聲悶哼，似是無名氏的咽喉，被人堵了起來，叫不出一點聲音。

這不過極快的一瞬，俞秀凡等怔了一怔，無名氏已完全消失。

俞秀凡吸一口氣，飛身而起。

但金釣翁卻似是早已防到，伸手一把抓住了俞秀凡的左臂，道：「俞少俠，鎮靜一些！事情已經發生了，咱們不能亂了章法。」

石生山突然行動，飛身一躍，登上了圍牆。凝目望去，但見深谷千丈，哪裏還有無名氏的影子。

俞秀凡大聲喝道：「下來！別再中了別人的暗算。」

也許是石生山選擇的方位很正確，竟然未遇到意外暗算，飄身落著實地。

金釣翁道：「瞧到了什麼？」

石生山道：「沒有瞧到什麼。不過，如是無名氏跌入深谷之內，我定然可以瞧出一點蛛絲馬跡。」

金釣翁道：「俞少俠，看來是不會錯了，門戶機關就設在那鐵門下面。」

石生山道：「無名兄小心異常的探出頭去，怎麼會全無警覺的就遭了暗算。」

俞秀凡雙目凝神，沉思了一陣，突然伸手在地上寫道：「無名兄只顧注意到正面，忽略了兩側。」

金釣翁一點頭，道：「不錯。」

石生山道：「咱們現在應該如何？」

俞秀凡低聲道：「將計就計。」

這句話說來很簡單，人人都懂，但此時此情之下，連金釣翁那樣的老江湖，也聽得瞠目結舌，不知俞秀凡言中之意。

俞秀凡稍一沉吟，低聲說出了自己的將計就計之法。

金釣翁搖搖頭，道：「這個太過於危險了。」

俞秀凡道：「我知道，但此刻咱們已到了別無選擇的餘地，縱然冒險一些，強過損失一條左臂了。」

金釣翁道：「這一次讓給老朽如何？」

俞秀凡笑了一笑，道：「老前輩，不論咱們誰去，都是一樣的冒險，何不由在下試試呢？」

金釣翁道：「不！老朽還有幾個時辰好活，就算不幸跌下深谷而死，也不算什麼了。」

俞秀凡正容說道：「老前輩，在下的主張，老前輩應該振作起來，和毒發時的痛苦對抗，也許，那時，咱們能找出解救之法。」

金釣翁道：「這個，這個……」

石生山自知武功不濟，所以，只靜靜地聽著，沒有開口。

俞秀凡忽然微微一笑，道：「老前輩也不閒著，助我一臂之力。」

金釣翁道：「如何相助？」

俞秀凡道：「晚輩如若以無名兄相同的速度，跌下去時，你可用金釣竿的飛索，纏住我的雙腿。」

金釣翁點點頭，道：「如是老朽早做準備，大約可以辦到。」

俞秀凡道：「好！我若身不由主，向下跌落時，你用釣竿的飛索，纏住我的雙腿，但盡量放長你的釣絲，我如跌下深谷，有你這一索之力，我自信可以不致於掉下去了……」

頓了一頓，低聲接道：「我如有了什麼發現，會設法招呼你們。」

金釣翁也以極低的聲音，說道：「公子多多小心。」

俞秀凡點點頭，舉步向前行去。金釣翁一提真氣，蓄勢戒備。

俞秀凡的舉動，十分小心，行近了鐵門之後，突然一提真氣，身子飛騰而起。他早已打算好了應付之法，上半身露出鐵門時，身子向前一傾，半個身子探出了門外。

金釣翁右手一振，金釣竿長索飛出，捲上了俞秀凡的左腿。

果然，俞秀凡的身子向前探出時，兩側突然飛過來兩條套索。那套索飛來的位置，都在兩側死角，所以俞秀凡雖然早已留上了心，仍然無法看到，等到俞秀凡看到，套索已到了頭頂。

原來，那飛來的套索，不但角度隱密，而且，手法熟練，快如閃電般地套向了俞秀凡。

俞秀凡右手急擺，但仍然沒有擺開，被右面一條套索套了項頸。但覺一股強大的吸力，向下拖去。這股力量強大無匹，俞秀凡竟然感覺到抗拒不易。身不由主地被那股強力向下一拖，往下墜去。自然，俞秀凡在全神戒備之下，可以揮劍斬斷套索，但他別具用心，並未揮劍。

金釣翁放長了金釣竿的魚索。俞秀凡身子下墜到一丈左右處時，那陡立的峭壁，突然伸出了一個網兜，接住了向下墜落的俞秀凡。

那是設計得十分精巧的機關，配合的佳妙無匹，網兜是絲索織成，兜了俞秀凡之後，立刻收緊，又縮回峭壁。這不過是一瞬間的功夫，俞秀凡來不及有所反應，那網兜已緊緊地收起。

俞秀凡長劍貼身，平平放起，身子和長劍並在一處。

但聞砰然一聲輕震，網兜被摔在石地之上。俞秀凡只覺那網兜愈收愈緊，全身都在那繩索的收縮之下，壓迫得蜷伏在一處。形勢逼得他不得不運氣抗拒，那網兜有著很大的空隙，俞秀凡發覺自己正陷在四個人的包圍之下。

四個穿著黑衣長衫的大漢，腰各繫著一條很寬的白色帶子。四個人年齡相若，都在四十以上年紀。手中各執著一根熟銅棍，粗如鴨蛋。至少，也有十斤以上的重量。四條銅棍，都已舉起，隨時可以擊下。

定一定神，俞秀凡吁了一口氣，道：「原來如此。」

一個濃眉長臉的漢子，冷冷說道：「你就是俞秀凡麼？」

俞秀凡盡量使自己保持著平靜，淡淡一笑，道：「不錯。這是什麼地方？」

濃眉大漢道：「要你命的地方。閣下，準備就範呢？還是咱們動手？」

俞秀凡道：「我可不可以預先知道，就範如何？要你們動手又如何？」

濃眉大漢道：「要動手麼？咱們四條銅棍一齊擊下，先打斷你的雙臂、雙腿，然後，再鬆網兜，帶你去見城主。」

俞秀凡道：「如是在下自願就範呢？」

濃眉長臉的大漢道：「識時務者爲俊傑。如是閣下願意就範，先要棄去兵刃，加上鐵枷、手銬，去見咱們城主。」

俞秀凡道：「看來，這兩種方式，都非待客之道。」

濃眉大漢道：「閣下覺著自己是客人？」

俞秀凡笑了一笑，道：「不論我是不是受歡迎的客人，但我遠道而來，是客人總是不錯。」

濃眉大漢道：「就算你是客人，也是一位惡客。咱們無暇和你多費口舌了，如何決定，快請說出，否則，咱們只好動手了。」

俞秀凡仔細看去，果然發覺四條銅棍，分別對準了雙臂、雙腿的關節之上，如是真的擊下，就算是堅石、鐵棒，也要被擊碎、打斷，如雙臂、雙腿俱廢了，再強的武功，也無法出手。

處此形勢，似是也只有就範一途了，俞秀凡心中暗做決定，笑了一笑，道：「諸位，看到了麼，在下已然棄去了手中長劍。」當真地鬆開了握劍的五指。

濃眉大漢仔細看了一眼，道：「閣下，就閉上雙目，咱們先替你加上手銬。不過，咱們的防備很森嚴，你最好別打歪主意。」

俞秀凡道：「我只是想見到造化城主，不會和你們這等身分的人爲難。」

濃眉大漢道：「你如真的是想見造化城主，這是你唯一的機會了。」

俞秀凡道：「你們如何下手？」一面暗用左手，解開了纏在腿上的釣索。

濃眉大漢冷冷一笑，道：「閣下先請閉上雙目，咱們自然解開兜網。」

俞秀凡輕輕拉動魚索，做出了約好的暗號，人卻依言閉上雙目。

濃眉大漢道：「看起來，俞少俠似乎是一個很合作的人。」

俞秀凡淡淡一笑，道：「所以，諸位對在下最好也能守些信用。」

濃眉大漢道：「只要俞少俠能守咱們之間的約定，咱們決不會傷害到俞少俠。」

俞秀凡道：「你們動手吧！」

濃眉大漢道：「好！咱們先替你加上手銬。」

俞秀凡心中暗道：目下我被網在軟兜之中，但不知他們要如何解去這座網索。

心念轉動之間，突然感覺到全身十數處關節一麻。

事情發生的太過突然，俞秀凡只是在盤算著，一旦被解開雙手之後，如何反擊。但卻未想到，忽然間全身關節都覺得一麻。

睜眼望去，只見一個身著黃衣的女人，站在七、八尺外，雙手各握著一把金針，望著俞秀凡頷首微笑。

俞秀凡頸子以上還可以轉動，低頭看時，只見那雙肩、雙肘、雙膝的關節之上，各中了一枚金針，這枚金針，使得俞秀凡整個人變得如同癱瘓。雙手、雙臂、雙腿，不但無法運氣，而且完全不能行動。

俞秀凡輕輕吁一口氣，道：「在下身上，中這枚金針，可有什麼說明麼？」

黃衣女子淡淡一笑，道：「這叫定穴金針，凡身中此針的人，四肢乏力，難再運氣和人動手，俞少俠如是不信，不妨運氣試試。」

俞秀凡冷笑一聲，道：「金針刺入了關節之中，自然是不能行動了，用不著試驗了。」

黃衣女子人道：「這真是聰明人不用多說了。你們快些替俞少俠解開網兜。」

濃眉大漢應了一聲，解開了俞秀凡身上的索網。

俞秀凡只覺雙腿有些疲軟，在兩個大漢的扶持下，才算把身子站穩。

黃衣女子嫣然一笑，道：「快些替俞少俠搬把椅子坐下。」

這時，四個黑色長衫的大漢，已然把銅棍收起，那濃眉大漢應聲搬過來一把木椅，道：「俞少俠請坐！」

俞秀凡的雙手，就在膝上金針之處，可惜他的雙手已沒有移動的能力，手指雖然碰到了金針，但卻沒有法子把它拔出來。他從來沒有這樣的失望過，這一次，他真的覺著自已完了。身上六枚金針，使他完全失去了抗拒的能力，已完全不能自主。

暗暗嘆息一聲，目光轉注到那黃衣女子的身上，道：「姑娘這金針定穴的手法，果然是高明得很！」

黃衣女子道：「俞少俠太誇獎了。」

俞秀凡冷笑一聲，道：「目下，在下已然全無抗拒的能力了。」

黃衣女子道：「看來，一個人的命運，真是很難預測！俞少俠想盡辦法，混入這裏，而且滿懷雄心大志，但俞少俠只怕卻沒有想到會有這樣一個結果。」

俞少俠道：「完全沒有想到。不過，事已臨頭，再說過去，似乎是也沒有什麼用了。」

黃衣女子道：「俞少俠，不要這樣絕望，你還有保命的機會。」

俞秀凡道：「哦！」

黃衣女子道：「而且，這保命的機會，還不算太小。」

俞秀凡道：「姑娘可否說得清楚一些呢？」

黃衣女子道：「很抱歉，我無法給你決定什麼，不過，有人能決定。」

俞秀凡道：「造化城主。」

黃衣女子點點頭，道：「俞少俠果然是聰明得很。」

俞秀凡道：「諸位，是否現在就帶我去見造化城主呢？」

黃衣女子道：「俞少俠的意見呢？」

俞秀凡道：「敗軍之將，不足以言勇。我想，現在，在下已無法作主了。」

黃衣女子道：「金針定穴之法，只有一個好處，不會傷害人，只要把金針拔下來，俞少俠就立刻可以復元了。」

俞秀凡道：「我明白了。」

黃衣女子道：「所以，俞少俠還要小妹幫幫忙了。」

俞秀凡道：「那就有勞姑娘。」

黃衣女子蓮步珊珊地行了過去，一揮手，道：「你們退開！」

四個黑衣長衫人應聲退了下去。

俞秀凡驟然間失去了扶持的力量，只覺站立不穩，幾乎要撲倒在地上。

黃衣女子收起了手中的金針，伸手扶住了俞秀凡。

俞秀凡道：「現在，咱們就去見造化城主麼？」

黃衣女子道：「俞少俠想不想問問小妹的姓名？」

俞秀凡道：「這個麼，我看不用了。反正姑娘也無法決定在下的生死，就算咱們套上了交情，似乎是對在下也沒有幫助。對麼？」

黃衣女子道：「說得是啊！不過，在未見到造化城主之前，小妹至少可以使你多受一些痛苦。」

俞秀凡道：「好漢不吃眼前虧，姑娘準備要在下付點什麼代價呢？」

黃衣女子笑道：「別人都說你俞秀凡是一個不太講理的人，但小妹的看法，你好像很和氣嘛！」

俞秀凡心中暗道：造化城主，是舉世第一號奸險人物，造化城中的人，在這樣一個奸險人物的領導之下，就算是好人也會變壞。處於此情此境之下，確也不能充什麼英雄，裝什麼好漢，應該對他們動點心機，要點手段。

心中念轉，口中淡淡一笑，道：「姑娘誇獎了。」

黃衣女子嫣然一笑，道：「俞少俠，聽說你的劍術很高明？」

俞秀凡道：「不錯，在下的劍術還差強人意。」

卅六　美色惑人

黃衣女子道：「你還有一點人所難及之處，不知你自己是否知道？」

俞秀凡道：「不知道。」

黃衣女子道：「要不要小妹告訴你？」

俞秀凡道：「請說吧！」

黃衣女子道：「你的人，生得很俊，更難得的是，一臉書卷氣，沒有一點江湖人的氣息。」

俞秀凡道：「這個麼，在下倒未覺得。而且，在下自覺著流氣還很重。」

黃衣女子道：「那麼，俞秀凡，可不可以說說你最喜歡什麼？」

俞秀凡笑了一笑，道：「我最喜歡三件事。」

黃衣女子道：「能不能告訴我，你喜歡哪三件事？」

俞秀凡道：「名，自三代以下，無有不好名者。」

黃衣女子道：「有道理。人死留名，雁過留聲，應該喜歡才是。但不知第二件是什麼？」

俞秀凡道：「利！有錢能使鬼推磨，財可通神，神鬼都愛財，在下也無法免俗了。」

黃衣女子笑了一笑，道：「是，黑眼珠見不得白銀子，人爲財死，鳥爲食亡，這也是沒有法子的事了，但不知俞少俠喜愛的第三件事，又是什麼？」

俞秀凡笑了一笑，低聲道：「女色，美女動人，實叫人難以鎖住心猿意馬。」

黃衣女子笑了一笑，道：「俞秀凡，一個受人崇拜的英雄，不應該犯的毛病，你似乎是全犯了。對麼？」

俞秀凡道：「英雄怎麼樣？英雄也是人啊！英雄總不能不吃不穿啊！」

黃衣女子格格一笑，道：「俞少俠，你似乎是想得很開啊！」

俞秀凡道：「不錯。在下一向是想得很開的人，英雄肝膽，那不過是做給別人瞧瞧罷了。」

黃衣女子道：「對！英雄氣短，兒女情長，俞少俠的想法，和咱們城主頗有相似之處。不過……」

俞秀凡道：「不過什麼？」

黃衣女子道：「不過，俞少俠如若真是這麼一個人，似乎是不應該和我們的城主作對了。」

俞秀凡道：「爲什麼？」

黃衣女子道：「因爲，你只是在想想罷了，造化城卻已在開始行動了，我們正在這樣子做，而且，做出了很大的成績。」

俞秀凡道：「姑娘，可否說得清楚一些？」

黃衣女子道：「可以。事情很簡單，我們就用你說的方法，建立起這座造化城。」

俞秀凡道：「只此一端，就有這樣大的成就麼？」

黃衣女子道：「自然，還要有別的配合。簡明點說，兩句話就可概括，再加上兩個字，就構成了造化城這個組合。」

俞秀凡道：「兩個字，有此等大的力量，想那兩個字，定然是深含玄機了。」

黃衣女子道：「愈是簡明的事，愈是精深，造化城能有今天這個局面，除了深解人性外，還加上神秘二字。」

俞秀凡淡淡一笑，道：「對！造化城，充滿著神秘，但還有一個原因，那就是造化城三個字用得太妙。」

黃衣女子點點頭，道：「不但是三個字用得好，而且也確然是具有了功奪造化之能。俞少俠請想一想經過的地方，哪一處不是極盡曲折變化之妙。」

俞秀凡道：「姑娘！造化城主究竟有多少替身？」

黃衣女子道：「這句話，就問得不夠灑脫了。」

俞秀凡道：「怎麼說？」

黃衣女子道：「造化城主可能有千百個化身，那要看他的需要。」

俞秀凡道：「這麼說來，造化城主只是一個人了。」

黃衣女子格格一笑，道：「你可是認爲那造化城主，是很多個人，是麼？」

俞秀凡心中暗道：任你奸似鬼，也被我探出口風了。口中卻說道：「一個人有此才能，確是非凡了。」

黃衣女子道：「一個人，在揚名立萬的時候，雖然不畏死亡，但在成名立業之後，卻要善自珍重。仙道無憑，人生不過短短數十年，自應及時行樂，人人都有此想。愈是聰明的人，覺悟愈快，不過，他們想在心中，不敢說出來罷了。」

俞秀凡心中暗道：這造化城主的厲害，不但是他武功高強，有所成就，他對人性邪惡的一面，了解得十分透徹。而且還能擴大運用，掌握了人性的缺陷，才使這樣多武林高手爲他效命。

不聞俞秀凡回答之言，黃衣女子又開口接道：「俞少俠是聰明人，才能稍經歷練，就想到了十分深遠的事。」

俞秀凡冷然一笑，道：「可惜在下想到得還是晚了一些。」

黃衣女子道：「還不算太晚。」

俞秀凡苦笑，未再答話。

黃衣女子接道：「俞少俠，我們不談這個，咱們談談你目下的處境，如何？」

俞秀凡道：「身陷絕境，等待死亡而已。」

黃衣女子道：「如是有一個辦法，可以使你不死呢？」

俞秀凡道：「什麼辦法？」

黃衣女子道：「對你而言，可能是一個很痛苦的決定，因爲有些事，在各人感覺，有著絕對的不同。」

俞秀凡道：「此話怎說？」

黃衣女子道：「舉一個例子說吧！要你殺死金釣翁、無名氏、石生山，對你而言，是不是一件很痛苦的事呢？」

俞秀凡吃了一驚，忖道：這女人只怕不是舉例而言，難道三人已早被他們制服了不成？

心中念轉，口中卻故做輕鬆地笑道：「傷害三條人命，對一個江湖人而言，確不算什麼重大之事，但他們不是救過在下，就是在下的好友，下手取他們的性命，那真是一件難事，不過……」

黃衣女子道：「不過怎樣？」

俞秀凡道：「在下要是能夠保全性命，這就可以商量了。」

黃衣女子道：「那是說，你如能得某一種條件保障，可以考慮殺他們了。」

俞秀凡道：「如是一個人不能爲人時，那只有爲己了。」

黃衣女子道：「說得是啊！人不爲己，天誅地滅。」

俞秀凡道：「姑娘，在下是否會有這樣的機會呢？」

黃衣女子道：「我希望閣下多想想，這是生與死的抉擇，閣下如是一步走錯了，那就永遠沒有機會了。」

俞秀凡微微一笑，道：「想不到啊！俞某人身陷絕境之後，竟然還有這樣好的機會。」

對他而言，這是一個機會，一個可以見到造化城主的機會。

但也有著死亡的危險，一種可以致人於死的危險。可悲的是，他全身穴道受制，全身無法掙動。

心念轉動之間，到了一座石門前面。

黃衣女子停下了腳步，笑了一笑，道：「俞秀凡，走得很累吧？」

俞秀凡道：「很疲累，這短短數十步的距離，走得我筋疲力盡。」

黃衣女子笑了一笑，道：「咱們進去休息一下吧？」

俞秀凡心頭震動一下，道：「休息一下？造化城主，就住在這座石室麼？」
黃衣女子道：「不是。這地方住的是城主的一位妃子。」
俞秀凡道：「造化城主的一位妃子，咱們怎能進去休息？」
黃衣女子笑了一笑，道：「你可以見識一下造化城主妃子的美麗。」
俞秀凡道：「哦！」
黃衣女子格格一笑，道：「俞秀凡，你可是很害羞麼？」
俞秀凡笑了一笑，道：「也許是在下的經驗不豐富，所以，還無法放得開。」
黃衣女子道：「膽大一些，造化城主喜歡膽大的人。」
一面說話，一面向內行去。
俞秀凡長長吁一口氣，緩步向內行去。

一股濃烈的香氣撲入鼻中。
但聞黃衣女子叫道：「花花夫人，有貴客登門了。」
但聞一陣環珮叮噹之聲，一個身著粉紅衣裙的少女，緩步行了過來。
俞秀凡抬頭看去，只見那粉紅衣著少女，長得秀美至極，而且，有一股動人的妖媚之氣。
只見她眼神一掠黃衣女子，道：「這一位是──」
黃衣女子接道：「俞少俠，咱們城主最大的敵人，也是城主最賞識的人。」
俞秀凡道：「不敢，不敢。在下麼，俞秀凡。」
花花妃子笑道：「原來是俞少俠，在下久仰了。」

俞秀凡道：「不敢，不敢。」

花花妃子道：「黃使者，把俞少俠送入我這裏，用心何在？」

黃衣女子道：「這是城主的意思，城主要夫人善爲招待俞少俠，能使俞少俠投入我們造化城最好。」

花花妃子道：「這我就明白了，請去吧！」

黃衣女子目注俞秀凡，臉上泛起了一片奇怪的笑意，道：「俞少俠！花花夫人，也許不算是天下第一美女，但卻有很多別人難及的地方。」

俞秀凡雖然是聰慧絕倫，但對這等男女間事，卻是了解的不多，一時間聽不懂她言中之意。

花花妃子微微一笑，道：「好了！城主吩咐下來，我自會全力以赴，你請便吧！」

黃衣女子一欠身，低聲道：「夫人，要特別小心啊！這個人不好對付。」

花花妃子點點頭，道：「我知道，你請出去吧！」

送走了黃衣女子，花花妃子順手掩上了房門，搬了一把木椅，放到俞秀凡的身側，低聲說道：「公子請坐。」

俞秀凡卻有著站立不住的感覺，鋼鐵一般的漢子，身上多了那些金針，竟然變成站立不穩的人。暗中嘆息一聲，緩緩坐了下去。

花花妃子伸出玉手，及時地扶住了俞秀凡，一股幽香之氣，借勢傳了過去。

嫣然一笑，花花妃子膽大地把嬌軀偎入了俞秀凡的懷中，緩緩說道：「俞秀凡，你好像還未經過人道？」

這句話，俞秀凡聽懂了。抬頭望了花花妃子一眼，微微頷首。

他明白，此刻發作不得，六根金針，把他變得柔弱無比，只要一個健壯些的普通人，舉手一拳，就可以取他之命。這犧牲太無價值，但如想保全性命，又必需忍下氣忿。

花花妃子格格一笑，道：「俞公子，你對我的評論如何？」

俞秀凡心中暗道：只有和她虛與委蛇，才有除去金針的機會。只要想法能借她之身，拉下一條手臂上的金針，立刻可以恢復武功。但在對方的嚴密防範之下，這機會很難實現。

花花妃子突然伸出了嫩蔥似的玉手，指在俞秀凡的臉上，笑道：「小兄弟，不要一直盤算歹主意，妹妹我是見過大風大浪的人，只要你眼珠兒動一動，我就會知道你想的什麼，不知你相信不相信？」

俞秀凡道：「在下相信。」

花花妃子道：「雖然是城主有命，但我是願者上鈎，你先看看我這份人才，值不值得你奉獻出處男之身？」

俞秀凡道：「哦！原來這中間還有如此的奧妙。」

花花妃子笑道：「奧妙的事情很多，我雖然已非處子之身，但床笫間的風流情趣，確非一般的女孩能望項背。我可以使你嘗試到從未有過的滋味，但也給你選擇的機會。」

俞秀凡笑了一笑，道：「那位黃衣姑娘說得不錯，你不算太美的女人，但卻有一股使人著迷的風韻。」

花花妃子笑道：「那你是答應了？」

俞秀凡道：「現在還未想奉獻，我想先知道一點內情。」

花花妃子道：「好吧！你想知道什麼內情？」

俞秀凡道：「我答應了你之後，咱們是不是永遠能相守一起？」

花花妃子心頭震動了一下，道：「這不是你我能決定的事，你就不用問了。」

俞秀凡道：「如是我不答應你，那又是一個什麼樣的結局？」

花花妃子道：「不答應，我就招來那位黃衣使者，你怎麼樣子進來，要你怎麼樣子走。」

俞秀凡道：「以後呢？」

花花妃子道：「你還要再經歷過幾關，才能見到造化城主。」

俞秀凡道：「唉！那真是一件很叫人難以決定的事了。」

花花妃子道：「你可是很怕死？」

俞秀凡道：「不怕，不過，我不想這樣的死。」

花花妃子笑道：「俞秀凡，你自己決定吧！別問我應該如何。」

俞秀凡心中暗道：我如答應留在此地，歡好之間，總不能還制住我的穴道。心中念轉，口中說道：「夫人，你真是造化城主的夫人麼？」

花花妃子道：「談不上夫人，只能說是他的一個妾婢。」

俞秀凡道：「不論你是什麼身分，但你總是他枕邊的人，怎能要你布施色身？」

花花妃子格格一笑，道：「俞秀凡，這件事，用不著你操心，對麼？」

俞秀凡突然間有著一種技窮之感，輕輕吁一口氣，道：「夫人，是不是經歷過夫人這一道色關之後，仍無法保住性命？」

花花妃子搖搖頭，道：「你可以活，不過，你活得不能自主而已。」

俞秀凡道：「夫人！在下答應了。」

花花妃子微微一笑，道：「俞秀凡，這是你自己選擇的，是麼？」

俞秀凡點點頭。

花花妃子伸手扶著俞秀凡，進入內室。

俞秀凡轉頭望去，只見錦帳繡被，紅綾幔簾，一股淡淡的幽香，撲入鼻中。

花花妃子扶著俞秀凡在錦榻之上坐下，笑道：「俞少俠，要不要再想想？」

俞秀凡道：「決定的事，不用再想了。」仰身向榻上躺去。

他早已相準了形勢，向後仰臥時，把右腕上一個金針，故意向帳上掛去，希望能借這一躺之勢，能掛落下臂上一根金針。

但他失望了。那金針刺入臂中極深，錦帳雖然掛住了金針，但卻無法把金針勾落下來。俞秀凡一試未成，立刻挺身坐起。但他只能挺起一個腦袋，卻無法坐起身子。

這真是人間最大的痛苦，心有餘，力不足，一身精深內功，胸懷無敵劍術，卻連坐起身子的力量也沒有。只覺一陣悲傷之氣，沖上胸頭，兩滴熱淚，湧出眼眶。

花花妃子緩步行到了錦榻之上，道：「俞少俠，你哭什麼？」

俞秀凡淒涼一笑，道：「我有些緊張。」

心中暗暗忖道：她如真的要使我嘗試一下人道的滋味，至少也該拔去我身上部分金針。

花花妃子緩緩解開了胸襟，道：「俞秀凡，你現在還有拒絕的機會。」

俞秀凡暗中忖道：這是唯一的機會了，就算是造成大錯大恨，也要賭它一賭了。

心中念轉，語氣堅決地說道：「在下決定了，只可惜，我身上穴道受制，無法幫你寬衣解帶了。」

花花妃子道：「看來，你倒是一個很有豪氣的人。」

伸手中由前胸雙乳之間，取出了一個玉瓶，拔開瓶塞，倒出了一粒紅色的藥物。

右手食指、大拇指，輕輕捏著藥丸，道：「俞秀凡，吞下去這粒紅色藥丸，我就拔去你身上的金針。」

俞秀凡輕輕嘆息一聲，道：「夫人，能不能告訴我，這粒藥丸的作用？」

花花妃子笑了一笑，道：「可以。你現在還有選擇的機會，這粒藥丸，服用之後，可以使一個人少去很多的憂慮、痛苦。」

俞秀凡道：「變成了一個白痴，是麼？」

花花妃子道：「沒有那麼嚴重，不過，服下這藥丸之後，會使一個人變得遲鈍一些。」

俞秀凡道：「變得遲鈍一些？爲什麼不說是變成了一具行屍走肉。」

花花妃子道：「事情沒有你想得那麼壞，多少會變一些，但日子會過得很快樂，除了工作之外，不會想很多事情。」

俞秀凡淡淡一笑，道：「夫人，牛和馬也是一樣，牠們過得很快樂。」

花花妃子笑了一笑，道：「俞秀凡，咱們不用再爭辯了，這粒藥物，你必須吃下，要不然，我不會幫你拔去身上的金針。」

俞秀凡道：「夫人，你可以強自撬開在下的牙齒，把藥物投入口中，似是用不著和在下這樣的商量了。」

花花妃子道：「我可以這樣做，但我不希望使你在無法自主下，吞服了這粒藥物。」

俞秀凡道：「如是在下不答應，夫人可是要準備取在下之命？」
花花妃子道：「不會，我希望能說服你，如是說服不了，也不會傷害你，任由閣下離去就是。」
俞秀凡道：「想不到夫人竟然是如此一個良善的人，只可惜沒有分清楚是非。」
花花妃子接道：「俞秀凡，不要想說服我，那不會有用，你現在倒應該用心想想看，做一個抉擇。」
俞秀凡道：「夫人，你一直很冷靜，不熱情，也不太冷淡。」
花花妃子道：「你可是覺著很奇怪？」
俞秀凡笑了一笑，道：「不錯，在下有些不太了解夫人。」
他要盡量拖延時間，以便想出個解決的辦法。
花花妃子道：「你覺著我應該如何？」
俞秀凡道：「你應該熱情如火，想法子誘惑我不能自禁。」
花花妃子道：「俞秀凡，我看得很清楚，你是屬於那種不受誘惑的人。」
俞秀凡道：「所以，夫人換了一種方法，對付在下。」
花花妃子道：「談不上什麼方法，我只是把事情告訴你，我相信你俞秀凡會權衡利害，做一個抉擇。」
俞秀凡道：「好吧！在下決定吃下那粒毒藥。」
花花妃子道：「不再想想麼，吃下了毒藥之後，再後悔就無濟於事了。」
俞秀凡雙目凝注在花花妃子的臉上，瞧了一陣，道：「夫人是希望在下吃下呢，還是要在下別吃？」

花花妃子笑道：「我已經告訴你利害得失，吃與不吃，似乎是要你自己決定了。」

俞秀凡道：「說實在話，在下很不願吃下那粒毒藥，不過，在下似是已沒有拒絕的能力了。」

花花妃子道：「至少，你可以不吃吧！」

俞秀凡道：「身上六枚金針，使在下變成了廢人，諸位給我選擇的，一種是行屍走肉的活死人，一種是真正的死人……」

花花妃子道：「但你最後仍然選擇了行屍走肉的活死人，對麼？」

俞秀凡道：「生命未到真正的結束，應該有萬分之一的生機，我想賭賭那萬一的機會。」

花花妃子道：「看來，你也是一個很平凡的人，真是見面不如聞名啊！」

俞秀凡道：「夫人可否說得詳盡一些？」

花花妃子道：「事實上，我經歷了很多椿像你一樣的事，他們也都和你有著同樣的選擇，都想賭賭那萬分之一的機會。事實上，那是人性的弱點，強烈的求生欲，會使一個人改變了自己。鐵膽俠心，盡付流水。」

俞秀凡道：「夫人，已經有很多次這樣的經歷了？」

花花妃子點點頭，道：「是！」

俞秀凡道：「夫人，你沒有食用過迷魂藥物吧？」

花花妃子搖搖頭，道：「沒有。」

俞秀凡道：「我佩服造化城主的氣度，也佩服你夫人這份慈航普渡的胸懷。」

花花妃子淡淡一笑，道：「俞秀凡，不用諷刺我，我奉命行事，算不得背夫敗德。」

俞秀凡道：「造化城主，固一世之雄也，怎的竟甘願受綠巾壓頂，不覺此爲人間羞恥事。」

花花妃子道：「量大容萬物，造化城主，能有今天這份成就，自有非平常人能及之處。」

俞秀凡笑了一笑，道：「夫人也覺著他這等做法很對麼？」

花花妃子道：「談不上對不對，他是當空皓月，我們只不過是襯托皓月的星星罷了，明月只一輪，星星卻有萬千。」

俞秀凡道：「夫人，不覺著這有些自貶身分，自趨下流麼？」

花花妃子臉色一變，道：「俞秀凡，你好放肆的口舌。」

俞秀凡道：「忠言逆耳，在下只不過實話實說罷了，如是造化城主對你有一分真實的情感，我相信他不會讓你做出這等紅杏出牆的事。」

花花妃子格格一笑，道：「俞秀凡，你對那造化城主的了解太少，環繞他周圍的美女、妾婢，有如眾星捧月，怎能企求他雨露普施。」

俞秀凡道：「似乎是夫人很樂於這等生活？」

花花妃子道：「像他那等的雄才人物，我們得近身側，已屬幸運，怎的還能妄圖苛求。」

俞秀凡哈哈一笑，道：「夫人，看來，你對那造化城主是忠誠不二了。」

花花妃子道：「你對造化城主知道的太少了。」

俞秀凡道：「夫人能不能解說一下，唉！其實以夫人之美，造化城主縱然有三宮六院，佳麗三千，也應該把夫人收寵專房才是。」

花花妃子臉上綻開了一份愉悅的笑意，道：「造化城主有很多妾婢，但他決不是濫收妾婢的人，每一個人，都有她的專長、特點。」

俞秀凡道：「夫人，是精於哪一道呢？」

花花妃子道：「內媚。我習的是桃花內媚術，任何一個男人，只要能接觸我一次，就永難忘懷。」

俞秀凡道：「只怕未必吧？」

花花妃子道：「不信，你可以試試。」

俞秀凡道：「不用試了，你如真能使男人一見難忘，爲什麼那造化城主，會把你冷落香閨，長夜孤眠？」

花花妃子笑道：「你想挑撥離間？」

俞秀凡道：「在下說的是肺腑之言。」

花花妃子道：「造化城主有一種特別的男人氣質，不論什麼樣的女人，只要和他見上一面，就情難自禁，一夕夫妻之後，更是情意難忘。」

俞秀凡笑了一笑，道：「這麼說來，那造化城主，是一位很年輕、英俊的人了？」

花花妃子道：「他人雖年輕英俊，但他卻有著長者的氣度，唉！能使我這樣的女人，對他傾心相愛，天下能夠抗拒他的女人，那是絕無僅有的了。」

俞秀凡道：「但在下聽說的造化城主，卻是一位年紀很大的慈和老人。」

花花妃子道：「造化城主，豈是任何人都能見到他真正面目。」

俞秀凡道：「照夫人的說法，造化城中，觀過城主真正面目的人，也是絕無僅有的了。」

花花妃子道：「也不能算太少，不過見過他真正面目的人，都是親信之人，所以他們都不會洩漏其中的隱密。」

俞秀凡道：「但夫人洩漏了。」

花花妃子笑道：「我的俞少俠，以你這等聰明的人物，難道還不明白嗎？你如不能變成造化城主的心腹，那就是死路一條，難道你真的還想活著出去？」

俞秀凡苦笑一下，道：「好吧！你把藥丸放入我的口中。」

花花妃子重又打開瓶塞，取出藥丸。

俞秀凡閉上雙目，張開了嘴巴。

花花妃子格格一笑，道：「俞秀凡！小兄弟！一個人變得傻一些，對他並沒有太多的壞處。」

俞秀凡臉上泛現出一抹苦笑，內心卻不停地警惕自己，暗暗祈禱說：俞秀凡，你不能被藥物所迷，你可以把毒性逼集於一處，只要能夠支撐到見了造化城主，出其不意的一劍把他殺死。那時，再行自絕而死，就算自絕不及，毒發變做白痴，成了一具行屍走肉的奴才，也只有認命了。他只忖恩祈禱，根本未聽到花花妃子說些什麼。

花花妃子纖巧手指捏著藥丸，將要放到俞秀凡的口中，突然停了下來。緩緩說道：「俞秀凡，你真的準備認命了？」

俞秀凡突然睜開了雙目，目光滿含著委屈、淒傷，黯然說道：「這不是一個意志力和耐性所能抗拒的事，你如要我吃下毒藥，似乎是用不著和我商量。」

花花妃子輕輕嘆息一聲，道：「俞秀凡，就算不給你服下這粒含有毒性的春藥，你又怎麼能逃離此地。」

俞秀凡道：「只要我能恢復體力，我沒有逃走的打算。」

花花妃子道：「你的意思是……」

俞秀凡道：「我要去見造化城主，在下經歷了千辛萬苦而來，怎能未見到造化城主就悄然離開。」

花花妃子道：「就算你見到了造化城主，你又能如何？」

俞秀凡道：「我可以和他放手一拚。」

花花妃子道：「你一個人麼？」

俞秀凡道：「就目下情景而言，似乎是只有在下一個人了。」

花花妃子道：「你這是飛蛾投火，自取滅亡，別說造化城主身側有親信從衛，就算是他和你單獨相見，你也不是他的敵手。」

俞秀凡道：「姑娘沒有見過在下的劍術，怎知我不是造化城主的敵手？」

花花妃子道：「因爲我知道他一身武功，已臻化境，像他這樣翻雲覆雨的人物，如是沒有絕世武功和過人的才智，怎會造成今日這樣的局面。」

俞秀凡道：「他也是人，一個人的武功成就，都可能面對著體能極限，我不信，他能夠練成了金鋼不壞之身，只因爲人人都怕他，才把他造成了不可一世的氣焰。」

花花妃子道：「你一點也不怕他？」

俞秀凡道：「不怕，我渴望見他一面，也希望能放手和他一搏。」

花花妃子嘆息一聲，道：「你身上傷痕處處，受了很多的折磨，但你的豪勇之氣，似是全未受到損傷。」

俞秀凡道：「我體膚受傷愈多，意志就愈是堅強，只可惜在下過不了夫人這一道關口。」

花花妃子道：「你能過了我這一關，又將如何？」

俞秀凡道：「能過了夫人這一關，在下就自信有和造化城主一拚的機會。」

花花妃子道：「你一定能夠勝他麼？」

俞秀凡道：「這個在下倒是不敢妄言，不過，我如能和他放手一戰，不論勝敗，都可以啓發後繼之人，使他們感覺到造化城主也是人，不是造化之神。」

花花妃子點點頭，道：「這話倒也有理，造化城主沒有人敢惹他，如是一旦有人和他動上手了，別的人就會明白，造化城主並非是絕對權威的人物。他也是人，只不過是武功練得高一些罷了。」

俞秀凡望著花花妃子，道：「夫人，你……你……」

花花妃子接道：「你覺著很奇怪麼？」

俞秀凡道：「不錯，在下確實有些懷疑，夫人這些話……」

花花妃子接道：「你不用懷疑，我在此地，閱人多矣！但卻從來沒有見過一個人有你這樣的勇氣。」

俞秀凡苦笑一下，道：「就算我膽大包天，此情此景之下，也是無法反擊。」

花花妃子道：「可以，問題在我願不願意幫忙。」

俞秀凡道：「你幫忙又能怎樣？」

花花妃子雙目凝神，黯然說道：「這些年來，我經歷了十二個男人，自然，這些男人，都是武林赫赫有名的第一流高手，他們到了此地之後，不但豪氣盡消，唯一能做的，只是苦苦哀求於我，早些給他藥物服下，我所看到的，都是男人的渺小，他們那等貪色怕死的模樣，四個字可以形容——惡形惡狀。所以，我雖然是個蕩婦，但我卻瞧不起男人。」

俞秀凡道：「那不能怪你，實在是我們男人的表現太沒有骨氣。」

花花妃子道：「但我今天看到了一個有骨氣的男人。」

俞秀凡苦澀一笑，道：「有骨氣又能如何？在下此刻，有如虎入鐵籠……」

花花妃子接道：「自有放虎歸山的人，問題是你是否真的敢鬥那造化城主？」

俞秀凡道：「在下來此的用心，就是要鬥一鬥造化城主。」

花花妃子道：「你如是真有勇氣，我倒可以幫忙。」

俞秀凡道：「如何一個幫忙法？」

花花妃子道：「我拔去你身上的金什，然後，帶你會見造化城主，」

俞秀凡道：「那豈不是害了夫人麼？」

花花妃子道：「不用替我擔心，這些年來，我就在等待今天，希望能見到一個有骨氣的男人，鬥鬥造化城主。」

俞秀凡道：「夫人！你等到了，我不敢說一定能勝造化城主，但我可以和他動手一戰。」

花花妃子道：「這就是我救你的原因，世上沒有一個願意接受迫害的人，我比別人強一些的是，我終於找到了這個機會。」

俞秀凡道：「夫人！這不是作夢吧？」

花花妃子道：「很真實，而且，立刻就可以使你重獲自由。」

口中說話，右手立刻拔出了俞秀凡兩臂上的金針。

俞秀凡雙手驟然間恢復了活動之力，立刻雙手並施，拔去了身上所有的金針，挺身坐起。他心中興奮，拔出的金針，全部投擲在實地之上。

花花妃子嫣然一笑，只笑得媚態橫生，道：「俞少俠，別太興奮，賤妾所知，一個練劍的人，應該喜怒不形於色。」

俞秀凡臉色一整，道：「夫人說得是。」

花花妃子道：「別叫我夫人，我厭惡這兩個字，這些年來，我忍辱偷生，就爲了等待今天的機會。」

俞秀凡道：「你終於等到了。」

花花妃子道：「等待得我很苦，等了這樣多年，我以身體、美色，替那造化城主又多羅致了不少的高手。」

俞秀凡道：「那不是你的錯。」

沉吟了一陣，接道：「現在，咱們如何去見造化城主？」

花花妃子道：「我有辦法，不過，委屈你一些了。」

俞秀凡道：「如何一個委屈法？」

花花妃子望望地上的金針，道：「咱們把金針截短，仍刺入你原來的位置，不過刺得很淺，使它不發生制服穴道的力量，然後，我去找造化城主。」

俞秀凡接道：「去找造化城主？」

花花妃子道：「是，我會告訴他，你是一位很特殊的人物，意志堅定，不可屈服，我不敢下藥，也不敢拔下你身上的金針。」
俞秀凡道：「那會是一個什麼樣的結果？」
花花妃子道：「這結果可以預料，那就是，不是他來此地看你，就是要我帶你去見他，只有在這樣的局面下，你才能見到真正的造化城主。」
俞秀凡道：「好吧！如是只有此法，咱們就只有這樣做了。」
花花妃子轉身在妝台之下，摸出了一把鋒利的匕首，道：「俞少俠，你能記得金針刺入的部分深淺麼？」
俞秀凡道：「大體上可以記得。」
花花妃子道：「那很好。這把匕首很鋒利，加上你的內力，足可以切斷金針，要切得恰到好處，須知道那造化城主，是一位非常謹慎的人，只要那金針的部分稍有不同，立刻就可能被他瞧出破綻。」
俞秀凡接過匕首，沉吟了一陣，道：「我想，大致上不會有很多距離。」用匕首切斷了金針。
花花妃子收回匕首，道：「你自己刺入原來的穴道吧！」
俞秀凡接過金針，分別刺入了原來的穴道。
花花妃子道：「裝龍像龍，扮虎像虎，活動一下看看，不能把金針掉下。」
俞秀凡伸展一下雙臂、雙腿，金針未見落下。
花花妃子道：「行啦！你自己是否感覺到妨礙行動呢？」
俞秀凡搖搖頭，道：「行動自主。」

花花妃子道：「那就行了。」
俞秀凡道：「現在你去通知造化城主吧！」
花花妃子點點頭，道：「這個很快。」舉步向外行去。
俞秀凡似是突然想起了一件很重要的事，接道：「夫人！」
花花妃子停下腳步，道：「什麼事？」
俞秀凡道：「那位金針使者，出針手法，妙逸武林，不知是何許人物？」
花花妃子道：「她呀！是江湖上大大有名的人物，四大金釵之一的針釵湯蘭。」
俞秀凡道：「原來如此，想來，四大金釵，我已見過了三釵。」
花花妃子接道：「哪三釵？」
俞秀凡道：「飛釵、刀釵和針釵，在下見過的三大金釵，有兩釵投入在造化門中，還有一釵，不知流落何處？」
花花妃子道：「似乎是也在造化城。」
俞秀凡嘆息一聲，道：「這麼說來，造化城內，果然網羅了不少的高手，單是四大金釵，他就羅致了三個人。」
花花妃子道：「你對那位針釵的看法如何？」
俞秀凡道：「很老練，也很深沉，尤其是發射金針的手法，似乎已到無懈可擊之境，她能一舉分取六大穴道，針針中的，不差分毫。」
花花妃子沉吟了一陣，道：「她很受造化城主的器重，不但負責監視我，也負責管理這第一段洞區。」

俞秀凡道：「造化城主，連你也不肯信任麼？」

花花妃子道：「造化城主不會真的去相信任何一個人，針釵湯蘭，雖然是這一洞區的總管，但在表面上，她卻不敢對我有絲毫不敬之處。」

俞秀凡道：「那又是爲了什麼？」

花花妃子道：「不管如何，我總是妃子的身分。何況，造化城主，每一月，總有一天，在此留宿。」

俞秀凡道：「這麼說來，他對夫人，還是有些留戀之處了。」

花花妃子道：「別叫我夫人了，行麼？」

俞秀凡道：「那要在下如何稱呼？」

花花妃子道：「你隨便叫吧！我本姓花，小名中月，你怎麼叫我都行。」

俞秀凡道：「那在下就叫你花姑娘了。」

花花妃子微微一笑，道：「俞少俠！你看，咱們要不要先對付針釵湯蘭？」

俞秀凡道：「最好能先對付了針釵湯蘭，免去後顧之憂，不過，如何對付她，這要你花姑娘設計了。」

花花妃子微微一笑，道：「我想法子去把她騙來，你怎麼對付她，你自己策劃一下。」轉身向外行去。

望著花花妃子的背影消失，俞秀凡長長吁一口氣，暗中凝神戒備，隨時準備出手。

花花妃子去了足足有一頓飯的工夫之久，耳際間才傳來了步履之聲。俞秀凡緩緩閉上雙目。

步履在木榻前面停了下來，耳際間響起了針釵湯蘭的聲音，道：「聽說你不肯聽勸……」

俞秀凡霍然睜開雙目，凝注在湯蘭的臉上，冷冷說道：「是你！」

湯蘭道：「很抱歉，俞少俠，咱們是敵對相處，如是換了別人，只怕手段會更爲毒辣一些。」

俞秀凡道：「在下經歷了不少的風浪，想不到今日竟栽倒在一個女人手中。」

湯蘭笑了一笑，道：「有一句俗話說，巾幗不讓鬚眉。咱們做女人的，也不能太過示弱了。」

俞秀凡道：「在下既已被擒，唯死而已，你可以下手了。」

湯蘭道：「我如存下殺你之心，似乎也用不著把你帶到此地來了。」

俞秀凡道：「那你用心何在？」

湯蘭道：「勸降，咱們希望能說服你，使你歸入造化城。」

俞秀凡緩緩說道：「這個嘛……，在下自然要見到造化城主才能決定了。」

湯蘭道：「不錯，咱們就是要帶你去見造化城主，不過，在見造化城主之前，有些條件閣下先必需做到了，咱們才能帶你會見造化城主。」

俞秀凡道：「什麼條件？」

湯蘭笑了一笑，道：「這些條件，對你而言，並非是什麼爲難之事。」

目光一掠花花妃子，接道：「像她這等絕世夫人，送入你俞少俠的懷抱之中，俞少俠怎的竟不肯接受呢？」

花花妃子突然嘆一口氣，道：「湯使者，我已盡心盡力了，但他堅持不肯食用藥物，小妹也實在無能爲力了。」
俞秀凡心中明白，花花妃子搶先接口，用心在提醒他，怕他和自己的談話，說得前言難對後語。
俞秀凡立刻冷笑一聲，接道：「如是你肯先拔下區區身上的金針，在下才會考慮食用藥物。」
花花妃子道：「那是不可能的事。」
俞秀凡道：「所以，在下也只有堅拒食用藥物了。」
湯蘭突然微微一笑，道：「俞少俠，咱們很敬重你，你如是不吃敬酒，咱們就要讓你吃罰酒了。」
俞秀凡冷冷說道：「姑娘的意思是……」
湯蘭接道：「先吃藥，你沒有選擇的餘地，也沒有不吃的機會，請夫人把藥丸交給屬下吧！」
花花妃子伸手由懷中摸出藥丸。
湯蘭伸手接過，冷冷說道：「你記著！這藥丸就算是立刻可以致命，你也只好吃下去了，你自己吞下呢，還是我迫你服下？」
俞秀凡冷笑一聲，道：「看來，你倒是那造化城主很忠實的一位屬下了。」
湯蘭道：「不錯，造化城主既然很看重小妹，小妹自然要投桃報李。」突然伸手向俞秀凡牙關之上捏去。
這是煮熟的鴨子，湯蘭的想像之中，還不是手到擒來，卻不料俞秀凡突然把頭一偏，竟然閃避開去。

針釵湯蘭，警覺性也很高，眼看俞秀凡一閃避開，已知情勢有異，立刻一吸氣，向後退去。但為時已晚了，俞秀凡右手一抬，五指一合，扣住了湯蘭的右腕。

俞秀凡人同時挺身而起，淡淡一笑，道：「湯姑娘，現在，咱們主客易勢了。」

湯蘭雙目圓睜，望著俞秀凡，臉上是一片迷惘之色，緩緩說道：「我這金針制穴功夫，從未有過失手，你怎麼還能行動？」

俞秀凡道：「現在，似乎是在下問你湯姑娘的時候了。」

湯蘭道：「你要問什麼？」

俞秀凡道：「在下也想勸勸姑娘，咱們合力對付造化城主如何？」

湯蘭搖搖頭，道：「不行！咱們沒有成功的機會。」

俞秀凡道：「姑娘只怕成功的機會不大，並非是完全忠於造化城主了。」

湯蘭道：「不是機會不大，而是完全沒有，你應該死了這條心。」

俞秀凡道：「和造化城主對敵搏殺，是我俞某人的事，姑娘只要從旁稍助一臂之力。」

湯蘭道：「我不能助你，也不會背叛造化城主。」

俞秀凡道：「這麼說來，在下只好先殺了你湯姑娘了。」

湯蘭心中一動，道：「你怎的知道我姓湯？」

俞秀凡回顧了花花妃子一眼，道：「要不要告訴她？」

花花妃子道：「就算不說，造化城主也會查得出來，不如乾脆點告訴她算了。」

俞秀凡道：「好！你自己說吧。」

花花妃子淡淡一笑，道：「湯蘭，是我告訴他的。」

湯蘭道：「在下有些不解，造化城主，對你十分寵愛，你竟然出賣了造化城主。」

花花妃子冷笑一聲，道：「我出賣了他，造化城主——他對我十分寵愛？哼哼！你幾時見過，一個受盡了寵愛的人，竟然會被當做工具，要我布施色身，替他網羅高手，難道這算寵愛麼？」

湯蘭道：「不管如何，你總是城主妃子的身分。」

花花妃子道：「這算什麼妃子身分，和妓女有何不同？」

湯蘭道：「以造化城主之尊，甘願綠巾壓頂，你難道還在乎多幾個男人麼？何況，你習的桃花魔功，講究的採陽補陰，多幾個男人，對你而言，有什麼不好？」

花花妃子道：「這有很大的不同。」

湯蘭道：「哪裏不同了？」

花花妃子道：「他是情願，我是被迫，我們之間，彼此的感覺，絕不相同。」

卅七　逆轉頹局

湯蘭沉吟了一陣，道：「你背叛了造化城主，難道不顧後果，不怕報復麼？」

花花妃子道：「最大的報復，不過是一條命罷了。我早已把生死置之度外。」

湯蘭嗯了一聲，道：「這麼說來，你是至死不悟了。」

俞秀凡冷笑一聲，道：「湯蘭！不論我們將來身受何等悲慘，不過，眼下先死的是你。」

湯蘭笑了一笑，道：「俞秀凡！花花妃子鬼計多端，你如是真的相信了她的話，那就有你的苦頭好吃了。」

俞秀凡道：「不用挑撥，俞某人不吃這個。至少，她取下我身上的金針。」

湯蘭道：「原來如此。我還想你真的不畏金針傷穴之苦呢！」

俞秀凡道：「話已經說完了。你如何決定，似是也該給咱們一個確定答覆了。」

湯蘭道：「可以，但要再給我三個時辰的時間。」

俞秀凡道：「你的花招不少，所以我們半個時辰也不會等，湯姑娘如是無法現在做決定，咱們就代你作主了。」

湯蘭道：「代我作主，用意何在？」

俞秀凡道：「很簡單，可以殺了你，也可以使用很殘酷的手段，迫你就範。」

花花妃子笑了一笑，道：「我有辦法，咱們只要給她吃下一粒藥物就行了。」
俞秀凡道：「什麼藥物？」
花花妃子道：「就是給你食用的那粒藥物。」
俞秀凡道：「那不是專門對付男人的藥物麼？」
花花妃子道：「對付女人也是一樣有效，至少，它可以使一個人的思想改變。」
俞秀凡道：「好吧！咱們試試看這藥物是否靈驗？」
花花妃子道：「湯姑娘，仔細的看看我。」
湯蘭道：「不用看了，賤妾對你早已記憶得十分清楚了。」
花花妃子笑了一笑，道：「當你思索能力逐漸受到控制時，你會忘去了很多事，只有記憶很深刻的印象，才會永記不忘。」
湯蘭道：「賤妾不明白夫人的意思。」
花花妃子道：「吃下那藥物之後，你會減少思維的力量，除了常常見面的人之外，你會連自己的親人，也逐漸的忘去。」
一面伸手取出藥物，接道：「俞少俠，想辦法把她牙關捏開，我把藥物投入她的口中。」
湯蘭臉色一變，道：「夫人，咱們可不可以再談談？」
俞秀凡道：「不可以，我們時間寶貴，何止寸陰寸金。」
湯蘭道：「我如是答應你了，你們會相信麼？」
俞秀凡道：「自然要有一些表現才行。」
湯蘭道：「難處就在此了，要我如何表現呢？」

俞秀凡道：「自然要能讓咱們相信，姑娘確已決心脫離造化門，背棄造化城主。」

湯蘭沉吟了一陣，道：「我可以給你們一個證明，不過，我要先了解一件事，你們是要我帶你們逃走呢，還是要我幫你們對付造化城主？」

俞秀凡道：「在下千辛萬苦而來，豈可輕易離去，但也不用你幫忙對付造化城主。」

湯蘭道：「既不用我帶你們逃走，又不用我幫忙你們對付造化城主，那要我做什麼呢？」

俞秀凡道：「至多是讓你給我們打個接應，主要的是要你心向我們。」

湯蘭道：「你能夠相信我麼？」

俞秀凡沉吟一陣，接道：「湯蘭！先回答我一句話，你要不要背叛造化門？」

湯蘭道：「這個麼，小妹就很難說了，我在造化城中，也不是盡如人意。」

俞秀凡冷冷說道：「這是說，你也可以背離造化門了？」

湯蘭道：「我要看背離了造化門，有好多生存的機會。」

俞秀凡嘆息一聲，道：「湯姑娘，在下不是和你談論機會，我想知道的是，你心中是否有是非之分。」

湯蘭道：「是非之分麼，自然是有，不過，我覺著有些事，對我個人來說，比是非還要重要一些。」

俞秀凡苦笑一下，道：「姑娘，一個人不能活千秋萬年，你苟安偷生活下去，難道真的會活得愉快麼？」

湯蘭道：「好死不如賴活著，如是我沒有選擇的餘地，那只有苟安偷生下去了。」

俞秀凡道：「湯姑娘，我們處於劣勢危境，實在是擔負不起任何一點輕微的挫折，但我們心靈上距離得太遠，只好委屈你了。」

湯蘭道：「你的意思是……」

俞秀凡接道：「點了你的穴道，使你無法傳出消息。」

湯蘭沉吟了一陣，道：「不怕我運氣沖開了被點的穴道麼？」

俞秀凡道：「我的手法很特殊，我相信三個時辰之內，你不會沖開穴道。」

湯蘭嘆息一聲，道：「你太低估造化城主了，還會給你三個時辰的機會麼？」

俞秀凡抬頭望了花花妃子一眼，道：「她是不是虛言恐嚇？」

湯蘭道：「她雖是妃子的身分，但這一區段的負責人是我，傳訊內情，只怕她也不知道。」

俞秀凡道：「湯蘭！你是自己說呢，還是要在下問？」

湯蘭道：「你準備如何一個問法？」

俞秀凡道：「這要你自己決定了。」

湯蘭淡淡一笑，道：「每隔上一個時辰，每一個區段，都要有一次暗記傳出。這暗記不得有任何一點錯誤，而且，十分機密，除了每一區段的首腦之外，別的人都不知道。」

話聲頓了一頓，接道：「現在，已是傳暗訊的時間了。」

俞秀凡道：「這不是威脅吧？」

湯蘭道：「那要看你怎麼想了。」

俞秀凡沉吟了一陣，道：「你去吧！」鬆開了湯蘭腕穴上的五指。

湯蘭笑了一笑，未說一個謝字，轉身大步而去。

花花妃子道：「你怎麼放了她？」

俞秀凡道：「不論她是否已通知造化城主，我來此的用心，只在能求得面對面和他一搏的機會。如是我無法對付他，訊息是否傳出，都是一樣。」

花花妃子道：「如是湯蘭傳出訊息，你根本就沒有看見造化城主的機會。」

俞秀凡道：「殺了她，也一樣沒有法子見到造化城主。」

花花妃子愣了一愣，道：「爲什麼不迫她和咱們合作？」

俞秀凡道：「造化城主是那樣一個謹慎的人，湯蘭如非誠心和咱們合作，她很快會傳出這些變化的訊息，殺了她也於事無補。」

花花妃子道：「那總比放了她好些。」

但見緊閉的木門，突然大開，針釵湯蘭，緩步行了進來，她神情嚴肅，手捧著一把長劍。

花花妃子拔出一把匕首，道：「你要幹什麼？」

針釵湯蘭望也未望花花妃子一眼，目光卻凝注俞秀凡的身上，道：「你一定要見那造化城主麼？」

俞秀凡道：「是！」

湯蘭道：「至少你應該有一把劍，對麼？」

俞秀凡點點頭，道：「我對劍法上，下過了一番苦功。」

湯蘭道：「天下最好的劍，對一個用劍之人而言，就是他自己常用的佩劍，看看，這是不是你用的劍？」緩緩把長劍遞了過來。

俞秀凡接過長劍，有些說不出的感慨，輕輕嘆息一聲，道：「多謝姑娘！」

湯蘭笑了一笑，道：「我送還你的長劍，只有一個心願。」
俞秀凡道：「什麼心願？」
湯蘭道：「我想看一看你和造化城主動手的情形。」
俞秀凡道：「那只有一個辦法，請姑娘和我們同行一趟。」
湯蘭道：「可悲的是，我沒有選擇的餘地，而且，你也很需要……」
俞秀凡道：「在下需要什麼？」
湯蘭道：「需要一個人，一個爲你拿著長劍的人。花花夫人，不能拿著長劍去見城主，那會立刻引起他的懷疑。」
俞秀凡道：「姑娘的意思是……」
湯蘭道：「我似乎是最好的人選。」
俞秀凡道：「那豈不是太過委屈了你姑娘？」
湯蘭道：「不要緊。我自己選擇決定的，從來不會後悔。」
俞秀凡道：「這個，這個……」
湯蘭道：「現在，我們可以去了。」
俞秀凡道：「在下身上的金針……」
湯蘭道：「位置相差不遠，證明了你是個很細心的人。」
俞秀凡道：「姑娘誇獎了。」
湯蘭道：「就這樣辦了。咱們走吧！我替你帶路。」
俞秀凡道：「在下應該把劍還給姑娘。」

明一件事。」

湯蘭伸手接過，舉步向外行去。

花花妃子快行兩步，追上湯蘭，道：「湯姑娘，讓我也一同去吧！我希望能向造化城主證明一件事。」

湯蘭道：「證明什麼？」

花花妃子道：「我要讓他瞧瞧，他一向認為最懦弱的人，也敢面對死亡。」

湯蘭道：「想不到，你竟有這樣的勇氣。」舉步向外行去。

湯蘭提劍當先，俞秀凡身上插著六枚金針，走在中間，花花妃子走在最後。

這山腹之內，盤轉曲折，規模很大，而且，有時候還有天光透了進來。顯然，這石腹之內，距離山崖絕壁不遠。連轉了三個彎，行了十餘丈，竟然未見有攔阻的人。

湯蘭放緩了腳步，回顧了遙遙隨在身後八尺左右的花花妃子一眼，舉手招呼，花花妃子快步行來。

湯蘭低聲道：「你到過這後面來麼？」

花花妃子點點頭，道：「來過。但現在形勢完全不同了。」

湯蘭低聲說道：「你來過多久了。」

花花妃子道：「那是兩年前了，我來的時間，這地方有很多守衛的人。」

湯蘭嘆息一聲，道：「愈是如此，愈是可怕。」

只聽一個冷冷的聲音，接道：「只要你湯段主對城主忠心不二，有什麼好怕的呢？」

湯蘭轉頭望去，只見一個身著紅衣，手執雙刀的大漢，肅立在那八尺開外。他神情冷肅，雙刀平架胸前，大有立刻動手之意。
湯蘭笑了一笑，道：「原來是平段主，咱們久違了。」
紅衣大漢冷冷說道：「那位滿身金針的，可就是俞秀凡麼？」
湯蘭道：「不錯，正是俞秀凡。小妹用網兜兜住了他，然後，施用飛針釘穴之術，制住了他的穴道。現在，小妹正要帶他去見城主。」
紅衣人雙目在俞秀凡的身上，打量了一陣，不見有何可異之處，才冷笑一聲，道：「湯段主可以去見城主，不過，求見城主的事，在下要先行稟報城主才行。」
花花妃子道：「這個自然。」
紅衣人道：「諸位稍候。」轉身向前行去，彎過一個轉角不見。
俞秀凡低聲道：「姑娘，造化城主不但謹慎，而且多疑，看來咱們這苦肉計，只怕是很難實現了。」
湯蘭道：「那也是沒有法子的事了，情勢必要，咱們只好闖進去了。」
花花妃子道：「以兩位的身手，闖進去自非難事，不過，闖進後再想見到造化城主，那就不容易了。」
俞秀凡道：「咱們盡量忍耐就是，只要不到武功廢了，性命難保，咱們就不動手。」
湯蘭笑了一笑，道：「公子武功卓絕，養氣的功夫，似是也到了人所難及的境界。」
俞秀凡道：「湯姑娘，在下進入這造化城，內心之中已經有了一個準備，那就是忍受千萬痛苦，也要見到造化城主。」
湯蘭點點頭，肅然起敬，道：「單憑這一份大無畏的氣度，就叫人為之心折了。」

俞秀凡輕輕吁一口氣，道：「湯姑娘，在下想請教一事，不知姑娘願否見告？」

湯蘭道：「什麼事，但請吩咐！」

俞秀凡道：「在下有一位同伴爲你們所擒，不知他現在何處？」

湯蘭道：「被我囚在一座石室之中。」

俞秀凡道：「他沒有受傷吧？」

湯蘭道：「傷勢不重，但卻被我點了穴道。」

俞秀凡道：「在下還有兩位同伴，留在上面……」

湯蘭接道：「其中之一是金釣翁。」

俞秀凡道：「姑娘早知道了？」

湯蘭道：「是。我看到了他的金釣竿，此人昔年對我有過救命之恩，我已悄然把金釣竿投回洞外。」

俞秀凡話題突然一轉，道：「湯姑娘，你見過造化城主麼？」

湯蘭道：「見過。」

俞秀凡道：「真正的面目麼？」

湯蘭道：「我們都算是親衛近臣，自然是見過他真正的面目了。」

俞秀凡道：「能不能說出來，他究竟是怎麼樣子的一個人？」

湯蘭道：「很瀟灑，也很年輕，才智武功，都很卓越。」

俞秀凡道：「這個，可能麼？」

湯蘭道：「聽說他練成了脫胎神功，這是他修成的新體。」

俞秀凡道：「世上真有這等奇事麼？」

湯蘭道：「你這年紀，能有這身武功成就……」

只聽一陣步履聲，打斷了湯蘭未完之言，那紅衣人當先而行，身後緊隨著四個半百以上的老者。

但聞那紅衣人冷冷說道：「城主駕前，四大將軍親自到此了。」

湯蘭望了四個半百老人一眼，道：「有勞四位將軍了。」

俞秀凡心中暗道：這些人稱為四將軍，不知是何由來？難道那造化城主已經稱孤道寡了。

只見那四個同行的半百老人，最前的一個，冷冷說道：「湯段主不用客氣，咱們奉命來此，迎接湯姑娘。你立了大功，生擒俞秀凡，城主甚為喜悅，特命我等來此迎接姑娘。」

湯蘭道：「那真是不敢當，略施微勞，何足掛齒。」

那當先老者笑了一笑，道：「不過，咱們來此之時，城主又交代了一件事。」

湯蘭道：「小妹洗耳恭聽。」

半百老者道：「城主說，那俞秀凡狡猾得很，咱們不能有絲毫疏忽。」

湯蘭道：「這個諸位將軍可以放心。他被我金針釘穴，已無反抗之能，現在是砧上之肉，待宰之羊。」

當先老者冷冷說道：「就算姑娘說的句句真實，咱們也無法完全相信。」

湯蘭道：「將軍的意思是……」

當先老者道：「咱們還要在他身上加上一重禁制。」

湯蘭心頭震動了一下，口中卻說道：「將軍這樣不信任小妹，實在叫小妹難過得很。」

當先老者道：「不用難過，城主爲人謹慎，不會相信任何一個人。」
湯蘭心中爲難，不知如何開口。
但聞俞秀凡冷冷地道：「這有什麼不可，在下身受金針制穴，人已不能行動，又何在乎多加上一道禁制，諸位請出手吧！」
當先老者向前行了兩步，正待出手，湯蘭突然開口說道：「慢著！」
當先老者道：「湯姑娘還有什麼事？」
湯蘭道：「你們要替他加上什麼禁制？」
當先老者道：「這個，似是和你湯姑娘沒有關係吧？」
湯蘭道：「怎會無關。而且，關係大得很啊！」
四個半百老者齊聲說道：「姑娘最好能說得明白一些。」
湯蘭道：「簡明些說，人是我生擒來的，我要他整頭整臉的去見城主，不能有一點傷害。」
當先老者道：「這個自然，我們也不希望他受到什麼傷害。」
湯蘭笑了一笑，道：「所以，諸位用不著在他身上再加禁制了。」
當先老者道：「湯姑娘，人交給我們就是，你可以回去了，死活自有我們擔待。」突然舉步，直對俞秀凡行了過去。
湯蘭一橫身，攔住了當先老者，道：「不行！我要去見見城主才行。」
當先老者一皺眉頭，道：「湯段主，你這是什麼意思？」
湯蘭冷笑一聲，道：「除了城主之外，我不會把俞秀凡交給別人。」

四個半百老者，都穿著一樣的灰色長袍，但腰繫著的絲帶顏色，卻是完全不同，那當先老者，腰繫的是一條紅色的絲帶。

只見他眉頭聳動，冷冷一笑，道：「湯段主，人貴自知。你這樣不識抬舉，那就是不自知了。」

湯蘭道：「將軍，我生擒俞秀凡的功勳如何？」

紅帶老者道：「很大。」

湯蘭道：「我立下了這樣大的功勞，難道連城主一面也不能見麼？」

紅帶老者道：「當然可以，但只許你一個人去，那俞秀凡留下來。」

湯蘭道：「我如不帶俞秀凡去，豈不是見了也是白見。」語聲一頓，接道：「咱們都可以在城主面前爭寵，不過，大家都要拿出一點氣度來，俞秀凡是我生擒來的，除了城主之外，我不會交給任何人，包括你們四大將軍在內。」

紅帶老者呵呵一笑，道：「想不到啊！湯姑娘對城主如此忠誠。」

湯蘭道：「話已經說得很明白了，諸位也可以放小妹一馬了。」

紅帶老者淡淡一笑，道：「湯段主，咱們是奉了城主之命而來，城主交代些什麼，咱們總是比姑娘清楚一些，對麼？」

湯蘭道：「不錯。」

紅帶老者道：「所以，我們希望湯段主不要太堅持己見。」

湯蘭笑了一笑，道：「將軍，我的話已說得很明白，我可以讓步，但不能丟了主題。」

紅帶老者道：「看來，湯段主是一位很固執的人。」

湯蘭道：「當仁不讓，我不能太吃虧了。」
紅帶老者臉色一變，道：「湯姑娘，如是我們不同意你帶著俞秀凡去見城主呢？」
湯蘭沉吟了一陣，道：「那很容易，我把俞秀凡帶回去，聽候城主的召宣。」
紅帶老者道：「湯段主，你既然來了，怎的還能很輕易的回去？」
湯蘭笑了一笑，道：「閣下的意思是要留下我湯蘭了。」
紅帶老者道：「咱們代傳城主之命，段主不肯遵守，那豈不是給我們為難麼？」
湯蘭道：「將軍，湯蘭今日寧願鬧成一個橫屍此地，也不會答應閣下的條件。」
紅帶老者道：「那真是一件很遺憾的事，咱們不如了結了姑娘的心願，只有先擒住姑娘，等候城主發落了。」
湯蘭道：「將軍，你們如若一定要殺死我，小妹也只好放手一搏了。」
紅帶老者道：「湯姑娘要反抗麼？」
湯蘭道：「如若諸位將軍一定不希望我看到造化城主，我不會束手待斃，咱們之間，似乎是只有放手一搏了。」
紅帶老者冷笑一聲，道：「這麼說來，已沒有商量的餘地了？」
湯蘭道：「不錯。諸位既然不替小妹留一步餘地，小妹是被逼出手。」
紅帶老者冷笑一聲，道：「圍起來！」
另外三個老者和那紅衣人，應了一聲，立時出手，把湯蘭圍了起來。
這時，花花妃子突然向前行了一步，和俞秀凡成了並肩而立。
有意無意間，把手中長劍的劍柄，對準了俞秀凡。

紅帶老者一皺眉頭，道：「夫人也準備淌入漩渦麼？」

花花妃子道：「我只是覺著有些奇怪。」

紅帶老者道：「奇怪什麼？」

花花妃子道：「這樣對付湯姑娘，是你們的意思呢，還是城主的意思？」

紅帶老者道：「自然是城主的交代。湯姑娘不受令諭，咱們只好生擒她了。」

花花妃子冷冷說道：「不行！如若這是城主的意思，我要去見城主，說個明白。」

紅帶老者道：「夫人應知城主的脾氣，他交代過的事情，不會再改主意。除非湯姑娘先受令諭，交出俞秀凡，再求見城主。」

花花妃子道：「現在不是湯姑娘求見城主，而是我要見城主。」

紅帶老者道：「夫人！這不是讓我們爲難麼？」

花花妃子道：「不錯，你很爲難。但你可以報於城主，由他定奪。」

紅帶老者道：「如是城主不見呢？」

花花妃子道：「你沒有替我通報，怎知城主不見？」

紅帶老者回顧了另外三人一眼，緩緩說道：「夫人，你本是局外之人，何苦要捲入漩渦呢？」

花花妃子臉色一變，怒道：「你到底報是不報？」

紅帶老者道：「不報。夫人請閃開，我們要出手了。」身子一側，右手突然扣向湯蘭的左腕穴道。

湯蘭忍住一口氣，閃身避開。

白帶老者呼的一掌，遙遙擊來，一股強猛的掌力，帶起了嘯風之聲。甬道狹小，避無可避，湯蘭只好舉起右手硬接一擊。老者本身功力深厚，雖是遙發掌力，但也把湯蘭震退了一步。

湯蘭冷冷說道：「諸位這等逼迫，是逼我拚命了。」

紅帶老者冷笑一聲，道：「湯蘭，難道你還敢施展飛針麼？」

湯蘭雙手一揚，一把銀針疾飛而出。她的飛針之術，已到了出神入化之境，飛針出手，四將軍，有三個被飛針擊中，只有紅帶老者沒有被飛針擊中。

紅帶老者臉上泛起忿怒之色，冷冷說道：「湯蘭，你真要造反了？」

湯蘭冷笑一聲，道：「我為什麼不敢？反正諸位想要我的性命。」

湯蘭道：「這都是閣下逼的。」

紅帶老者冷笑一聲，道：「好，湯段主，你是不見棺材不掉淚了。」右手一抖，由腰間抖出一把軟鐵緬刀。

湯蘭道：「閣下如是要動刀，那就別怪我心狠手辣了。」

這甬道之中，十分狹小，湯蘭的飛針，又準確無比，紅帶老者內心之中，對湯蘭的飛針，真還是有些顧慮，目光轉動，只見隨來三個同伴，都已被飛針釘住了穴道，難再有動手之能。

那紅衣人腰間的闊刀，也已出鞘，但他和那紅衣老者一樣的對湯蘭的飛針，有著很大的顧慮，一直不敢出手。

湯蘭對兩人的武功十分了解，只要一擊不中，就再不會有第二次機會出手。心中也是很多顧忌，何況，還存著會見造化城主的希望，所以，她盡量的忍耐著，沒有出手，雙方形成了一個對峙之局。

紅衣人忽然長長吁一口氣，道：「湯蘭，目下大錯還未鑄成，回首還來得及。」

湯蘭冷冷說道：「除非你們能帶我去見城主，咱們很難解脫這相峙的僵局。」

紅衣人道：「你不再想想麼？」

湯蘭道：「我已經想得很清楚了。」

紅衣人突然一揮手中寬刀，一片銀光，繞體護身，直對湯蘭衝了過來。

湯蘭左手一揮，一把金針，激射而去。

但聞一陣波波輕響，金針大都被紅衣人手中的刀光擊落。

就是這一剎時光，紅衣人已然欺到湯蘭的身側。刀光一閃，平向湯蘭劈去。

湯蘭知道他武功高強，早已有備，一吸氣，向後閃退七尺。

紅衣人冷笑一聲，道：「湯段主，你還能走得了麼？」人隨刀進，寒光一抹，直劃前胸。

忽然間，銀光一閃，鮮血激射，紅衣人向前奔衝的身子，完全失去了控制，撞上石壁倒摔地上，前胸至後背，被透穿了一個血洞。

是俞秀凡，伸手拔出了花花妃子捧在手中的長劍，一劍洞穿了紅衣人的胸背，劍中要害，氣絕而逝。拔劍刺出，還劍入鞘，只不過一瞬工夫。

凝目看去，俞秀凡身上仍然帶著金針，靜靜地站在原地，若無其事一般。

湯蘭震動了一下，心頭大感驚懍，她在江湖上行走半生，可算得閱歷豐富的人，但她記憶之中，從沒見過這樣的快劍。

但心頭更為震駭的是那紅帶老者，雙目圓睜，目注著湯蘭，道：「你真的背叛了城主？」

湯蘭鎮靜了一下心情，道：「閣下再三相迫，小妹只有抗拒一途了。」

紅帶老者突然轉身向後躍去。

湯蘭早已動了殺機，此情此景之下，放走了這紅帶老者，對自己有百害而無一利。雙手揮揚，數枚金針，疾射而出。

這地方如若是寬大一些，以那紅帶老者的輕功身法，自然可以閃避開去。但這地方太狹窄了，那紅帶老者，只能直線奔行，如何能快過那湯蘭的金針，金針數枚刺中了紅帶老者的後背穴道，身子一軟，倒摔在地上。

湯蘭目光轉注另三個老者臉上，冷笑一聲，道：「你們四將軍，一向是同出同進，走了一位，豈不是少了一個伴兒？」

這三個人都是江湖閱歷極豐的老手，怎會聽不出弦外之音，臉色一變，道：「湯段主！」

湯蘭出手如風，一把鋒利的匕首，疾劃而過，斬斷了三人的咽喉。

俞秀凡心頭微微一震，暗道：這丫頭好毒辣的手段。

湯蘭拭去了匕首上的血跡，輕輕吁一口氣，道：「俞少俠，是不是覺著賤妾的手段太過毒辣一些？」

俞秀凡道：「此等情勢之下，也只有殺人滅口了。」

湯蘭道：「照賤妾的看法，那造化城主早已對咱們有了懷疑，他所以這樣重重刁難，無非是想把你制服之後，再和我及花姑娘算帳。」

花花妃子道：「咱們先退出去，不用再送入虎口了。」

俞秀凡道：「好不容易走到此地，就這樣退回去，實叫人難以甘心。」

湯蘭道：「唉！我也想到俞少俠不肯，所以，我先殺四將軍，撈撈本。不過，咱們已無必要再用苦肉計了。」

俞秀凡道：「此地距那造化城主的寢居之地，還有多遠？」

花花妃子道：「不太遠。就我記憶所及，不會超過十丈。」

俞秀凡道：「姑娘對寢居通路還有記憶麼？」

花花妃子道：「有。不過，這裏的一切布置，常常改變，但憑一年前的記憶，似乎是已經沒有辦法找到出入之路。」

只聽一陣呵呵大笑，傳了過來，道：「湯蘭，你真的背叛了我麼？」

聲音很平和，但湯蘭卻聽得臉色大變，道：「屬下不敢。」

那聲音又遙遙傳了過來，道：「湯蘭，你現在還有一個機會，那就是施展你的飛針之術，取了俞秀凡的性命。」

俞秀凡淡淡一笑，道：「閣下是造化城主麼？」

平和的聲音應道：「正是。」

俞秀凡只覺那聲音由後石壁上傳了過來，似是對方先用功力，把聲音送到石壁上，由石壁反折回來。

輕輕吁了口氣，道：「你化身千百，變幻無常，在下見過了你很多的化身。」

平和的聲音應道：「很可惜的是，你沒有遇見過我。」

俞秀凡道：「這是在下來此的唯一心願，已經有很多的人，爲你而死。你似乎用不著再藏頭露尾，故做神秘了。你應該知道，造化城主，那樣多的高手，都無法攔得住我，何況是湯蘭呢？」

一陣哈哈大笑之後，又傳出那平和的聲音，道：「這麼說來，湯蘭已被你說服了？」

俞秀凡回顧了湯蘭一眼，湯蘭微微頷首，道：「俞少俠，瞞不了他，你覺著應該怎麼說，可以告訴他了。」

俞秀凡道：「造化城主，你瞧到了什麼？」

造化城主道：「瞧到了你和湯蘭，還有幾具屍體。」

俞秀凡道：「閣下，俞某人覺著咱們已照了面，似乎是再也用不著故弄玄虛了，我想咱們應該面對面的一決勝負了。」

造化城主道：「可以。不過，俞秀凡你要先到我宿住的地方，才有和我動手的機會。」

語聲一頓，接道：「湯蘭，你已經決定背叛了本城主麼？」

在造化城主的長年積威之下，湯蘭不自覺地說道：「屬下還在考慮。」

造化城主冷冷接道：「湯蘭，我要你現在決定。」

湯蘭輕輕吁一口氣，道：「城主明鑒，我無法勝得過他。」

造化城主冷笑一聲，道：「湯蘭，在本座面前，你仍敢如此大膽，在別人面前，那還得了？」

湯蘭經過這一陣時間之後，人已經冷靜下來，突然間，神態大變，淡淡一笑，道：「城主！你能夠看到屬下麼？」

造化城主沒有直接答覆，卻避重就輕地說道：「你覺著本座能夠看得到你麼？」

湯蘭道：「屬下覺得你看不到。」

造化城主冷笑一聲，道：「湯蘭，你是不見棺材不掉淚了。」

湯蘭道：「屬下感覺之中，我似乎是早已進入棺材了。」

造化城主的耐心，大出了湯蘭的意料之外，沒有一點回音。

湯蘭長長吁一口氣，道：「城主覺不出麼？咱們住在這個地方，是不是像一個很大的棺材？」

冷哼一聲，造化城主似是已動了怒火，道：「湯蘭，你知道你犯了什麼罪麼？」

湯蘭道：「不知道。」

造化城主道：「背離造化門，欺瞞城主，那是千刀分屍的大罪。」

湯蘭緩緩說道：「屬下請問城主，一個人能死幾次？」

造化城主道：「一次。」

湯蘭道：「這就是了。咱們造化城的死罪太多，似乎是一個人稍有一點錯誤，就是死罪了。」

造化城主道：「所以，我能統治這樣多的高人和化身千百。」

湯蘭道：「不錯。你統治了很多的人，但你沒有統治他們的心。只要他們有機會，就會背叛你。俞少俠一路行來，傷了你多少人？又有多少人背叛了你？你自己想想看，你統率這麼多人，但有幾個可靠的？」

造化城主道：「湯蘭，你對本門的實力，知道得很清楚吧！」

湯蘭道：「很清楚。不過，你這些人，都是有些靠不住。只要他們有機會，都會和我一樣背叛你。」

造化城主冷冷說道：「湯蘭，我已經對你盡到了最大的耐心。但一個人該死的時候，他會自己瘋狂。」

湯蘭突然格格大笑起來，道：「城主，我們一直在死亡的威脅之下，所以，我們沒有自由活動的權利。住在這座石洞之中，兩年來不見天日，老實說，這日子是生不如死了。」

造化城主冷笑一聲，不再答話。

湯蘭高聲說道：「城主，俞秀凡向你挑戰，你敢不敢出面應戰？」

造化城主，不再回答。

湯蘭回顧了俞秀凡一眼，道：「人算不如天算，造化城主太過奸詐，事情已經挑明了，咱們也用不著再裝了。」

俞秀凡用力一抖，全身金針，盡皆脫落。

伸手取過來花花妃子手中的長劍，道：「湯姑娘，你是不是有些害怕？」

湯蘭笑了一笑，道：「現在，我一點也不怕了。」

俞秀凡道：「好！咱們衝過去。」

花花妃子突然接道：「不行！不可莽動！」

俞秀凡道：「爲什麼？」

花花妃子道：「我記得，這裏有很多的埋伏，都是可以致人於死的埋伏。」

俞秀凡回顧了一眼，只見這甬道大約有七、八尺寬，高約一丈五，兩面都是光滑的石壁，看不出一點埋伏的痕跡。

輕輕吁一口氣，道：「這地方如若設下了埋伏，當真是工程浩大了。」

花花妃子道：「造化城主經營這座造化城，花去了二十年工夫。借天然的形勢，加上了龐大人工，造成了這座山中石府，花去了無數的財力。而且，聽說造化城主，還爲此羅致了不少的人才，百名以上的木石人才，但在造成了這座石府之後，卻不見一人生離此地。」

俞秀凡道：「以造化城主的殘忍，無一生離，自然是極爲可能的事了。」

花花妃子黯然嘆息一聲，道：「所以，除了造化城主之外，無一人知曉整個的機關埋伏詳情。」

俞秀凡用劍鞘輕輕敲打一下石壁，道：「如若此地有什麼埋伏，造化城主應該早發動了。」

花花妃子道：「就賤妾所知，咱們還沒有進入設伏地區。」

俞秀凡回顧了湯蘭一眼，道：「湯姑娘！請帶花姑娘先行離此。」

卅八　造化城主

湯蘭接道：「俞少俠呢？」

俞秀凡道：「我既然到了此地，如不見見那造化城主，實是心有不甘。」

湯蘭嘆息一聲，道：「俞少俠，造化城主雖然身處石府，但他卻仍具有指揮全局的能力，連賤妾也不明白他用的什麼方法。我們就算是離開此地，活命的機會也不大。」

俞秀凡道：「碰碰運氣，你們聯合金釣翁、石生山、無名氏等三人，會合於一處，也許有闖出去的機會。」

湯蘭搖搖頭，道：「俞少俠，賤妾已見識了你那閃電一般的劍法，那是從未見到過的快劍。但造化城主的屬下太多，你一人武功雖高，也不易抗拒。賤妾之意，何不暫時忍耐一、二，咱們把金釣翁等召集於一處，賤妾也有幾位心腹屬下，集起力量，再設法攻入石府。」

花花妃子道：「就我所知，這城中只有一條出路，如若咱們能夠守在湯姑娘區段之內，封死他們的出入之路，豈不是以逸待勞麼？」

湯蘭道：「這倒是上上之策，但不知俞少俠肯否答允？」

只聽一聲冷笑，傳了過來，道：「湯蘭！你太低估本座了。」

湯蘭冷冷接道：「我的錯誤，過去就是太過高估你了，所以，現在我只好低估你一些了。」

俞秀凡道：「造化城主，既然彼此已經答上了話，似乎用不著故做神秘了。」

造化城主冷冷說道：「我能統率這麼多的武林高手，自然是一個很冷靜的人，你這些激我之言，怎會生作用。」

俞秀凡道：「造化城主，我俞秀凡單人支劍，向閣下挑戰，你如是自信能夠勝過俞某人，爲什麼不現身出來，一決勝負。」

造化城主冷冷一笑，道：「俞秀凡，老夫想了又想，覺著你還不配和我動手。當今武林之世，只有一個人，可以和老夫動手打上幾招。」

俞秀凡道：「那是什麼人？」

造化城主道：「艾九靈。」

俞秀凡道：「哦！」

造化城主道：「除了艾九靈之外，天下再沒有配和老夫動手的人。」

俞秀凡冷冷說道：「在下覺著，我至少可以和你動手一戰。」

造化城主道：「那是你的想法。」

俞秀凡道：「至少我衝到了這裏，聽到了造化城主的話，你的這些關卡，沒有一道能攔得住我。」

造化城主道：「俞秀凡，我現在派遣三個人和你動手，如是你能把他們三個人全數殺死，我再和你動手。」

俞秀凡道：「好吧！如是在下勝了他們，那將如何？」

造化城主道：「老夫現身，和你動手。」

俞秀凡道：「好！咱們一言爲定，閣下可以放他們出來了。」

造化城主道：「可以，但你要告訴湯蘭，不許她出手助戰，如若她要施展飛針，那就別怪我說了不算。」

俞秀凡轉對湯蘭道：「湯姑娘，在下和他們動手時，不許姑娘出手。」

湯蘭點點頭，高聲說道：「我可以不出手，但你也別太相信造化城主的話。他可能派遣三個人出來和你動手，但如你真的殺了他們三個人，造化城主未必會出來和你動手。」

俞秀凡道：「他是一門之主，這等當面許下的諾言，難道還會食言麼？」

湯蘭道：「很難說啊！」

俞秀凡道：「果然如此，那也是沒有法子了。」

造化城主厲聲喝道：「湯蘭，本城主雖然是善用謀略，但我親口許下的諾言，怎會食言。」

俞秀凡道：「但願如此，在下恭候教益了。」

造化城主道：「你等候一刻工夫，我會下令他們一個一個的出去，免得三個人聯手攻你。」

俞秀凡道：「好吧！城主請早些出來！」

一刻工夫之後，前面甬道轉角處，突然出現了一個全身白衣的人。俞秀凡凝目望去，只見那白衣人，不但衣服如雪，臉色也蒼白得幾乎和衣服相同，全身都散發著一股寒意。

他的年紀不左，顎下無鬚。手中執著一柄五尺左右的長劍，而且劍身很寬、很厚，嚴格點說起來，那應該是一片扁的鋼板，只是具備了劍的形狀。

俞秀凡遙遙一抱拳，道：「在下俞秀凡，閣下可是造化城主派來的劍手，和在下動手的麼？」

白衣人道：「是！」

俞秀凡道：「請教閣下怎麼稱呼？」

白衣人道：「這個不用說了。我只是造化城主手下的一流劍手，奉命取你人頭而來，通報姓名於事何補。」

俞秀凡冷笑一聲，道：「閣下怎知一定能勝過在下？」

白衣人道：「這是真本領、硬功夫，大家兵刃上分生死，武功上見真章，不用逞口舌之利。」

俞秀凡道：「看來，閣下是一個很不喜歡講話的人。」

白衣人道：「不錯！你亮劍吧！」

俞秀凡凝神運劍，平胸而舉，緩緩說道：「閣下請出手吧！」

白衣人一語不發，舉起了手中的長劍，立刻湧現出一股強烈的殺氣，直對俞秀凡逼了過來。

一種本能，使得俞秀凡很自然地生出了警覺，也覺著遇到從未遇過的勁敵。

只見白衣人疾上一步，手中又長又寬的長劍，突然疾落而下。

劍如閃電，直劈而下，還未近人，已使俞秀凡感覺那鐵板一般的長劍上，蘊藏著千斤重力。

來勢有如泰山壓頂一般，俞秀凡不敢揮手硬接，只好一咬牙，向後退了兩步，避開一劍。

白衣人又向前逼進了一步，唰唰劈來了兩劍。

這兩劍威勢強大，站在數尺外的針釵湯蘭和花花妃子，都感覺到劍勢上發出的強烈劍風。

俞秀凡一提氣，又向後讓開了兩步，道：「閣下好沉重的劍法！」

白衣人冷哼一聲，道：「你怎麼不敢還手？」

俞秀凡道：「在下正等候閣下的破綻，只是你劍上的威力，太過強大，使人無法逼近。所以，你雖然有很多的破綻，但因在下無法接近閣下，縱有破解之法，也是無法施展。」

白衣人冷冷說道：「俞秀凡，你如是不敢和我動手，還有一個辦法。」

俞秀凡道：「什麼辦法？」

白衣人道：「束手就縛，隨我去見城主，這是你唯一的生機。」

俞秀凡冷笑一聲，道：「在下到此的用心，就是想見識一下造化城主，難道還會畏懼閣下不成。」

白衣人冷哼一聲，突然揮劍斬去，這一輪急攻，有如狂風驟雨一般，猛烈無比。

俞秀凡劍勢急收猛攻，劍鋒指向白衣人的關節，竟然把白衣人的劍招給封住。

白衣人似是未料到俞秀凡的劍勢如此快速、辛辣，大出了意料之外，一時間，竟然被俞秀凡把劍勢封住，這使得他大爲震驚不已。

俞秀凡卻是突然間精神大振，他發覺了自己的快劍，能夠阻擋住這白衣人的攻勢，心中頓然間開朗起來，信心倍增。

白衣人的凌厲攻勢，被俞秀凡快劍封住之後，使他完全無法發揮威力，心中不禁有些急躁起來，手中寬重的長劍，攻勢更加瘋狂。

俞秀凡卻愈打愈是沉著，快劍逐漸熟悉了那白衣人凌厲的劍路打法，更見輕鬆了。

白衣人連攻了一百餘劍，竟然未能把俞秀凡再迫退一步，他掄出的劍風，更見強烈，但他的劍招，卻已開始有些散亂。

俞秀凡經過一百多招的觀察之後，發覺了那白衣人的劍法，並非是全無破綻，心中暗作盤算，準備反擊。

一側觀戰的針釵湯蘭，悄然移動身軀到花花妃子的身側，低聲說道：「夫人！你會武功麼？」

花花妃子道：「會是會一些，但我這一身武功，擋不住那白衣人一劍。」

湯蘭嘆息一聲，道：「他那支怪劍，不但又寬又重，而且劍路也怪異得很，只怕我也無法擋他一劍。」

花花妃子道：「你怎能和小妹相比，你可以用飛針傷他。」

湯蘭道：「我看他的劍路，用飛針也傷不了他。」

語聲一頓，接道：「夫人的劍法如何？」

花花妃子道：「可以看出一些路子，但我本身的造詣太差。」

湯蘭道：「那白衣人的劍法，雖然詭異凌厲，但看上去，還有可尋之路子，俞少俠，卻怪異得看不出一點路道，渾然天成，不見招式。」

花花妃子道：「就目下情勢而言，俞少俠已掌握了勝利的機會，十招之內，就可能反擊了……」

話尚未了，突聞俞秀凡大喝一聲，一劍直刺過去。這一劍看上去並無什麼特殊之處，但卻正好是抵隙而入，白衣人的長劍也正好是用到力盡之處。

劍光一閃，鮮血迸冒，白衣人的一條右臂，應手而斷，一條斷臂，連同沉重的長劍，一起跌落在實地上。蓬然一聲，長劍只擊的地上石屑橫飛。

俞秀凡一劍得手，並未再乘勢擊出，反而向後退了五步，緩緩說道：「閣下！斷去一臂，應該是輸了。」

白衣人望著斷臂上湧出的鮮血，迅速用左手在穴道上點了三指。向外湧出的鮮血，突然間停了下來。

白衣人望望地下的斷臂，忽然間撕下了身上一片衣服，把傷臂包了起來。

輕輕吁一口氣，道：「在下這一生第一次挫敗，而且，一敗之下，就斷了一條右臂。此生此世，我再也不能用劍了。」

俞秀凡道：「閣下一生，殺了不少的人，在你劍下送命的人，不知多少人了。」

白衣人道：「這是報應了。」未再答話，轉身快步而去。

俞秀凡望著那白衣人的背影，心中感慨萬千。忖道：如若此人，憑仗一身武功，行俠江湖，必然是一位名頭響亮的大俠。只可惜，他投入了造化城。

湯蘭輕輕吁一口氣，道：「好一場慘烈的搏殺。小妹在江湖上走了數十年，還未見過這樣慘烈的搏殺。」

俞秀凡嘆息一聲，道：「我們才過了這一關，還有兩關，經過這一戰之後，在下也覺著這些難關，很難度過。」
湯蘭沉吟了一陣，道：「就算是你能連過三關，但你也戰至筋疲力竭，再應付造化城主，那自然是更吃力了。」
輕輕吁一口氣，接道：「俞少俠，聽小妹一句話如何？」
俞秀凡道：「姑娘請吩咐！」
湯蘭道：「小妹之意，咱們用不著和造化城主講什麼信用！」
俞秀凡道：「姑娘之意是，咱們不用和他們再打下去了。」
湯蘭道：「小妹正是此意。」
俞秀凡道：「但造化城主，豈肯放過咱們？」
湯蘭道：「自然他不肯放過咱們。不過，主動之權，操諸我們手中，咱們要見他，他可以設下重重的關卡，要咱們冒險而入。如若咱們不和他們動手，他們必然要找咱們，對麼？」
俞秀凡道：「不錯。」
湯蘭道：「至少，決戰的地點，由咱們選擇。」
俞秀凡點點頭，欲言又止。
湯蘭道：「俞少俠！江湖上，不是一個講道義、說仁德的地方。何況，你面對天下第一狡猾之徒，咱們用不著再守信諾了。」
花花妃子接道：「湯姑娘說得是啊！你爲一語信諾而死，正是造化城主的希望，咱們不能讓他如願以償。」
湯蘭道：「俞少俠！小妹十數年江湖歷練，見識過很多爲信諾而死的人，也許死後博得英雄之名，但對江湖大局，卻是全無補益。俞少俠請想想，你如不幸戰死，對人對事，有什麼好處？」

未容得俞秀凡答話，一陣沉重的步履聲傳了過來，一個手執雙劍的青衣人，正快步行了過來。

湯蘭道：「這是第二個人！」

俞秀凡吸一口氣，緩步迎了上去。

雙方還有五步距離，那人突然一揮雙劍，兩道寒芒，雙龍出水一般，剪擊過來。俞秀凡一式「劃分陰陽」，封開了兩道凌厲的劍勢。

青衣人冷哼一聲，道：「好劍法！」左手一抖，一劍如箭，直射過來。

俞秀凡暗道：這人怎的把手中長劍，當做暗器施用。

心中念轉，長劍已橫裏點出。

他出劍快速，波的一聲，點中劍身。但卻不料疾飛而至的長劍，不但未被震開，卻忽然轉身，劍鋒掠著俞秀凡頸項而過。

俞秀凡身子向前疾衝一步，急急縮頸，仍然晚了一步。劍鋒劃肩而過，鮮血淋漓而下。

敢情這長劍上，蓄蘊著一股很奇怪的力道，嚇得俞秀凡劍勢一擋，長劍忽然間轉了彎，但見那長劍打個迴旋，突然間又飛回青衣人之手中。

湯蘭高聲叫道：「迴旋飛劍。」

青衣人冷冷說道：「不錯。俞秀凡，拿命來吧！」

湯蘭右手一揮，一把金針，電射而出，道：「先接我一把金針。」

花花妃子急步奔了過來，道：「俞少俠，傷得重麼？」

俞秀凡道：「傷勢不重，但他這劍路怪異，真叫人莫測。」

青衣人雙劍揮舞出一片劍幕，擊落了湯蘭一把發出的二十一枚金針。

俞秀凡伸手一摸後頸，沾染了一手鮮血。搖搖頭，只覺筋骨尚未損傷，心中稍覺寬慰。那證明了，他還有再戰之能。

輕輕吁一口氣，俞秀凡緩緩說道：「這真是一種很奇怪的劍法，在下這一生，從未見過如此奇異的劍法。」

湯蘭哼的一聲，撕去了身上一片衣服，包起了俞秀凡頸間的傷勢，低聲道：「傷到了筋骨沒有？」

俞秀凡搖搖頭，道：「還好。只是傷到了頸間肌膚。」

湯蘭道：「俞少俠，要不要運氣調息一下？」

俞秀凡道：「不用了。我要試試他的迴旋劍法。」

但聞青衣人哈哈一笑，道：「你能斬斷了大劍士一條手臂，足見高明。但在下倒要試試閣下的劍法，有何精奇之處。」

俞秀凡道：「在下也要試試閣下的迴旋劍法，我不會這樣輕易的退走。」

青衣人道：「好！咱們分不出勝負，就不許離開。」

青衣人突然飛身而起，兩支長劍，一齊刺來。這一次，他雙劍合璧，刺向俞秀凡的前胸。

俞秀凡吸一口氣，潛運內力，突然一揮長劍，橫裏斬去。

青衣人刺向俞秀凡前胸的劍勢，在接近了俞秀凡時，突然一分二，一劍刺向了俞秀凡的咽喉。這真是奇妙絕倫的一劍。下面的劍勢，封住了俞秀凡的劍勢，上面一劍，卻直刺咽喉。

噹的一聲，雙劍相擊，俞秀凡劍上的力道，雖然把青衣人劍勢抬高五寸，但劍勢仍然被封住。但青衣人上面的劍勢，卻如電光石火一般，刺向了俞秀凡的咽喉要害，匆急之間，俞秀凡一偏頭，寒光掠頸而過。嗤的一聲，穿破了俞秀凡的右臂衣衫。

這一劍險險避過，沒有傷到肌膚。俞秀凡一挫腕，長劍收回，突又擊出，一劍橫削，斬了過去。他望右臂一眼，是否受了傷，自己也不知道。但他感覺到右臂，仍然有力量用出，就全力攻出一劍。

這一劍無招無式，卻快迅至極，閃電流矢一般。劍光過去，鮮血迸冒，青衣人一條左小臂，被齊肘間斬斷。

剽悍的青衣人，一聲未哼，身子忽然向後退了五步，右手同時疾出，拉住了向下沉落的左小臂，連一條斷臂和右手五指仍然緊握的長劍，帶了回去，身子站定，張口咬住了斷了的左臂，右手一振，長劍疾飛而出，直向俞秀凡飛了過去。

長劍出手，右手五指又抓住了斷臂，五指緊握的長劍，用力一抖，震落下左臂。

俞秀凡吃過了一次苦頭，眼看長劍擊來，不敢再揮劍封架，身子一側，閃避開去。長劍掠面而過，向後飛去。青衣人右手取過斷臂的長劍，又疾快地投擲過來。這一劍，力道更強，比起第一次的劍勢，更爲快速。

俞秀凡心中思忖道：原來他劍上的古怪迴旋力道，必得遇上了阻力，才能發揮作用，我不用劍封他就是。

心中念轉，目注來劍，腳下移步，又閃開了第二劍。

這時，那青衣人雙劍一齊投擲出手，已成赤手空拳，沒有兵刃。

俞秀凡一提氣，疾射而出，挺劍直擊。青衣人神色冷肅，並不閃避。

俞秀凡劍風如輪，由那青衣人前胸直穿後背。

但聞湯蘭尖聲叫道：「俞少俠小心後面。」

俞秀凡聞聲警覺，一挫身子，長劍加力，右手一抬，硬把那青衣人的屍體舉了起來。兩把長劍，交叉而至，寒光閃處，硬把青衣人腰斬三截。

俞秀凡舉手拭去了頭上一把冷汗，回顧湯蘭一眼，道：「這兩把劍由何而來？」

湯蘭望望那青衣人的屍體，道：「就是他投出的兩把長劍。」

俞秀凡嘆一口氣道：「怎麼會回了頭？」

湯蘭嘆口氣，道：「簡直是令人難以相信的神技。」

俞秀凡道：「姑娘，可否把經過的情形，告訴在下聽聽？」

湯蘭道：「那後發的一劍，快加流矢，擊在第一劍的劍柄之上，原本直向前飛的長劍，忽然間劍身倒轉，直飛回來，第二柄長劍在一擊第一劍的劍柄之後，卻也借力倒轉過來，兩柄劍一先一後，由你停身之處飛過。」

俞秀凡道：「可惜呀！可惜！」

湯蘭奇道：「可惜什麼？」

俞秀凡道：「這等奇絕的迴旋劍法，在下竟未見到。」

湯蘭道：「你如見到了，只怕很少有閃避的機會。」

俞秀凡道：「更可惜的是，這等曠古絕今的劍法，只怕要至此失傳了。唉！早知如此，在下不該殺死他。」
花花妃子突然接道：「不會失傳。」
俞秀凡怔了一怔，道：「爲什麼？」
花花妃子道：「就我所知，造化城主迫逼屬下交出他最好的武功，像此等劍法，造化城主豈有不學之理。」
俞秀凡道：「這麼說來，造化城主也會迴旋劍法了。」
花花妃子望了那青衣人的屍體一眼，道：「比起這青衣人，有過之而無不及。」
俞秀凡沉吟不語。
湯蘭嘆口氣，道：「花姑娘的話十分可信。造化城主具有著絕世才慧，深厚功力，更可怕的是，他那自私可卑的手段，這等罕聞罕見的劍法，他豈肯放過？」
俞秀凡心中一動，道：「湯姑娘，他學過你的飛針手法麼？」
湯蘭道：「以他之能，只要知曉竅訣，稍作練習，就可以練成了。只要他稍下一些工夫，只怕會比我還要高明一些。」
俞秀凡呆了一呆，忖道：果然如此，那造化城主，豈不是天下第一高人。我俞秀凡豈能是他的敵手。
但聞一陣沉重的步履聲傳了過來，驚醒了俞秀凡的沉思。
抬頭看去，只見一個全身黑衣的老者，一步一步地行了過來。
似是他的雙足很沉重，每一步都是走得很吃力，所以，走得很慢。
距離俞秀凡還有五尺左右時，停了下來。

望望青衣人橫臥在地上的屍體，緩緩說道：「是你殺了他？」

俞秀凡一挺胸，道：「不錯。」

黑衣人冷冷地說道：「我要替他報仇。」

俞秀凡心中明白，請教他的姓名，他決不會說出來，點點頭，道：「好吧！你亮兵刃。」

黑衣人揚起了一雙烏黑的雙手，道：「這就是老夫的兵刃。」

那一雙手上，留著一寸多長的指甲，看上去，有如魔爪一般。

長長吁一口氣，俞秀凡緩緩說道：「你手上有毒？」

黑衣人道：「不錯，有毒。而且是很惡毒的奇毒。只要被老夫碰上一下，非死不可。」

俞秀凡道：「你的手，能比得上百煉精鋼的長劍麼？」

黑衣人道：「這個要你俞少俠試一試才知道了。」

俞秀凡道：「就算是在下一定會死在閣下的手中，在下也一定會試一試。」

黑衣人道：「俞少俠先出手呢，還是老夫先出手？」

俞秀凡道：「強賓不壓主，自然是閣下先出手了。」

黑衣人道：「那很好，俞少俠小心了。」口中說話，雙手卻忽然動作，一把向俞秀凡抓了過來。

俞秀凡長劍一揮，展布出一片寒光，橫裹向黑衣人雙臂斬去。

哪知黑衣人竟然視而不見，似是這一抓，非要抓到俞秀凡的人不可，就算把雙臂斬斷，也是在所不惜。

俞秀凡劍勢接近那黑衣人時，忽然心生警覺，劍勢一偏，人也借勢向後躍退了五尺。

黑衣人哈哈一笑，道：「好小子，你怎麼不斬了老夫的雙臂？」
俞秀凡雙目凝注在那黑衣人的身上，冷冷說道：「你是不是血肉之軀？」
黑衣人道：「為什麼不是？」
俞秀凡道：「你既是血肉之軀，為什麼不怕在下的寶劍鋒利？」
黑衣人道：「那是因為老夫有一股不畏斷臂的勇氣。」
俞秀凡冷冷說道：「事出非常，很難叫在下相信。」
黑衣人道：「信不信是你的事了，再接老夫一掌。」說打就打，呼的一掌，劈了過來。
這一掌，力道威猛，帶起了一股強大的掌風。
忽聽湯蘭高聲說道：「不要用劍鋒傷斬他的肢體，用劍身把他封開。」
俞秀凡嗯了一聲，長劍偏出，橫著劍身，啪的一聲，擊在了那黑衣人的手臂之上。劍身上蓄蘊著很強大的內力，但也只能把對方的掌勢，擊的橫移半尺。
黑衣人似是完全不知疼痛，精鋼劍身，擊打在小臂之上，他連望也不望一眼，兩道目光，卻投注在湯蘭的身上，道：「你是湯段主。」
湯蘭道：「湯段主早已死去，在下是針釵湯蘭。」
黑衣人冷冷說道：「你吃裏扒外，出賣了城主，是麼？」
湯蘭道：「不敢。小妹只是痛悟前非，重新做人。」
黑衣人冷冷接道：「湯蘭，你可是覺著俞秀凡一定能保住你的性命麼？」
湯蘭道：「不是。我知道造化城主早已在我身上做了手腳，就算是俞少俠能保我逃過這一大劫，我也活不過三日。」

黑衣人怔了一怔，道：「城主在你身上下了毒麼？」
湯蘭道：「不是。」
黑衣人道：「那是用的什麼方法？」
湯蘭道：「一枚小針。城主能使它在人身運行，三十個時辰之後，毒針隨著行血，正好刺入心臟，那就非死不可了。」
黑衣人道：「這些年來，一直如此麼？」
湯蘭道：「不是，每次遇上警訊，或是城主覺著你可疑之時，他才下手。」
黑衣人道：「湯蘭，你不是信口胡說吧？」
湯蘭道：「不是，我說得千真萬確，我知道這件事，而且，剛剛感覺情形有異。」
黑衣人皺皺眉頭，道：「是一種什麼樣的感覺。」
湯蘭道：「那種小針，是什麼東西製成，我不知道，但它要通過人身十二大穴，只有在通過穴道時，人才會有些感覺。」
黑衣人道：「我問你那是什麼樣的感覺？」
湯蘭道：「穴道有些麻，有點癢，也有些輕微的疼。」
黑衣人輕輕吁一口氣，道：「先通過什麼穴道？」
湯蘭道：「我剛剛感覺著，那枚小針通過『曲池穴』。」
黑衣人忽然對俞秀凡一揮手，道：「姓俞的，老夫要求證一事，咱們等一會兒再打如何？」
俞秀凡道：「好！悉聽尊便。」

黑衣人目光轉注湯蘭的身上，道：「老夫也有這樣感覺。」

語聲微微一頓，接道：「湯蘭，你可知曉解救之法？」

湯蘭道：「知是知道，不過咱們沒有磁膽，也是枉然。」

黑衣人道：「除此之外，還有什麼法子？」

湯蘭道：「那就非賤妾所知了。」

黑衣人不再說話，突然閉目盤膝而坐，運氣調息起來。

俞秀凡回顧了湯蘭一眼，低聲道：「姑娘，你真的中了暗算，爲什麼不早說？」

湯蘭道：「我是剛剛才感覺到。」

俞秀凡道：「唉！這麼說來，咱們必得盡快找到造化城主了。」

湯蘭道：「這樣也好！本來，我還有一些畏死之心。此刻，我連這一點顧慮也沒有了。」

俞秀凡心中想說幾句慰藉之言，但卻不知從何說起。

湯蘭突然回顧了花花妃子一眼，道：「花姑娘，幫我做一件事如何？」

花花妃子道：「湯姑娘但請吩咐。」

湯蘭從懷中取出一物，交給花花妃子，低言數語。花花妃子連連點頭，轉身而去。

忽見黑衣人一躍而起，道：「不錯！我也受了他暗算。」

湯蘭呆了一呆，道：「那真是一件很悲哀的事。」

黑衣人冷冷說道：「我沒有你姑娘這份好耐性，我要去找那造化城主問個明白。」轉身向前奔去。

俞秀凡低聲道：「湯姑娘，真的中了毒針麼？」

湯蘭低聲說道：「公子的看法呢？」

俞秀凡微微一呆，道：「難道這是假的？」

湯蘭道：「真的。不過，那是一年前的事了。已被造化城主取下我身上毒針。所以，我才能說得入木三分，叫人無法不信。如是沒有這份經驗，就算是說謊言，也很難說得叫人家十分相信。」

俞秀凡道：「佩服！佩服！就算是在下，也要被姑娘這等唱做俱佳的神態，給騙了過去。」

湯蘭道：「我說出一段事實，不過那事實提早了一年而已。」

俞秀凡道：「姑娘怎知那黑衣人中了暗算？」

湯蘭道：「我只是感覺那造化城主爲人，不會放心任何人，有了我和花花妃子的叛離，更使他難以對屬下放心，很可能在他身上暗加禁制，隨口說出往事經過。想不到，竟被我不幸而言中了。」

俞秀凡道：「湯姑娘，咱們此刻是否應該追在那黑衣人的身後，進入造化城主的寢居之地？」

湯蘭嘆息地道：「俞少俠，他雖是滿腔怒火而去，但他……」

忽見人影一閃，那黑衣人忽然去而復迎。俞秀凡一提真氣，全神戒備。

不容黑衣人開口，湯蘭已搶先說道：「你是那造化城主的親信，想來不會在你身上施下暗算了。」

黑衣人冷厲地說道：「造化城主作賊心虛，已放下了石門埋伏。」

黑衣人又接著道：「這些埋伏很堅牢，就算一個人不計傷亡的硬向裏面闖，也一樣衝不過去。」

湯蘭道：「閣下能在造化城主的身側，自然是近衛身分了，想必對那些埋伏，知曉得很多了。」

黑衣人道：「老夫很熟悉這些埋伏。」

湯蘭道：「現在，你遇到的是一個什麼樣的埋伏？」

黑衣人道：「一道堅牢的鐵門。不論如何深厚的功力，也無法打開那座鐵門，除非能有一把削鐵如泥的寶劍。」

俞秀凡道：「那道鐵門之後，還有些什麼呢？」

黑衣人道：「就老夫所知，有一處弓箭埋伏，那些弓箭，有一道機簧控制，開動機簧，立刻萬箭齊飛，激射而出。弩箭上都裝著鋒利的鋼鐵，尖利無匹，只要射入身子，縱然有金鐘罩、鐵布衫的功夫，也無法抗拒那尖利的箭鏃。」

湯蘭道：「除了那弩箭的機關之外，還有些什麼埋伏？」

黑衣人道：「聽說一共有七道埋伏，一道比一道厲害。除了那些弩箭埋伏外，還有些什麼埋伏，在下就不清楚了。」

俞秀凡道：「老前輩，現在，咱們應該如何？」

黑衣人道：「只有一個辦法，等下去。」

俞秀凡道：「等下去，如是他們不肯開門迎戰，咱們要等到幾時才能罷休呢？」

黑衣人道：「這個麼，老夫也無法知道。等到幾時，那要看咱們的運氣了。」

湯蘭微微一笑，道：「老前輩，咱們這樣等下去，難道不要吃些東西麼？」

黑衣人道：「如是咱們在吃東西時，他們開了鐵門，那豈不是失了機會？」

湯蘭道：「如若咱們等下去，餓到體能消失時，他們突然開門而出，咱們豈不是要束手就縛了？」

黑衣人道：「這個，老夫倒未想過。」

湯蘭道：「現在，你應該想想了。」

黑衣人道：「唉！老夫替他賣命、出力，想不到他竟然在我身上施下暗算。」

湯蘭道：「這就是造化城主的神秘、惡毒，不允許任何一個人，對他構成威脅。」

黑衣人一皺眉頭，道：「俞秀凡，你準備怎麼辦？」

俞秀凡怔了一怔，道：「什麼事？」

黑衣人道：「咱們還未分出勝負，不過，老夫對那造化城主的積恨太深，所以，我必須保留下體能，先報此仇。」

俞秀凡道：「說得是啊！咱們本無仇恨，何苦以命相拚呢？」

黑衣人哈哈一笑，道：「俞秀凡，你可是承認敗給老夫了？」

俞秀凡笑道：「老前輩的招數，奇幻、凌厲，叫人無法預測，晚輩也許不是敵手。」

黑衣人冷哼一聲，道：「聽來，你心中還有些不服。」語聲微微一頓，接道：「小娃兒，也難怪你有些驕傲。你能殺死大力劍士和迴旋劍客，那說明你的武功，確非小可，但老夫的武功很怪異，別走一格。」

湯蘭笑了一笑，接道：「老前輩，你雖只是出手一招，但已看出了武功的怪異。但不知老前輩可否把姓名告訴我們？」

黑衣人沉吟了一陣，道：「人稱老夫獨行叟。」

針釵湯蘭啊了一聲，道：「鐵判獨行叟，四十年前已名滿江湖了。」

黑衣人臉上有些得意，也有些慚愧地接道：「往事已逝，不提也罷。」

湯蘭道：「老前輩鐵掌、鋼指，和人動手，從不施用兵刃麼？」

獨行叟道：「老夫也有一件兵刃，帶在身上，但卻很少使用。」

湯蘭接道：「江湖上從未傳過你使用兵刃的事，但不知咱們可否開開眼界，看看老前輩的兵刃？」

俞秀凡心中暗道：看來，女人的心思，究竟是比男人細密多了，這獨行叟雖然可能和我們合手一處，但湯蘭竟然還要設法摸出他的底細。

需知武功跨越過了某一種境界，對自己武功路數有一點洩漏，就多授對方一分取勝的機會。

獨行叟道：「那是一隻金手掌，老夫這一生，記憶所及，只用過三次兵刃。前面兩次，都在出道不久所用，此後老夫就未再用兵刃。但十幾年前，又被迫用過一次。」

湯蘭道：「為什麼？」

獨行叟道：「咱們奉命追殺一人，但他行蹤飄忽，很難找到他。有一次，被我們堵在一片山谷，逼他束手就縛。他不肯，雙方對手搏殺，由晨至暮，血戰了幾個時辰之久。我們圍攻他的一十二個高手，死的只餘下老夫一個，為了自保，老夫又用了一次兵刃，封開他手中金筆，解了自己一次大難。」

湯蘭道：「什麼人這樣厲害？」
獨行叟道：「金筆大俠艾九靈。」
湯蘭道：「當今天下，第一俠人！」
獨行叟道：「也許就是那第一俠人之名害了他，激起別人的爭勝之心。」
湯蘭道：「老前輩，晚輩有幾點不明之處，想請教一、二，如是說錯了什麼，還望老前輩多多指正。」
獨行叟道：「老夫這一生，也做了不少錯事，你說吧，什麼事就算錯了，老夫也不怪你。」
湯蘭道：「以老前輩在武林的身分、地位，怎會進入了造化城，做他屬下？」
獨行叟黯然一嘆，道：「事情很複雜，此時此地，無法多談，總之，老夫也是被迫就範罷了。」
湯蘭啊了一聲，道：「原來如此。」
獨行叟長長吁一口氣，道：「咱們如是無法破石壁鐵門，只有在這裏等他了。」
湯蘭道：「老前輩，除了關閉的鐵門之外，城主寢宮，是否還有別的通外面的道路？」
獨行叟道：「這個麼，老夫就不清楚了。」
湯蘭道：「那寢宮之內，不但有很多的高手，而且也有著很多的兵刃、存糧，只要是水源不絕，他們可以住下很多年，不用出來。」
獨行叟道：「姑娘說得不錯，但老夫只有三日好活，無論如何，我也要在這三天之內等到他。」

俞秀凡心中一動，道：「造化城主的聲音，可以傳到此地，他寢居之地，距此不會太遠。就這山勢地形而言，這座石府是傾斜而下，水源應該由峰上取得，咱們雖還未到這座洞府的重要地方，但就山勢形態估計，行途已過大半，除非這座山洞直通絕谷。」

獨行叟道：「不錯，那鐵門之內十丈，就是這座石府的重要所在。」

俞秀凡目光轉到湯蘭的身上，道：「姑娘應該知道，水源由何而來？」

湯蘭道：「賤妾區段之中的水源，由一座蓄水室取得。」

俞秀凡道：「姑娘可否說得清楚一些？」

湯蘭道：「水源來路似乎也經過人工修築而成，那水室之中，有一個茶杯口的泉洞，清水由那泉洞湧了出來。除非有人扣上那泉洞的蓋子，泉水日夜不停。」

俞秀凡沉吟了一陣，道：「泉水日夜不停，那說明了水勢由山上流下，造化城主如若不守信諾，不肯和在下相見，咱們就截斷他的水源。」

獨行叟嘆息一聲，道：「只可惜老夫恐怕等不到那個辰光了。」

這時，造化城主的聲音，突然傳了過來。道：「俞秀凡，你能搏殺大力劍士和迴旋劍客，已可證實了你武功的成就，具有一見本座的身分了。」

俞秀凡道：「但閣下卻緊閉鐵門，以這石洞的埋伏，攔阻了在下。」

造化城主道：「年輕人，稍安勿躁。半個時辰之內，本座會派人迎接閣下入府相見。」

俞秀凡高聲說道：「希望你言而有信。」

造化城主哈哈一陣大笑，道：「俞秀凡，當今武林之世，能被本座迎入府相見的人，實是不多，算上閣下，也不過兩、三人而已。你可以利用這珍貴的半個時辰，想出你心中所有的疑問，見面之後，本座都可以一一解答。」
俞秀凡道：「想不到俞某人竟有這份榮幸，但不知另外兩位，是何許人？」
造化城主道：「另外兩位麼，一是金筆大俠艾九靈，一是當代神醫花無果。」
俞秀凡嗯了一聲，沒有答話。
獨行叟突然高聲說道：「造化城主，咱們有約在先，在下留在造化城，只是客卿身分。十餘年來，幫你出力無算，爲你搏殺了無數強敵。想不到，你竟然在區區身上暗施算計。」
造化城主冷冷接道：「住口！你積惡如山，早該一死。本座免你一死，就是要把你留在身邊效命。想不到你竟然敢見異思遷，爲輔不終，針穿心臟，對你而言，那只不過是應得之果。」
獨行叟厲聲喝道：「造化城主，你打開鐵門，用不到俞少俠的快劍，老夫要先鬥鬥你。」
造化城主哈哈一笑，道：「就憑你那一點微末之技麼，如是俞少俠有謙讓之心，本座在十招之內取你性命。」
獨行叟大聲咆哮，道：「你這卑下的小人，口蜜腹劍，誘騙老夫幫你十年，想不到你竟暗算謀害我，老夫要把你這卑劣的行爲，昭告造化城，叫他們以老夫做爲榜樣。」
造化城主冷冷道：「這地方深處山腹，沒有人聽到你的叫罵，你獨行叟，也是綠林稍有名望的人，想不到，行動竟如潑婦罵街一般。」
針釵湯蘭低聲道：「老前輩冷靜一些，保持冷靜，才能籌思克敵之策。」
獨行叟嘆口氣，道：「這人的惡毒陰險，大約在江湖之上，再也難找出第二個人了。」
俞秀凡低聲說道：「湯姑娘，勞請替我們護法，在下要盡這半個時辰的時光，盡量恢復我的體能。」言罷，盤膝而坐，閉目運息。
獨行叟回顧湯蘭一眼，道：「湯姑娘，也照顧老夫一下。」也盤膝坐了下去，閉上雙目。
這短短半個時辰，湯蘭卻有著漫長無比的感覺。每一寸光陰，都擔心有強敵來襲。
好不容易，等到了俞秀凡由坐息清醒過來，緩緩睜開了雙目。
湯蘭輕輕吁一口氣，道：「好長的半個時辰！」
俞秀凡道：「造化城主雖然是魔道梟雄，但他親口說出的話，大約還不會不算，距他開門迎客的時刻，快要到了。」
獨行叟道：「一旦動手相搏，老夫絕不會給他們生擒的機會，至多打一個同歸於盡的局面……」
突然放低了聲音，接道：「兩位，如是聽到我咳嗽之聲，兩位請早些離開，至少要距我一丈開外。」
他沒有說明原因，俞秀凡和湯蘭也未追問。
獨行叟輕輕吁一口氣，道：「兩位要記著，聽到老夫的咳嗽之聲，就想法子把對手轉到對著老夫這一面。」
不用再說什麼事，俞秀凡和湯蘭也知道了一個大概。
就在幾人講幾句話時，耳際間突然聽到了一種飄渺而來的樂聲。轉頭看去，只見鐵門已開，走出一行身著紅衣的女童。紅色短衫、紅長褲，腰紮著一條黃色的絲帶。一樣的窈窕身材，一般高的個頭兒，梳著一樣的雙辮。這裝扮看起來，使那些紅衣少女的年齡，比實際更輕一些。

雖然扮裝的年輕，事實上，俞秀凡看得出來，那些紅衣姑娘，每人都已在十六、七歲左右，是個少女了。十二個紅衣少女，一般的衣著打扮，每人都佩著一把七星劍。

錯後兩步，是一列穿著白衣的童子，白色的長衫，直拖到腳背上，腰束一條黑色的帶子，左手執著一把形如笛子但又非笛子的怪兵刃，右手握著一把寬面短刀。十二個白衣童子，年齡也都在十八、九歲之間，頭上戴著一頂耀目的銀冠。

二十四個人現身之後，排行兩側。

獨行叟低聲道：「七星劍女和銀冠刀手。」

俞秀凡道：「這些人是……」

獨行叟道：「造化城主的身側衛士，別小看他們，每個人都可稱得起獨當一方的高手。」

俞秀凡精神一震，道：「這麼說來，那造化城主也要現身了。」

獨行叟道：「不錯。這是他近身護衛，這些人出現了，造化城主自然也該現身了。」

湯蘭突然移動腳步，站在了俞秀凡的右側，一手執劍，一手握著一把金針。

二十四個白男紅女，竟連望也未望俞秀凡等一眼，小臉蛋繃得緊緊的，每個人都很嚴肅。

俞秀凡右手握了一下劍柄，道：「這地方不夠大，他們人數雖多，卻無法聯手合攻，這對咱們最爲有利。」

獨行叟道：「俞少俠，等一會兒，見著造化城主時，先由老夫出手如何？」

俞秀凡道：「可以，不過，晚進覺著，咱們看情形吧，不用分你我了。」

獨行叟道：「七星劍女，銀冠刀手，個個武功高強，雖然，他們練的是合搏之術，但他們個人單打獨鬥時，亦具有極強的搏殺能力，如是他們兩個人合力出手，其威力之強，又不是兩個人加起來的武功了。」

俞秀凡低聲道：「這些人，是很難對付了。」

獨行叟點點頭，道：「是！能夠避開他們，那是最好。」

這句話，似乎是別有含意，但獨行叟未解說，俞秀凡也未追問。

望著那排列兩行的刀童、劍女，俞秀凡心中卻在盤算著對付之法。

獨行叟雙目卻盯注在那來路盡處，神情極是奇異，似是等待著那造化城主的出現，又似是畏懼那造化城主的出現。

忽然間，噹的一聲鑼響，一個藍衫、英俊的年輕人，陡然間出現在甬道之中。

他出現的身法太快，快得使人目不暇接，俞秀凡分神在劍女、刀童之上，注意力稍微分散，藍衫人已出現在眼前，竟然未看出他如何行了過來。

輕輕吁一口氣，俞秀凡緩緩說道：「老前輩，這一位就是造化城主了？」

獨行叟神情冷肅地說道：「應該是他了。」言下之意，對來人是否造化城主，毫無把握。

俞秀凡微微一怔，暗道：一個人神秘到如此境界，單是這份神秘，就足以叫人畏懼了。

藍衫人猿臂蜂腰，是一位很瀟灑、英俊的人物，但他全身似乎放射出一股森冷之氣，使人望而生畏。

俞秀凡暗中提一口氣，一拱手，道：「閣下就是造化城主？」

藍衫人淡淡一笑，道：「你就是俞秀凡麼？」

俞秀凡道：「正是區區。」

藍衫人道：「那很好，你費盡了千辛萬苦，想見我一面，如今總算是見到我了。」

俞秀凡凝目望去，只見藍衫人，臉上泛著桃花一般的顏色，英俊中帶著一種奇異的艷色。這是個完全和常人不同的人物，他有了多種特殊氣質，和肅殺之氣，對女人，似是更具有著強烈的吸引之力。

回顧一下針釵湯蘭一眼，只見湯蘭雙目凝注那藍衫人的臉上，不知是被那俊、艷的味道吸引，或是內心之中有著無比的畏懼，她全神貫注在他的身上，竟然，未發覺俞秀凡在回頭看她。

俞秀凡暗生凜駭，忖道：這人一出現，立時把我們三個人的注意力完全吸了過去，如是一旦動手，也很難配合了。

忽聽獨行叟大大地吐一口氣，道：「你真是造化城主麼？」

藍衫人冷漠地說道：「咱們見到了很多次面，難道你連一點也不能分辨麼？」

獨行叟道：「每次與你見面，似乎是都有不同，叫人很難分辨真假。」

藍衫人道：「那只怪你的定力太淺，易爲所惑。」

獨行叟突然冷笑一聲，道：「可是你在老夫身上暗中下了毒手？」

他究竟是經驗老到、功力深厚的人，在那藍衫人眩目的光彩耀照之下，雖然有些失常，但已很快地恢復過來。

藍衫人點點頭，道：「因爲我發覺了你生具叛逆之性。」

卅九　豪氣干雲

獨行叟怒道：「如是你不在老夫身上暗施毒手，老夫怎會背叛於你，只怕此刻俞秀凡早已死於老夫之手。」

藍衫人淡淡一笑，道：「你表面上生性暴躁，其實，你是一個很怕死的人，你不是俞秀凡的敵手，當你敗在俞秀凡的手中，你會好言求和，苦請饒命。」

獨行叟怒道：「你胡說！」

藍衣人不慍不火地微微一笑，道：「所以，我在你身上暗中下了禁制，使你知所警惕，只要你在對付俞秀凡一場搏殺能夠回來，我自會替你解去禁制。你如是求敵請命，那就只好讓你針刺心臟而死了。」

獨行叟道：「鳥盡弓藏，如今你大業未成，俞少俠過關斬將而至，你已生鏟除功臣之心，不覺著太急了一些麼？」

藍衫人淡淡一笑，道：「獨行叟，造化城人才濟濟，像你這等人物，活著不多，死了不少，不要把自己看得太過重要了。」

獨行叟厲聲喝道：「老夫一生獨來獨往，不知經過了多少的大風大浪，你小子竟然看不起老夫。」他本江湖粗人，激起了怒火之後，什麼話都能說出了口。

藍衫人一皺眉頭，道：「單是你對老夫如此無禮，就該是一個死罪。」

獨行叟哈哈一笑，道：「你要把老夫處死？」

藍衫人道：「不錯。」

獨行叟打量一下形勢，暗道：我如按不下怒火衝了過去，必得先經過那劍女、刀童，只要和他動手一招，就已身陷重圍；如能誘他出手，那豈不是對我大爲有利的事。

心中念轉，突然仰天打個哈哈，道：「老夫倒要瞧瞧，什麼人能過來處死老夫。」

藍衫人星目寒光一閃，道：「獨行叟，你要托護於俞秀凡的劍下麼？」

獨行叟道：「笑話！老夫向來不用別人保護我。」

藍衫人道：「好，只要你能叫俞秀凡不出手攔阻，我要在三招內取你之命。」

獨行叟道：「老夫走南闖北，沒有見識過如此狂妄之徒。」

藍衫人道：「不信何不一試？」

獨行叟道：「你害怕俞秀凡？」

藍衫人道：「不用施激將之法，只要俞秀凡肯答允不出劍助你，我就立刻出手。」

獨行叟道：「老夫倒是不信，你能夠三招傷我。」

目光轉注到俞秀凡的臉上，道：「老夫和他動手，三招內不許別人助手。」他似是已爲藍衫人的氣奪，竟然不敢把話說滿，只說出三招內不要人出手相助。他自信確然能拒擋三招。

俞秀凡低聲道：「老前輩再仔細的考慮一下，如是我答應了，那就在三招內無法出手助你了。」

獨行叟道；「只有三招是麼，就算是天兵天將，老夫也可以擋他三招。」

俞秀凡心中暗道：造化城主雖然武功高強，但這獨行叟也非等閒人物，豈能連三招也擋不過。

但見藍衫人笑了一笑，道：「俞秀凡，你答應了沒有？」

俞秀凡道：「在下可以答應，不過，我覺著閣下也該對我們有個許諾。」

藍衫人哦了一聲，道：「什麼？」

俞秀凡道：「如是這次我們勝了，你該如何？」

藍衫人仰天大笑三聲，道：「好吧！我如在三招內不能勝他，立時退出江胡，解散造化城。」

俞秀凡道：「看來你真是造化城主了。」

藍衫人道：「難道你還心存懷疑？」

俞秀凡道：「你的化身太多，傳言的造化城主，是一個鬚髮蒼蒼的老者。」

藍衫人道：「算年齡，我也確然如此，但你知道世上有一種返老還童的功力麼？」

俞秀凡道：「伐毛洗髓，脫胎換骨。」

藍衫人道：「不錯。但《易筋經》上伐毛洗髓篇太過深奧，古往今來，未見一人修得大成，至多到延年益壽罷了。在下別走蹊徑，修的不是《易筋經》上功夫。」

俞秀凡道：「如若說的確是真話，那就真是造化城主了。」

藍衫人道：「現在你還不相信？」

俞秀凡點點頭，道：「你如真是造化城主，還得答允在下一事。」

藍衫人道：「什麼事？」

俞秀凡道：「如是你真在三招內勝了獨行叟老前輩，還要給我一個機會，咱們來一場單打獨鬥，這是在下的心願，還望你閣下答允。」

藍衫人道：「你可能是我的勁敵，不過，不是現在，那要在若干年後。」

俞秀凡道：「如是閣下有勝我信心，何不現在答允，一戰分生死，斬草除根呢？」

藍衫人哈哈一笑，道：「不論你是運氣好，還是機緣巧合，你能找到了此地，證明了你不是個平凡人物，我原想以盛禮迎接你，看完造化城中的神奇之景，但你如執意要和我動手，那也只好由你了。」

俞秀凡道：「好！那咱們就一言爲定了。」

藍衫人點點頭，目光轉注獨行叟的臉上，道：「閣下準備好了沒有？」

獨行叟道：「好了。你請出手吧！」

藍衫人冷笑一聲，道：「你要小心了。」喝聲中，人已飛身擊出，一瞬間，人又退回原位站好。

獨行叟突然舉起了右臂，張開嘴巴，鮮血由口中湧了出來。

藍衫人輕輕吁一口氣，道：「我還道你真是鋼筋鐵骨，原來，你也無法承受這破山天星掌力一擊。」

獨行叟似是想說話，但他已沒有說話的機會，雙手揮動了一陣，蓬然一聲，倒摔在地上。血由七竅分湧了出來。

俞秀凡呆住了，針釵湯蘭更是由心底泛起來一般涼意，直透後背。

她在江湖上走動了多年，從來沒有見過一個人具有這樣的武功，也想不到一個人武功能高強到如此的程度。

藍衫人望了望獨行叟的屍體，緩緩說道：「你還要和本座動手麼？」

俞秀凡道：「咱們進入造化城時，就沒有打算再活著回去。」

藍衫人點點頭，道：「俞秀凡！能不能再想想，你有幾分勝算？」

俞秀凡道：「沒有。在下根本就沒有把握。看到你殺死獨行叟的手法之後，老實說，連一分把握也沒有了。」

藍衫人哈哈一笑，道：「俞秀凡，你說得很坦白啊！」

俞秀凡道：「說得坦白是一回事，但咱們比劍拚命又是一回事，約好的搏殺，自然是不能更改。」

藍衫人雙眉聳動，俊目放光，盯注俞秀凡道：「本座有一點想不明白，我要請教一、二。」

俞秀凡：「閣下只管請說！」

藍衫人道：「你明明知道不是本座之敵，一動上手，非死不可，爲什麼還要堅持動手呢？」

俞秀凡道：「你知道『志不可屈』這句話麼？」

藍衫人道：「我不願取你之命，就是因爲你有這一份可敬的豪氣。不過你如是不幸戰死了，那豈不是把你這一腔凌雲壯志，全都付於流水。」

俞秀凡道：「閣下用不著對我如此關心，要想咱們停止這一場比試，只有兩個辦法。」

藍衫人道：「世間有不少才人，但像你這樣明朗率性的人，實是不多。我不想殺你，因爲我正缺少一個像你這樣人物的助手，說說看，還有別的什麼辦法？」
俞秀凡道：「一個是你把我殺死，一個是你宣布解散造化城，不再爲害江湖，既往不究，也許咱們可以做個朋友。」
藍衫人沉吟了一陣，道：「俞秀凡，我那寢居之處，有七大關口，你要不要試試看，能否衝過七關。」
俞秀凡道：「不用了。我要把全部力量，投注在最重要的一注上。」
藍衫人道：「你既執意如此，那也是沒有法子的事了，咱們沒有限制招數，我就讓你先機。」
俞秀凡道：「謝了。」唰的一聲，抽出長劍，點向藍衫人。
藍衫人一閃身，避開了劍勢，隨手拍出一掌，擊向俞秀凡的右腕。
俞秀凡以快劍馳名，但這藍衫人的閃避身法，似乎是更快一些，拍出的掌勢，也是疾如電閃。就是那回手一掌，但因位置、掌力，恰當適時，封住了俞秀凡長劍的出路，迫得俞秀凡無法變招反擊，只好急退開。
俞秀凡施展快劍，連攻三次。但那藍衫人飄忽的身法，似有若無，竟然把俞秀凡的三劍完全避開。每次都是一樣，避開之後，拍出一掌。那一掌的位置，恰是封住俞秀凡劍勢變化的關鍵，每次都逼得他退後數尺。
藍衫人第四次逼退了俞秀凡之後，突然冷笑一聲，道：「住手！」
俞秀凡停下了攻勢，道：「有何見教？」
藍衫人道：「事不過三，我已經四次手下留情了，閣下也應該明白了。」

俞秀凡道：「你可以不用手下留情。」

藍衫人道：「俞秀凡！你已經施展過快劍攻勢，那也不過如此。」

俞秀凡道：「我已經說得很清楚了，咱們的結果，只有一個，那就是閣下把我殺死。」

藍衫入臉色一變，道：「好！我要開始反擊了。」

俞秀凡捧劍當胸，緩緩說道：「不用客氣，只管出手。」

藍衫人一側身，直欺到俞秀凡的身前。

俞秀凡右手劍光如電，回掃過去。他出劍快速，這一劍力道之強，更是全力施爲。但聞嗆的一聲，長劍似是擊在了一件堅硬的鐵器之上，竟被擋了回去。

凝目望去，只見那藍衫人左臂平舉，就是用一條手臂，擋住了俞秀凡的快劍。劍刃斬破了那藍衫人的衣袖，可以清楚看到那藍衫人手臂上，一道四指寬的銀色護臂。

俞秀凡點點頭，道：「好強的臂力。」

藍衫人左手一招，忽然袖中射出了一道寒芒，抵在了俞秀凡的咽喉之上，笑了一笑，道：「俞秀凡，你認輸了吧！」

俞秀凡暗暗嘆息一聲，忖道：這人的武功似是比我高出很多，就算再打下去，也難是人家的敵手了。

正想棄劍認輸，忽覺腦際間靈光一閃，一個新的念頭展現腦際。

心中想道：他帶有護臂，成竹在胸，心中早有了打算，我卻是完全在不知不覺之中。他舉手擋住了我的劍勢，已取得最有利的地位，趁我分神之際，震驚未消，他由袖中突出長劍，抵在了我的咽喉之上，實也並非難事。

心中盤算了一陣，勇氣陡生，淡淡一笑，道：「一著失算，滿盤皆輸，在下實未想到，堂堂的造化城主，竟然帶著護臂。」

藍衫人嗯了一聲，道：「你敗得不服麼？」

俞秀凡道：「是！在下確實有些敗得不服。」

藍衫人哈哈一笑，道：「俞秀凡，我是一個很重實際的人，你雖然敗得不服，那也只有認了，我不會再給你出手一試的機會。」

俞秀凡先是一怔，繼而淡淡一笑，道：「好吧！閣下只要稍微輕輕一加力，送出長劍，就可以要我俞某人的性命了。」

藍衫人道：「如若你活著能為我所用，我可以給你世間最大的快樂，包括我那養女水燕兒在內；如是你不能為我所用，自然你死了，我可以少一個勁敵，至少，也可以減少我一分心事。」

俞秀凡道：「可惜的是，我是個不怕死的人。」忽然間後退三步，長劍飛起一道銀虹，擋開了藍衫人的長劍。

藍衫人臉色一變，道：「俞秀凡，想不到你竟是一個如此狡猾的人。」

俞秀凡道：「世人都可以罵人狡猾，唯獨閣下不能用這句話罵人。」

藍衫人冷冷說道：「俞秀凡，你本來還有一線生機，但現在你連這一線生機也沒有了。也許五年、十年後來，你可能是我的一個勁敵，但現在，你的成就太有限了，十回合之內，我可以取你項上人頭。」

俞秀凡淡然一笑，道：「在下突然有一股強烈的信心。」

藍衫人道：「什麼信心？」

俞秀凡道：「和閣下對抗百招以上的信心。」

藍衫人道：「有這等事？」

俞秀凡道：「不信，你出手試試！」

藍衫人道：「就算你拒擋百招，但百招之後呢？」

俞秀凡道：「我只要能夠抗拒百招，就能夠再戰百招。」

藍衫人放聲大笑，道：「俞秀凡，你是在痴人說夢。」

俞秀凡神情肅然，道：「閣下，請小心。」忽然一劍，刺了過去。

劍勢出手，有如風雷並發，似是蓄蘊著排山倒海的威勢。

藍衫人忽然向後退了一步，道：「驚天三劍。」

俞秀凡道：「不錯。」

就是答應這一句話的工夫，藍衫人手中長劍，忽然幻現出點點寒芒，撒落下來。需知這等絕世高手相搏，有不得一絲破綻空隙。

俞秀凡就因爲答了一句話，稍分心意，藍衫人立刻乘虛而入。

劍光如連綿而起的閃電，連珠般地壓了下來。

俞秀凡盡力揮劍拒擋，施出驚天三劍劍譜中的招術，攻拒之間，極盡變化之能。在俞秀凡稍處劣勢之下，雙方連拚了七七四十九招。連綿的四十九劍，未能把俞秀凡斬斃劍下，藍衫人心中微生凜駭，也明白想從劍招勝得對方，已非易事。一吸氣，陡然間後退三尺，橫劍而立。

俞秀凡沒有追襲，他已被藍衫人連綿的劍勢集成的壓力，迫得十分吃力。如是，藍衫人再多攻十招，就可能把俞秀凡擊敗劍下。

但他一套精奇的劍法，已然用完。

藍衫人明白，再變化另一種攻勢的劍法，很可能留給俞秀凡反擊的空隙，所以收劍而退。

俞秀凡長長吁一口氣，凝神而立。他盡量保持著表面的平靜，暗中調息。原來，兩人在連綿四十九招的拚搏，不但極盡劍招變化之能，而且，也用出了全身的功力，每一劍招，都含蘊著千斤暗勁，有穿石切金的力道。

藍衫人未見俞秀凡揮劍追襲，冷笑一聲，點點頭，道：「好！好！本座這一生，第一次估錯了事情。」

俞秀凡道：「閣下本有再攻之能，何以忽然停手？」

藍衫人道：「論劍上速度造詣，咱們似是平分秋色，用不著再用劍拚鬥了。」

論聰明才智，胸藏書卷，俞秀凡決不在造化城主之下，但如論機詐狡猾，俞秀凡卻不及造化城主很多了。

沉吟了一陣，俞秀凡緩緩說道：「不以劍術相搏，咱們要比拚什麼？」他覺著事情不對，但卻又說不出哪裏不對。

藍衫人道：「除了長劍之外，任由閣下選擇，拳、掌、暗器，或以內功相搏，但憑閣下一言。」

俞秀凡淡淡一笑，道：「咱們不是比武定名，而是各以武功互拚生死，誰有所長，誰就用以攻敵。」

藍衫人道：「俞少俠以哪些武功見長？」

俞秀凡道：「劍術。」

藍衫人呆了一呆，道：「劍術，難道除了劍術之外，俞少俠就不會別的武功了麼？」

俞秀凡道：「會！不過，在下覺著劍上的造詣，更精純一些罷了。」

藍衫人道：「俞秀凡，你覺著劍上的造詣強過了我麼？」

俞秀凡道：「那倒不是。只是在下覺著，彼此是以命搏殺，濺血橫屍，不過是頃刻間事，誰也不用限制什麼了，大家各盡所長，一決生死就是。」

藍衫人笑了一笑，道：「如若本座空手對敵呢？」

俞秀凡道：「在下用劍。」

藍衫人道：「如是我用刀呢？」

俞秀凡道：「我還是用劍。」

藍衫人怒道：「一個習武之人，不但要精通一十八般武藝，兵刃、輕功、掌法、擒拿，都得學有所成。閣下只會用劍，實是貽笑大方的事！」

俞秀凡笑了一笑，道：「我來此的目的，只是殺了你爲武林除害，爲天下蒼生求得安樂，不論是用什麼方法，就是有違小節，亦不傷大雅。」

藍衫人冷笑一聲，道：「俞秀凡，一個人如是連江湖的規戒也不放在心上了，那還有什麼志節可言！」

俞秀凡接道：「閣下可是覺著在劍術之上，無法勝我俞某了？」

藍衫人道：「只是我不願和你多耗時間罷了，你既不受抬舉，那就別怪我改變主意了。」

俞秀凡道：「你改變什麼主意？」

藍衫人道：「不再親自和你動手比武了。」

俞秀凡道：「找人代爲出戰？」

藍衫人道：「我要刀童、劍女，對付你這不識抬舉的人。」

俞秀凡突然一舉長劍，道：「我不信刀童、劍女的武功，強過你造化城主。」

藍衫人仰天大笑三聲，道：「俞秀凡，不信你就試試如何？」

俞秀凡淡然一笑，突然把長劍伸了出去，指向藍衫人的前胸，冷冷說道：「閣下！你的武功太高了，我不會給你機會。」

藍衫人冷笑一聲，道：「俞秀凡，你竟敢喧賓奪主！」

俞秀凡道：「你少嚇唬我，我辛辛苦苦找來此地，就是要找你拚命。不論你在造化城中有多大的威風，也無法使在下知難而退。」

藍衫人氣極而笑，道：「俞秀凡，你連一分生機也沒有了。」

俞秀凡笑道：「在下進入造化城時，早已把生死事置之度外了。」

藍衫人左腕抬動，剛想舉起，俞秀凡卻忽然削出一劍，斬向小臂。

這一劍快如閃電，藍衫人封架已自不及，但他左臂上戴著護圈，左臂微縮，用護圈迎向劍鋒。

哪知俞秀凡劍到中途，忽然想到藍衫人臂上護圈，劍勢忽然一變，向下沉削。

這一變，大出人意料之外，以那藍衫人武功之高，也有些措手不及，匆促之間，快速向後退了一步。

俞秀凡劍鋒如剪，唰的一聲，循肋而下，劃開了藍衫人身上的衣服，也劃破了藍衫人的肋間肌膚，一片鮮血，湧了出來。
藍衫人雙目閃動著冷厲的神光，道：「俞秀凡，好快的劍。」
俞秀凡道：「誇獎了。」
但見金光閃動，二個刀童、二個劍女，突然攻了上來。兩個劍女，劍勢靈活，變招奇速，以快捷爲主。兩個刀童，卻是刀刀沉重，每一刀都攻向要害大穴。
俞秀凡長劍展開，幻起了一片銀光，變化萬千，接下了四人攻勢。刀光劍影，片刻間惡鬥已十餘回合。
俞秀凡原本是以快速見稱的劍招，此刻卻突然間變得十分沉穩，兩把快劍，一雙寬刀，完全被拒擋於劍圈之外。
藍衫人一皺眉頭，左手輕揮，又是兩名刀重、兩名劍女，攻了上了。
四把劍有如四道閃飛的銀虹，快如流星般竄動。四把刀，招招沉穩有力，專找俞秀凡的長劍，似乎要和俞秀凡硬較勁力。
但俞秀凡的劍勢太靈活，瞻之在前，忽焉在後，四個刀童，寬刀布成了一片數尺寬銀圈，但卻一直沒有封住俞秀凡的劍勢。
藍衫人冷哼一聲，一揮手，又是兩名刀童、劍女，攻了上來。
這時，參與出手的刀童、劍女，各有六人，合計一十二人。
搏鬥經驗中，俞秀凡已瞧出了這些刀童、劍女的特性，刀童年紀雖然不大，看上去也很清秀，但身上的肌肉，卻是強壯結實，虯筋累起，練的竟是以內勁爲主的外門氣功，刀勢沉重，劍女練的卻是以輕功、快劍爲主。不但有一套合搏之術，而且，每個人的成就，實也到了武林的第一流高手。

但俞秀凡這位崛起江湖不久的武林奇葩，出道武林，卻是以快劍見長。千敗老人，傳了他舉世無匹的拔劍手法，使他出劍的迅捷，超越了一般劍手。艾九靈傳了他十招劍法，那是天下劍招的十招奇學。但究竟都不是連貫的一套劍法，如是遇上了能夠封擋他快劍的高手，那就很少有招架之力了。

但驚天三劍式，不但有著三招驚天動地的劍式，而且還有一套完整的劍法。驚天三劍，是天下劍招中，最具威力的劍招，可以單獨用出，具有無比的威力，連環用出，威勢更增十倍；但它綿連的一百七十二劍的變化，更是一套完美無暇的劍法。

如若俞秀凡沒有學會這樣一套劍法，快劍又無法在極短時間內斬傷這些劍女、刀童，那就無能拒擋這些人的攻擊了。

此刻，俞秀凡正施用這一套驚天劍法，對付六位劍女、六位刀童的攻勢。驚天劍法的變化，幻化出一片光幕、彩虹。

但聞一陣兵刃交擊，連續六鳴。原來，六個劍女，展開了快速攻勢，六劍並進，直刺而入。

俞秀凡迫於形勢，只好硬接下六個劍女的攻勢。這六劍硬接，使得俞秀凡的快劍，突然間減少了不少的速度。六把沉穩的寬刀，分由三個方位，就在那一點空隙之間，攻了進來。

俞秀凡疾退一步，長劍橫起，噹的一聲，擋開了一把寬刀。刀上的力道極大，俞秀凡自覺用出的力道很大，但也只不過把一把寬面刀封開半尺，另一把寬面刀乘虛而入，唰的一聲，刷開了俞秀凡握劍的衣袖。毫釐之差，就要傷到了俞秀凡的右腕。

俞秀凡長劍疾轉，又封開了六個劍女的一輪快劍，疾退四步，才避開另外幾把寬面刀。

這是一場很艱苦的搏鬥，雖然俞秀凡身懷絕世劍術，但他遇上的敵勢太強，而且，刀童、劍女的武功，走的是兩個完全不同的路子。

俞秀凡感覺到很吃力。但幸好一套驚天劍法，愈用愈覺純熟，變化也逐漸開闊，由極度吃力的局面下，慢慢感覺到輕鬆起來。

那藍衫人的神情卻剛好相反，原來很輕鬆的神情，卻變得十分沉重起來，有一件使他震驚的事，那就是俞秀凡的劍法，像飛逝的時光一樣，不停地在進步。像這樣再打下去，不消一個時辰，自己也無法是他的敵手了。

心中念轉，右手一揮，高聲說道：「大會合！十二飛龍鳳陣，全面圍攻。」

但見刀光如雪，劍芒閃動，十二個劍女、十二個刀童，全部出手。十二把劍女的快劍，有如閃電靈蛇，快速至極。十二把寬面刀，更是各具威力，招招攻向要害。刀勢不快，但沉穩有力，帶起一股肅殺的刀氣。

俞秀凡只覺四面八方，都構成了強大的壓力。快劍、重刀，使得每一面感受的壓力，都不平衡，這就更增加了應付的困難。

忽然間，俞秀凡的長劍，被四把寬面刀堵住劍路，一下失去了變化的靈活。

就是那一剎那間，四把快劍，疾如閃光一般，橫掠著俞秀凡身上掃過。衣衫破裂，劃出了四道傷口，鮮血淋漓而下。這還是俞秀凡見機得快，及時閃避開去。如是他慢了一步，這四把快劍攻勢，立刻把俞秀凡劈成碎片。

血透衣衫，但也激起了俞秀凡的殺機，大喝一聲，長劍突然施出了驚天三劍的第一式「驚天動地」。

劍勢化一圈銀虹，向四外激射而出。寒芒閃處，響起了連聲慘叫，四個劍傷俞秀凡的劍女，齊齊被攔腰斬做了兩段，八截屍體，落著實地。

不待刀童、劍女還攻，俞秀凡長劍迅快地化做了「石破天驚」。這一劍的威勢，尤勝前招，寒芒一片，疾捲而至。劍光下，血濺肉飛，四個刀童，生生被劈死劍下。

藍衫人驚懼莫名，大聲喝道：「快些給我退下！」

餘下的八位劍女、八位刀童，應聲而退，移位數尺。

俞秀凡的第三式還未出手，卻及時收住了劍勢。

藍衫人冷冷說道：「好威風啊！好煞氣啊！第一劍劈死了四個女童，第二劍劈死了四個男童，這一份酷狠的心腸，就叫人望塵莫及。」

望望劍女、刀童的屍體，俞秀凡也有些不安之感，輕輕吁了一口氣，道：「在下並非有意如此。」

藍衫人道：「一劍活劈四個人，還能說不是有意的麼？」

俞秀凡望望身上的傷痕，心中忽然平靜下來，道：「劍女、刀童，果非凡響。如若在下再存姑息，不施毒手，只怕此刻早已死在他們的快劍、重刀之下了。」

藍衫人道：「所以，你就連殺八人。」

俞秀凡道：「這八人不是死於在下之手，因爲，閣下既知他們都是未成年的童子，爲什麼還要他們出手？」

藍衫人雙目凶光閃動，冷冷說道：「俞秀凡，你可知道殺人償命這句話？」

俞秀凡道：「那要看是誰替他們報仇？」

藍衫人道：「我！」忽然揚手一掌，劈了過來。

表面上這一掌劈得不經意，但事實上，他卻是早已蓄勢而備，揚掌處一股暗勁，直對俞秀凡攻了過來。俞秀凡心中警覺，暗勁已然近身。匆急之間，揮手迎接一掌。

那暗勁來勢不見勁急，但俞秀凡掌力一和那暗勁相觸，那一股暗勁突轉強烈，排山倒海一般，直衝過來。俞秀凡立足不穩，吃那強大絕倫的內勁，直撞出了八尺遠。真氣震散，五指握不穩手中的長劍，嚐的一聲，跌落地上。

藍衫人舉步一跨，忽然之間，人已欺到了俞秀凡的身前。俞秀凡一咬牙關，伏身去撿長劍。但見藍衫人右腿一抬，一腳踢在了俞秀凡的膝蓋之上。俞秀凡身子一軟，倒了下去。

寒光一閃，藍衫人的長劍，已然抵在了俞秀凡的咽喉之上，冷冷說道：「俞秀凡，你有什麼遺言，盡快地說吧！」

俞秀凡冷笑一聲，道：「閣下可以下手了。」

藍衫人哈哈一笑，道：「俞秀凡，你真的連一句遺言也沒有麼？」

俞秀凡道：「在下就是有幾句遺言，你也沒有聽完我遺言的氣度。」

藍衫人微微一笑，道：「不論你說出如何動人的言詞，都無法說得保下你的性命，但我聽聽你說出遺言的風度，自信還有。」

俞秀凡心中暗暗忖道：有一分活下去的希望，我就應該活下去，這人的武功，似已登峰造極，如是今日不能把他制服，今後江湖只怕真是他的天下了。

心中念轉，口中冷冷說道：「在下敗得不服，死難瞑目。」

藍衫人笑了一笑道：「俞秀凡，這就是你的遺言麼？」

俞秀凡冷冷說道：「我真有一句遺言，你能夠照辦麼？」

藍衫人道：「你是死定了，但你是我這一生所遇到最強的敵人之一，只要你的遺言不太使人爲難，我都可以照辦。不過，話又說了回來，當今武林，如若我造化城主不能夠完成你的遺言，天下又有何人可以完成你的遺言呢？」

俞秀凡淡淡一笑，道：「我滿懷雄心而來，卻未把你殺死，使我含恨而死。」

藍衫人怒道：「說你的遺言，我不會多給你片刻的機會。」

俞秀凡道：「但願我死之後，能使天下群雄覺醒，使你授首亡命，這就是在下的遺言了。」

藍衫人長劍微顫，挑破了俞秀凡的咽喉，冷冷說道：「俞秀凡！本座一生，見過了無數位生性倔強的人，但他們都在我的擺布之下屈服。我不信你俞秀凡是鐵打銅澆的人。」

俞秀凡心中暗暗嘆息一聲，忖道：今日之局，必死無疑了。閉上雙目，不再理會藍衫人。

但聞藍衫人怒聲說道：「俞秀凡！本來我敬你是一位英雄人物，準備一劍把你殺死，讓你少受一些痛苦。」語聲頓住，仍不聞俞秀凡辯說之聲，怒火更大，冷笑一聲，道：「俞秀凡，我要讓你遍歷諸刑，嘗盡萬苦，然後削你五官，劈你頭顱，讓你粉身碎骨而死。」

俞秀凡緊閉的雙目，連睜也未睜一下。

藍衫人道：「俞秀凡！你聽到了我的話沒有？」

俞秀凡道：「聽到了。」

藍衫人道：「聽到了爲什麼不回答我的問話？」

俞秀凡道：「不必回答。」

藍衫人哈哈一笑，道：「大英雄啊，大豪傑！在下今日真的是遇上了英雄人物，希望你能夠撐得下去。」

俞秀凡道：「試試看吧！」

藍衫人道：「好！我不信一個人真能夠忍受世間所有的痛苦。咱們慢慢的來，先由小處起。」

突然出手點了俞秀凡五處穴道，說道：「抬起來！」

兩個刀童應聲而至，抬起俞秀凡。

藍衫人目光轉注到針釵湯蘭的臉上，道：「你是自己死呢，還是要我動手？」

湯蘭道：「兩樣都好。不過，我如有選擇的權利，我就希望選擇一個別致的死法。」

藍衫人道：「說說看，你還有什麼死的花樣？」

湯蘭道：「聽說咱們造化城中，有大奇刑。」

藍衫人點點頭，接道：「不錯。」

湯蘭道：「像俞秀凡這樣的人，是否要身受九刑折磨之苦？」

藍衫人道：「正是如此。在本座經驗之中，從無一人能熬過九刑之苦，至多五刑，不是自絕而死，就是歸依造化門下。」

湯蘭道：「賤妾這身分，不知道可否試試九刑之苦？」

藍衫人道：「好吧！你自己束手就縛，我就成全你的心願。」

湯蘭棄去了手中銀針，閉上雙目，高舉雙手，道：「哪一位小妹妹來，點了我的穴道。」

一個劍女快步行了過來，點了湯蘭三處穴道。

果然，湯蘭沒有反抗，而且連反抗的意識也沒有動過，靜靜地站著，讓一個劍女點了穴道。

藍衫人臉上泛起了一層憂鬱之色，緩緩說道：「湯蘭，你可知那九刑的厲害麼？」

湯蘭道：「屬下聽人說過。」

藍衫人道：「明知那是非人所能忍受的毒刑，你為什麼非要去嘗試不可？」

湯蘭道：「屬下覺著，死亡前遍歷諸苦，也可以多一分死前的品嘗。」

藍衫人冷冷說道：「湯蘭！你本來不是這樣豪壯的人，為什麼忽然有這樣的勇氣呢？」

湯蘭望了俞秀凡一眼，緩緩說道：「城主恕罪，屬下不敢明言。」

藍衫人道：「好！不論你說什麼，我都不怪罪於你。」

湯蘭道：「像俞秀凡這樣的英雄人物，遍歷九刑，嘗盡諸苦，豈可無人奉陪？」

藍衫人哦了一聲，道：「你很喜歡他？」

湯蘭搖搖頭，道：「不！我不配。我只是敬重他的為人。」

藍衫人道：「兩情相悅，生死不渝，倒是常常聽人說起。但卻從未聽人說過，由心生崇敬，願同生死。」

湯蘭道：「城主！賤妾之意，只是要奉陪俞秀凡同歷九刑。」

藍衫人哈哈一笑，道：「好！不過，你不要決定得太快，我帶你參觀過九刑之後，再做決定不遲。」

湯蘭道：「屬下心志已決，除非城主改變了心願，不讓俞秀凡死於九刑之下。」

藍衫人冷冷說道：「天下刑毒，無出我九刑之右，我不信俞秀凡真的能承受下來。」

湯蘭道：「城主，既可以拿俞秀凡以試九刑，為什麼不也拿我湯蘭試試？」

藍衫人道：「你本是貪生怕死之人，忽然間有了這等豪氣，怎不叫本座心中動疑？」

湯蘭道：「現在，城主明白了。」

藍衫人道：「好！咱們試試去。」

舉手一揮，道：「九刑院。」

刀童、劍女，抬著俞秀凡和湯蘭直奔九刑院。

俞秀凡一直緊閉著雙目，感覺中，自己進入了一座車廂之中，而且車輪響動，似是在向前滑進。

忽然間，覺著車廂一歪，以極快的速度，向下墜去。但車後卻似是有一條拉鍊給拉著，車廂向下滑墜的速度，受到了適當的控制。突然間，感覺眼睛一亮，車廂平穩地停了下來。

耳際間響起湯蘭的聲音，道：「原來此地還有這樣一方天地，屬下進入造化門十餘年，竟然是一無所知。」

俞秀凡睜眼看去，只見停身在一道山谷之中，山谷有花有樹，景物十分絢麗。

藍衫人哈哈一笑，道：「俞秀凡，我忽然想到了一件事，應該告訴你才對。」

俞秀凡道：「什麼事？」

藍衫人道：「你今年大概有十八歲了吧？」

俞秀凡道：「一個人的榮辱生死，和他的年齡，沒有太大的關係吧？」

藍衫人道：「當年我和你一般年齡時，還沒有你這一份成就，也未必有你這一份才慧。」

俞秀凡道：「閣下客氣了。」

藍衫人道：「假以時日，你必是取代本座的人，第二代造化城主。」

俞秀凡道：「俞某人沒有你這份雄心，也沒有你這份冷酷，縱然有機會，我也不會成為造化城主，也不願有這些罪惡。」

藍衫人微微一笑，道：「你缺少的就是這份雄心大志。」

語聲突然冷厲，接道：「但你具有了充分的能力，所以，我不能留下你。」

俞秀凡抬頭望天，未再理會藍衫人。

藍衫人輕輕咳了一聲，道：「送到金刑室外。」

俞秀凡和湯蘭的穴道，一直未解。刀童、劍女，把兩人抬到了一個石洞門外。只見緊閉的石門外面，寫著「金刑室」三個大字。

藍衫人道：「俞秀凡，刑室中，自會有人替你解釋行刑之法，你進去吧！」

俞秀凡淡淡一笑，一副從容就義的氣概。

金刑室雙門大開，一個白衣文雅的年輕人，緩步行了過來。

藍衫人道：「金刑室主，這兩人要遍歷金刑之苦，但不許他們死。」

白衣人一欠身，道：「金刑只給人無比的痛苦，不會致人性命。」

藍衫人道：「那很好，要他們燃起火把，我要親眼看看，金刑室為什麼不能使一個人進入此室之後，就屈節歸我門下。」

白衣人道：「回城主話。九刑相連，痛苦累加，具有志節的人，可能憑一股血氣之勇，熬受過這些痛苦。愈往後，愈難承受，遍歷了三刑室後，已然超過了一個人所有的忍受能力。如是金刑室施刑太重，那就失去了九刑連環的意義了。」一面喝令燃起燈火。

藍衫人點點頭，道：「從無一人能受過金、木、水、火、土五刑之苦，爲什麼要建築九刑連環呢？」

白衣人道：「前五刑以折磨一個人的肉體爲主，後四刑以加重意識恐懼爲主，如是真有一人，能熬五刑，那是鋼鐵其心，只有在意識上去征服他了。」

藍衫人道：「殘其軀，裂其肌，都無法使他歸依於造化門下，玩一點嚇人計劃，就能使一個人屈服麼？」

白衣人道：「一個人的軀體，在極端殘傷之下，意識也隨著轉趨薄弱。那時，縱然是定力深厚，意志堅強的人，也無法在那等情勢下忍受恐懼的侵襲。」

藍衫人笑了一笑，道：「照你這樣說法，很少有一個人能夠熬過九刑了。」

白衣人道：「只有兩種情形下，可以熬過九刑。」

藍衫人道：「哪兩種情形？」

白衣人道：「一種是超越人的神，一種是失去了知覺的人；一個已不是人間所有之物可以征服，一個是形同死屍，已不具人的本能。」

藍衫人道：「但願俞秀凡也屈服於九刑之下。」

白衣人笑了一笑，道：「這個，如若城主不信，可以在現場多看一些時間。」

藍衫人道：「自建好了九刑院之後，我一直沒有仔細看過，今日也應該多看看了。」

這時，石室已燃起了四支火把，照得一片通明。

白衣人高聲說道：「綁上刑架！」

兩個赤膊大漢，奔了過來，抬起俞秀凡，綁上刑架。

那是一面平整的鐵案，上面八道鋼圈，每一個粗如拇指，分扣在雙肩、雙腕、膝下和大腿之上。

八道鋼圈，不但堅牢無比，而且，可以隨心調整，可鬆可緊。其實，一個人被八道鋼圈扣於一面平整的鐵板之上，不用行刑，膽小的已經嚇得全身抖顫，魂飛魄散了。

藍衫人淡淡一笑，道：「俞秀凡，現在，可以說出你的遺言了。」

俞秀凡肅然說道：「未能把你手刃劍下，在下實是不甘心。」

藍衫人嗯了一聲，道：「動刑！不過，先給他解說明白，讓他了解之後，再讓他嘗試一下味道如何。」

白衣人一躬身，道：「城主放心，屬下會讓他死得明明白白，一點也不會馬虎。」

藍衫人淡淡一笑，未再答話。

白衣人目光轉注到俞秀凡的身上，道：「俞秀凡，你現在是在金刑室。」

俞秀凡冷冷說道：「巧言匹夫，勢利小人，不用賣弄利口，不論什麼惡毒的刑具，只管施用出來就是。」

白衣人微微一笑，有唾面自乾的勇氣。似乎是俞秀凡刻薄的言詞，不是罵他的一樣。

只聽他口齒清晰，語聲朗朗地說道：「你睡的地方，叫做行刑板，第一次施刑叫輪刃劃體。」

俞秀凡冷冷接道：「住口！你可以動刑了。」

白衣人不理會俞秀凡的喝止，繼續說道：「這鐵板之下，有一道滾索，可以把你推到一座巨大的轉輪下面，那大輪上，有著千百條利刀，鐵板在那輪下行過，巨輪轉動，利刀會緩緩由身上劃過。不過，你可以放心，那輪上利刃，都經過很精密的算計，不會要你的性命，只能劃破你身上三分肌膚。」

俞秀凡緊閉雙目，恍如未聞。

白衣人笑了一笑，接道：「刀輪上的痛苦，不會太長，至多不過有半個時辰左右。」

俞秀凡嘆息一聲，道：「對你這等不知羞恥爲何物的人，實叫在下無法對付。」

白衣人哈哈一笑，接道：「過了這刀輪刑具之後，下面是萬針刺體刑。」

俞秀凡苦笑一下，對那藍衫人道：「造化城主，你也是一代梟雄，怎的會有這樣嘮嘮叨叨的屬下。」

藍衫人淡然說道：「在下一向對待屬下，是信任授權，不論任何事情，只要我交給他們辦了，自己從不干預。」

白衣人道：「那是千百支鋼針，嵌在一面木板上，木板由輪索操縱，三面合集，但俞秀凡，不用擔憂會取了性命，鋼針也是經過了很精密的計算，刺入肌膚不會太深，至少不會傷到內腑。」

輕輕吁一口氣，接道：「過了萬針刺體之後，那是最舒適的一段時刻。」

俞秀凡閉目不理，但湯蘭卻忍不住接道：「一段什麼樣的時刻？」

白衣人道：「經過了輪刃、針刺之後，一個人已然鬧的全身是傷，鮮血淋漓。這時，會有兩個美艷的少女，爲君脫下衣服，拭去身上的血跡。」

輕輕咳了一聲，又道：「再下去是鹽水池，不深不淺的鹽水，剛剛淹軀而過。血肉傷痕，經過了鹽水浸洗之後，身軀上可能會有些痛苦。不過，咬咬牙，也可以忍受過去了。」

湯蘭道：「好惡毒的方法，真虧你們想得出來。」

白衣人道：「姑娘，這只是開始。刑室的前五刑，都會有連鎖作用，一道一道互爲因果，這叫做疼上加疼，傷上加傷。」

湯蘭道：「金刑傷體，到此爲止了吧？」

白衣人道：「還有兩道。第四刑罰是金針刺指。十根金針，分別刺入指心，深約三寸，十指連心，自然是有些痛苦。」

湯蘭道：「還有一道是什麼？」

白衣人道：「毛刷劃體。聽起來應該是最輕鬆的了，但感覺上卻最難熬。試想一個人全身傷痕，經那不軟不硬的毛刷，在傷口之上刷過，那該是很難忍受的一件苦事了。」

湯蘭道：「然後呢？」

白衣人道：「然後，受刑人，可以得到一份很長的休息。大約有十二個時辰，這是城主對受刑人的特別恩賜。」

湯蘭道：「十二個時辰過去，又將如何？」

白衣人道：「金刑五關，雖非絕毒，但也夠一人受的了。再經十二個時辰的思慮，也該做一個決定了，對麼？」

湯蘭道：「決定什麼？」

白衣人道：「進入造化門，歸化爲城主屬下。」

湯蘭道：「如是不肯歸入造化門呢？」

白衣人道：「那就送入木刑室。以此推演下去，木刑室，也會給人一個休養的時間，你可以再想想，是否歸降。不願歸依，就再送入水、火、土室。」

湯蘭道：「遍歷九刑，仍不肯降，那又如何呢？」

白衣人道：「人歷九刑之後，不死也變成白痴、殘廢，降與不降，已然無關緊要了。」

湯蘭道：「我不相信你們會就此放手！」

藍衫人接道：「這個，由我來答覆了。我不會放手，九刑之後，仍然不降，人又未死，那就會編入『死士』，用以對抗強敵。」

湯蘭吁一口氣，道：「城主，我和俞秀凡同時受刑呢，還是有先有後？」

造化城主道：「湯蘭，你是否有些後悔了？」

湯蘭道：「後悔了，你也不會放了我，對麼？」

造化城主道：「不會。造化門下人，只要犯了錯誤，都應該受到懲罰。至少，你也要受過金刑室五刑之後，才可重歸造化門下。」

湯蘭道：「城主，如是我受不過五刑，中途死去，那將如何是好？」

造化城主笑道：「湯蘭，你在造化城，只不過是九牛一毛罷了，多你一個，少你一個，對造化城可算是全無關係。你死你活，似乎都無關緊要。」

湯蘭笑了一笑，道：「幸好你心中這些想法，我已經早知道了，所以還不算太傷心。」

造化城主道：「很好，你就試試你自己的耐性如何？」

湯蘭道：「城主，我反悔已經來不及了，可不可以答應我一個請求？」

造化城主道：「什麼請求？」

湯蘭道：「反正我要死，爲什麼不讓我先來試試？也許我所承受的痛苦，會使得俞秀凡心生畏懼，改變主意。」

造化城主微微一笑，道：「湯姑娘，你不但很有心機，也是個很會說話的人。」

湯蘭道：「城主誇獎了。」

造化城主道：「如若你熬過五刑不死，願意重歸造化門時，我想你會受到我更重用一些。」

湯蘭道：「城主何以會突然對賤妾如此推重起來？」

造化城主道：「剛才你的一番話，深獲我心，我希望你的犧牲，能使俞秀凡改變心意。」

湯蘭道：「城主，其實，俞秀凡已經入你掌握，殺剮存留，任憑於你，爲什麼你還要對他如此的器重呢？」

造化城主道：「我殺了俞秀凡，固然永絕後患，但我如能收服他，那就如虎添翼。」

湯蘭道：「俞秀凡真的那樣重要麼？」

造化城主道：「不錯，他是可以抗拒艾九靈的力量。」

湯蘭道：「城主，屬下問一句不知深淺的話，不知城主是否願意回答？」

造化城主道：「姑娘請說。」

他口氣中，突然如此客氣起來，顯然，確對湯蘭觀念大變。

湯蘭道：「俞秀凡武功是否高過城主？」

造化城主笑道：「如單以劍上的造詣而言，他不在我之下。」

湯蘭道：「賤妾的記憶之中，城主是第一次如此讚揚別人。」
造化城主道：「我是個愛才的人，對一個才氣縱橫的人，我可有限度的縱容一些。」
湯蘭道：「但他還是敗在了城主的手下。」
造化城主道：「他敗在了別的地方，姑娘，除了劍術之上，其他方面，他還和我有一段很大的距離。」
湯蘭笑了一笑，道：「既是如此，留下他又有何用？」
造化城主道：「湯蘭姑娘，我已經回答的夠多了。」目光一掠那白衣人，接道：「快把湯姑娘送上刑台。」
白衣人微微一怔，道：「城主，俞秀凡呢？」
造化城主道：「先讓他看看，我覺著，聽景勝過看景，看刑得到的恐懼，應該尤過受刑人。」
白衣人道：「城主明鑒。」
一揮手，道：「解下俞秀凡，綁上本門叛徒湯蘭。」
兩個粗壯赤膊大漢，應了一聲，解下俞秀凡，換上湯蘭。
俞秀凡雖然被解下刑台，但他仍然被點了幾處穴道，反抗無力。
輕輕吁一口氣，俞秀凡緩緩說道：「湯姑娘，這是何苦呢？」
湯蘭笑道：「你可以仔細想想，再做一次選擇。」
俞秀凡心中明白湯蘭言中所指，但卻無法回答。
湯蘭目光轉到那白衣人臉上，冷冷道：「你在行刑時，最好讓他們加重些，把我殺死。」

白衣人道：「爲什麼？」

湯蘭道：「我受過了金室五刑後，可能會重返造化門，那時我要你嘗試我飛針的味道。」

白衣人笑了一笑，道：「湯姑娘，在下倒是希望有一個機會，試試你姑娘的手段。」

湯蘭道：「好吧！那就行刑吧！」

俞秀凡突然大喝一聲，道：「住手！」

白衣人回頭望望俞秀凡，向赤膊大漢道：「不要理他……」

俞秀凡厲聲喝道：「你這個卑詐小人。」

大約這句話罵得很厲害，白衣人臉上也變了顏色。

造化城主卻微微一笑，道：「等一下。」

白衣人對俞秀凡可以不作理會，但他對造化城主卻是恭順異常，立刻要屬下停住刑台，目光轉到俞秀凡的臉上，緩緩說道：「俞少俠，有什麼吩咐？」

俞秀凡緩緩說道：「對付一個婦道人家，算得什麼英雄人物？」

造化城主不慍不火地說道：「俞少俠，咱們是敵人，不是朋友，用不著一諾千金，也用不著充什麼英雄好漢。」

俞秀凡道：「你要對付的敵人是我，用不著對付湯蘭。」

造化城主笑了一笑，道：「俞秀凡，這地方是你作主呢，還是我作主？」

俞秀凡嘆息道：「咱們有沒有條件好談？」

造化城主道：「自然是有。俞少俠準備和我談什麼？」

俞秀凡道：「這是城下之盟，在下似乎是沒有選擇的餘地了。」

造化城主道：「人貴自知，俞少俠似乎是逐漸在成熟了。」
俞秀凡道：「說吧！如何能放了湯蘭？」
造化城主道：「她不過是滔滔大江中一個水花，算不得什麼大事，俞少俠要我如何放了她，本座一定照辦。」
俞秀凡道：「那一定有條件了？」
造化城主點點頭，道：「一件很容易的事。」
俞秀凡道：「對我而言，比死亡還要痛苦一些。」
造化城主道：「不會有那樣嚴重吧！」
俞秀凡道：「先聽聽吧！」
造化城主道：「看來，你是不會歸入造化門了？」
俞秀凡道：「除了這個條件之外，還有別的什麼？」
造化城主道：「你既然堅持不入造化門，在下也不勉強。」
俞秀凡接道：「除此之外，咱們就好談了。」
造化城主道：「我不迫你加入造化門，而且，可以立刻放了你，還讓你帶著湯蘭、水燕兒離開此地。」
俞秀凡道：「有這樣的事麼？」
造化城主道：「我以造化城主身分，說出此言，決不反悔。」
俞秀凡道：「能不能先告訴我那是件什麼事？」
造化城主道：「不能。這像賭博一樣，我們都下了最大的賭注，我造化門犧牲了無數的精銳高手，才算把你生擒到手，目下你，是我最大的一個勁敵。」

俞秀凡道：「閣下如不交代明白，要我如何答應之法？」

造化城主笑道：「我不傷害你軀體，不傷害湯蘭和水燕兒，還讓你帶走金釣翁等，也不追究他們叛離本門之罪，你說說看，這是否是很優厚的條件呢？」

俞秀凡道：「真是太優厚了，很難叫人相信。」

造化城主道：「立刻就可以得到證明，只要你答允一件事。」

俞秀凡道：「那一定是一樁叫人十分爲難的事。」

造化城主道：「當然是不太容易。」

俞秀凡道：「可否說明詳細內情？」

造化城主道：「俞秀凡，這是交易。事情未做決定之前，誰也不會洩漏個中之秘。其實，以你的聰明，想也可以想得差不多了，什麼事，我才會付出這樣的代價。」

俞秀凡道：「閣下對我俞某人，似是很信任。」

造化城主微微一笑，道：「不錯，我很信任你，才會和你做此豪賭。」

俞秀凡道：「我只要答應了就行，是麼？」

造化城主道：「大丈夫一言如山，答應了，你就不能再反悔。不過，爲了日後有所對證，咱們必須有個書約，閣下在上面簽押打上手印。」

俞秀凡望望湯蘭，然後回答道：「你不是吃虧的人，這交易，對你是利多弊少。」

造化城主道：「很難說啊！這一趟交易，不一定對我就好，不過覺著值得一賭罷了。」

俞秀凡道：「你不說明內情，在下很難決定。」

造化城主道：「那就不賭算了。」

目光轉注到白衣人的身上，接道：「下令行刑！」

俞秀凡想到湯蘭一個女子忍受這等悲慘刑罰，心中大爲不安，高聲道：「放下湯蘭。」

造化城主道：「你答應了？」

俞秀凡道：「形勢逼人，在下似是不答應也不行了。」

造化城主道：「去取紙硯，咱們立下約書。」

俞秀凡道：「先放下湯蘭，大丈夫一諾九鼎，我答應了，就不反悔。」

造化城主道：「好！我信任你。放下湯蘭！」

白衣人應了一聲，下令放下湯蘭。

俞秀凡道：「我已放上了賭注，可以說明內情了。」

造化城主哈哈一笑，道：「對你而言，比千刀萬剮你還要痛苦，何不晚些知曉內情，你也少一刻承受痛苦。」

俞秀凡道：「要來的總歸要來，早一些知道，也好早做打算。」

造化城主道：「說得倒也有理，閣下決定不變了？」

俞秀凡道：「是！決定不變了。」

造化城主道：「先說對你優待的條件，如何？」

俞秀凡道：「用不著吞吞吐吐，乾脆明明白白的說出來吧！」

造化城主道：「好！我送你三匹好馬，都有日行千里的腳程。」

俞秀凡道：「三匹好馬？」

造化城主道：「我相信，你如不把湯蘭和水燕兒帶走，只怕不會放心。」
俞秀凡道：「要我放心，我要帶走的還不止她們兩個。」
造化城主道：「可以，只要你叫得出名號的人都可以帶走，但至多不能超過二十個人。」
俞秀凡道：「很大方啊！」
造化城主道：「造化城主，自然是不會太小器了。」
俞秀凡道：「有兩個人，我要先做說明。」
造化城主道：「什麼人？」
俞秀凡道：「方堃和刀釵冷萍。」
造化城主微微一怔，道：「你帶走冷萍，也還罷了，爲什麼要帶走方堃？」
俞秀凡道：「這個城主不用問了，咱們有言在先，我只要不超過二十個人，你都答應。」
造化城主神情冷肅地說道：「好吧！但只限於你見過的人。」
俞秀凡道：「說說你的條件吧！」
造化城主道：「殺死艾九靈。」
俞秀凡愣住了，半晌說不出話。他千思萬想，就是沒有想到這一招，造化城主會出了這麼一個難題。
沉吟了良久，才輕輕吁一口氣，道：「如是打不過他呢？」
造化城主哈哈一笑，道：「那就要他殺死你。」
俞秀凡淡淡一笑，道：「閣下這一招想得很絕。」
造化城主道：「我一向不喜歡賠錢生意。」

俞秀凡冷笑一聲，道：「我沒有改變的餘地了？」
造化城主道：「有。」
俞秀凡道：「先要湯蘭承受五刑，然後再折磨我？」
造化城主道：「那是必然的事，敗軍之將不足言勇，但在毀約之前，我要你自責三聲。」
俞秀凡道：「說些什麼？」
造化城主道：「你自說自話，責備自己是言而無信的卑下小人。」
俞秀凡心中暗道：我如不允，救不了湯蘭、方堃、水燕兒，自己也是難免一死。我如先答允下來，到時間，讓艾大哥一擊把我殺死，不過是自己一條命。
心中盤算過一筆帳後，緩緩說道：「好吧！在下答應了就算數。我殺不了艾九靈，就讓艾九靈把我殺死。」
造化城主哈哈一笑，道：「取過筆硯，讓俞少俠畫押。」
一個秀雅俊麗的女婢，緩緩行了過來，攤開紙筆，道：「請俞少俠畫押！」
俞秀凡冷笑一聲，道：「一張白紙麼？」
造化城主哈哈一笑，提筆疾書。他筆力蒼勁，銀鉤鐵畫，而且速度奇快，一揮而就。
俞秀凡心中暗暗忖道：這人不但武功高強，文才亦非常人能及，但看這一手好字，至少有三十年以上的火候。
造化城主放下手中之筆，笑了一笑，道：「俞少俠斧正一下！」
俞秀凡說道：「寫得完美，筆力透紙，用詞適當。」提筆在紙上畫了押，接道：「夠了麼？」

造化城主道：「很好。」

收起白箋，道：「俞少俠，可以提出來了，你要帶走些什麼人？」

湯蘭突然說道：「俞少俠，賜給我一個名額好麼？」

俞秀凡道：「好！我要不了這麼多人，你有至親好友，帶兩個一起走吧！」

造化城主只是站在一旁微笑。

湯蘭吁一口氣，道：「城主，你交給俞少俠的人，可有什麼條件？」

造化城主道：「沒有。」

湯蘭道：「我們可以殺了他麼？」

造化城主哈哈一笑，道：「在下送給了俞少俠，是生是死，悉由俞少俠作主了。」

湯蘭回顧了俞秀凡一眼，道：「城主，你可以授我一個選擇之權？」

造化城主道：「可以。」

湯蘭伸手一指白衣人，道：「我要他——金室刑主。」

白衣人臉色一變，道：「你……」

造化城主笑了一笑，道：「俞少俠的意思呢？」

俞秀凡對這白衣人的巧言令色，實也深痛惡絕，點點頭，道：「如若城主可以賜予，就算他一個。」

造化城主點點頭，回顧了白衣人一眼，道：「你過去領死吧！」

白衣人道：「屬下對城主一片忠心！」

造化城主道：「我知道，但我已經答應了俞少俠，很不幸的，你被選了。」

白衣人急道：「屬下……」
造化城主接道：「不用多說，快過去吧！」
白衣人無可奈何，緩步行了過去。
湯蘭笑了一笑，道：「閣下未想到吧！報應來得如此之快。」
白衣人望了湯蘭一眼，對著俞秀凡抱拳一揖，道：「顏成見過俞少俠。」
俞秀凡道：「你叫顏成？」
白衣人道：「是！小人顏成。」
湯蘭道：「顏刑主！顏大英雄！」
顏成道：「不敢，不敢。」
俞秀凡回顧了湯蘭一眼，道：「湯姑娘，交給你了。」
湯蘭回顧了造化城主一眼，道：「城主，俞少俠把他交給我了，不知道可不可以？」
造化城主道：「可以，我聽到了俞秀凡把他交給你的話了。」
湯蘭目光又轉注那白衣人的身上，道：「你聽到了沒有？」
顏成目光一掠造化城主，道：「聽到了。姑娘有什麼吩咐？」大勢所促，他不得不盡力適應目下的形勢了。
湯蘭輕輕吁一口氣，道：「剛才聽你解說這金刑室的行刑殘酷，叫我嚮往得很，如果你以室主的身分，來承受這五刑美味，更可以算得一段江湖佳話了。」
顏成道：「這個……」
目光轉注到造化城主的身上，緩緩說道：「城主，這個難道也要屬下接受麼？」

造化城主微微一笑，道：「顏刑丰，我答應俞秀凡可以由咱們造化城中帶走二十個人，你就是那二十個人中的一個。」

顏成道：「他帶走的二十個人，是為了救他們的性命；但屬下卻是因為對城主的忠心遭妒，被他們要去殺害。」

造化城主嘆一口氣，道：「我知道，你會是造化門的開創功臣。目下，咱們造化城兩大阻力，一是艾九靈，一是俞秀凡。如若有一個機會，讓他們兩人火併一場，打個生死出來，那豈不是人間一大樂事。」

顏成道：「是！但城主今日本有先殺一個的機會，卻白白……」

造化城主道：「我自有應付之道，不用你多進言了。」

顏成黯然說道：「要屬下白白的送死麼？」

造化城主道：「造化城中人，怎能如此的貪生畏死，留人笑柄。」

湯蘭冷冷說道：「顏成，你連我一個婦道人家也不如麼，剛才你姑奶奶被綁在行刑板上，也沒有你這股的窩囊味道。」

顏成苦笑一下，道：「湯蘭，你何不施展飛針，一下取我性命。」

湯蘭道：「我要你死在自己設計的刑具之下，那才是人間報應。」

顏成道：「這刑具雖然惡毒，但不會致命。」

湯蘭道：「先讓你受受活罪也好。」

顏成道：「姑娘，沒有商量的餘地了麼？」

湯蘭道：「沒有。」

語聲一頓，接道：「給我拿下！推上行刑台。」

站在一側的赤膊行刑大漢，恍如未聞。

造化城主冷笑一聲，道：「顏成，自己上刑台吧！別要人家笑咱們造化城沒有規矩。」

顏成道：「這個，城主，在下……」

造化城主突然回手一指，點了顏成的穴道，道：「給我抬上行刑台。」

這一下，大概是點了那顏成的啞穴，竟未聽到他喊叫之言。

兩個行刑的赤膊大漢，應聲行了過來，抬起顏成，放上行刑台，又在顏成的雙臂、雙腿上，扣了鐵環。

造化城主淡淡一笑，道：「俞少俠，應該使他清醒過來，對麼？」遙發一掌，拍活了顏成的穴道。

顏成大聲叫道：「城主，屬下如若就此死去，豈不要造化門下的同道寒心？」

造化城主冷冷說道：「顏成，你敢對本座說出這等話，那證明你對本門就不夠忠誠了。」

顏成道：「屬下策劃建立九刑室，費盡了苦心，城主難道要眼看屬下死於金刑之下麼？」

造化城主道：「我記得你說過，這金室五刑不足要人之命，所以你就忍耐一、二吧！」

顏成心知再求亦是無用，暗中咬牙，不再多言。

造化城主道：「湯蘭，你吩咐他們吧！」

湯蘭應了一聲，道：「開刑！」

請續看《金筆點龍記》第四冊

臥龍生武俠經典珍藏版 31

金筆點龍記（三）

作者：臥龍生
發行人：陳曉林
出版所：風雲時代出版股份有限公司
地址：10576台北市民生東路五段178號7樓之3
電話：(02) 2756-0949　　　傳真：(02) 2765-3799
執行主編：劉宇青
美術設計：許惠芳
行銷企劃：林安莉
業務總監：張瑋鳳
出版日期：臥龍生60週年珍藏版 2023年3月
版權授權：春秋出版社呂秦書
ISBN：978-986-5589-84-4
風雲書網：http://www.eastbooks.com.tw
官方部落格：http://eastbooks.pixnet.net/blog
Facebook：http://www.facebook.com/h7560949
E-mail：h7560949@ms15.hinet.net
劃撥帳號：12043291
戶名：風雲時代出版股份有限公司

風雲發行所：33373桃園市龜山區公西村2鄰復興街304巷96號
電話：(03) 318-1378　　　傳真：(03) 318-1378
法律顧問：永然法律事務所 李永然律師
北辰著作權事務所 蕭雄淋律師

行政院新聞局局版台業字第3595號 營利事業統一編號22759935

定價：320元　

國家圖書館出版品預行編目資料

金筆點龍記／臥龍生 著. -- 臺北市：風雲時代出版股份有限公司，2021.06- 冊；公分（臥龍生武俠經典珍藏版）
ISBN：978-986-5589-82-0（第1冊：平裝）
ISBN：978-986-5589-83-7（第2冊：平裝）
ISBN：978-986-5589-84-4（第3冊：平裝）
ISBN：978-986-5589-85-1（第4冊：平裝）

863.57　　　110007333